学研の図鑑 LIVE ライブ▶ムービー

動画を見てみよう！

「学研の図鑑LIVEムービー動物」（約116分）は、学研が制作したオリジナル動画です。大迫力の映像やクイズなどで、動物のことが楽しくわかります。

DVDでもスマートフォンでも動画が見られます。

動画の見どころ

世界の動物たちに会いに行こう！

各大陸をめぐって、さまざまな環境にすむ動物を探す冒険ツアー！砂漠から雪山まで個性あふれる動物たちが登場です。

日本の動物大集合！

ニホンザル、ニホンリス、イノシシなどの身近な里山にすむ動物から離島にすむ動物まで、美しい日本の風景とともに紹介します。

人気動物園の裏側に潜入！

旭川市旭山動物園をおとずれ、ホッキョクグマやキリン、エゾヒグマなどを間近で撮影。ふだんは見られない飼育の裏側も公開！

シャチのトレーニングに密着！

鴨川シーワールドから、ダイナミックなシャチのトレーニング風景をおとどけ！シロイルカをはじめ人気の海獣たちも登場します。

動画をスマートフォンなどで見る方法は図鑑の最後で紹介しています ▶▶

読者のみなさんへ

　子どものころ、我が家にとって、本はとても高価なものでした。くらしの中でよく使っていた本は、家のまわりにある食べられる植物や、近所のおばあちゃんが差し入れてくれる地引網で取れた魚が載っている小さな図鑑でした。教わったことを書きこんだり、くり返し調べたり、ぼろぼろになった図鑑を補強して、使い続けたことを覚えています。

　図鑑が美しいものだと知ったのは、海外の博物館でのことです。観察対象を詳細に記録するために描かれた植物や動物などの博物画に魅了されました。図譜を通して、体のしくみに興味関心をもち、いつしか医者になりたいと夢を抱いた子どもは、めぐりめぐって動物とヒトとの関わりあいの歴史をたどり、いま、動物とヒトの関係がつむがれる現場にいます。

　本は、世界への扉を開いてくれる。この図鑑では、地球上にくらすわたしたち哺乳類のなかまを、できるかぎりたくさん紹介しました。生物進化の過程で生き残ってきた哺乳類たちが、いま、陸、海、空、どんなところでどんなくらしをしているのか探索してみてください。きっと何か気づきがあり、新たな発見に出会うことになるでしょう。

　世界はワンダーに満ちあふれています。見えていないこと、知らないこと、わかっていないことのほうが多いのです。種の中のつながりや種と種のつながり、他の生物種とのつながりなど、未知な世界もたくさんあります。新たな世界の扉を開けること、探究することを楽しんでくださいね。

群馬県立自然史博物館
姉﨑智子

学研の図鑑
LIVE
ライブ

新版
動物

[総監修]
姉﨑智子（群馬県立自然史博物館）

学研の図鑑 LIVE
新版 動物

▲ヒガシゴリラ

もくじ

読者のみなさんへ ……………………… 前見返し裏
この図鑑の見方と使い方 ……………………… 4
哺乳類の特ちょう ……………………… 6
哺乳類のなかまたち ……………………… 8
動物地理区 ……………………… 12
哺乳類のすむところ ……………………… 14

単孔目 ……………………… 16
カモノハシ、ハリモグラのなかま

オポッサム目 ……………………… 18
オポッサムのなかま

少丘歯目 ……………………… 19
ケノレステスのなかま

ミクロビオテリウム目 ……………………… 19
ミクロビオテリウムのなかま

フクロネコ目 ……………………… 20
フクロネコのなかま

フクロモグラ目 ……………………… 21
フクロモグラのなかま

バンディクート目 ……………………… 21
バンディクートのなかま

双前歯目 ……………………… 22
コアラ、カンガルーなどのなかま
● オセアニアってどんなところ? ……………………… 33
くらべてみよう 有袋類と真獣類のにたものどうし ……………………… 34

アフリカトガリネズミ目 ……………………… 36
テンレックのなかま

ハネジネズミ目 ……………………… 37
ハネジネズミのなかま

管歯目 ……………………… 38
ツチブタのなかま

イワダヌキ目 ……………………… 39
ハイラックスのなかま

長鼻目 ……………………… 40
ゾウのなかま
からだを見よう アフリカゾウ ……………………… 42
本当の大きさです ゾウの鼻先 ……………………… 48

海牛目 ……………………… 50
ジュゴン、マナティーのなかま

被甲目 ……………………… 52
アルマジロのなかま

有毛目 ……………………… 54
ナマケモノ、アリクイのなかま

登木目 ……………………… 56
ツパイのなかま

皮翼目 ……………………… 57
ヒヨケザルのなかま

▲アジアゾウ

▲ヒョウ

▲シャチ

霊長目	サルのなかま	58
からだを見よう	ボルネオオランウータン・ジェフロイクモザル	60
●マダガスカルってどんなところ？		65
くらべてみよう	霊長目のなかまの手と足	86

齧歯目 ネズミ、リスなどのなかま … 88
　くらべてみよう　飛膜で滑空する動物 … 104

兎形目 ウサギのなかま … 106

真無盲腸目 モグラ、ハリネズミなどのなかま … 112
　からだを見よう　コウベモグラ … 114
　くらべてみよう　はりで身を守る動物 … 122

翼手目 コウモリのなかま … 124
　からだを見よう　アブラコウモリ … 126

鱗甲目 センザンコウのなかま … 136

食肉目 ネコ、イヌ、クマ、アザラシなどのなかま … 138

奇蹄目 ウマ、バク、サイのなかま … 176
　からだを見よう　グレビーシマウマ … 178

偶蹄目 カバ、キリン、シカ、ウシなどのなかま … 188
　からだを見よう　キリン … 206
　本当の大きさです　キリンの角 … 208
　くらべてみよう　動物のひづめ … 220
　くらべてみよう　草食動物のふん … 222

鯨目 クジラ、イルカのなかま … 224
　からだを見よう　シロナガスクジラ … 226
　環境で変わる体の大きさ … 236

家ちく・ペット … 238
　人間と家ちくの関わり … 239

日本の動物 … 256
　日本で見られる哺乳類 … 258
　絶滅した日本の哺乳類 … 268
　絶滅危惧種とは？ … 269
　外来生物とは？ … 270
　動物を調べ、共存する … 272

あしたは動物園へ行こう … 274
種の分類 … 280

さくいん … 281
動画を見てみよう！ … 前見返し
スマートフォンで見てみよう！ … 後見返し

とびらの写真：ザトウクジラ

▲アカカンガルー

この図鑑の見方と使い方

この図鑑では、世界中に生息する哺乳類を分類ごとに紹介しています。分類は、日本哺乳類学会「世界哺乳類標準和名リスト2021年度版」にもとづき、哺乳類を28の大きなグループ（目）に分けて解説しています。
写真やイラストで特ちょうを解説する図鑑ページのほか、いくつかの情報ページがあります。

大きななかま分け

「目」ごとに色分けしています。さらに、そのページで解説している動物が属する「科」も表しています。

おもな動物がくらしている地域を表しています。

水色の文字で体の特ちょうなどをしめしています。

「動物のデータ」の見方

種名 和名（日本語の種名）を表しています。別名がある場合は( )で表しています。その後ろに学名（ラテン語）をのせています。
- 家ちく・ペットの章は、品種名の後ろに外国語名をのせています。
- 絶滅した動物は赤字で表しています。
- 「亜種」とは、種よりも下に位置する分類の単位です。同じ種の中で、くらしている地域によって、色や形などに違いがあらわれる場合のグループをいいます。

科名 その動物が属する「科」の名前です。
解説 その動物の特ちょうや性質などを、くわしく説明しています。
♠ **体の大きさ** 動物によって、大きさの表し方を変えています。
♦ **体重** その動物の平均的な重さです。
♣ **分布** その動物がくらしている地域です。
■ **生息環境** その動物がくらしている環境です。
♥ **食べ物** その動物がおもに食べているものです。

「からだを見よう」のページ

骨格透視イラストで、動物の体について解説しています。体の構造がよくわかります。

「くらべてみよう」のページ

動物の体や部位を、比べて解説しています。動物の多様性がよくわかる、科学的な内容です。

スマートフォンで見てみよう！
このマークがあるページは、スマートフォンアプリで３ＤＣＧの動く動物を見ることができます。おうちの人といっしょに楽しみましょう。
★やり方は、図鑑の最後のページでくわしく紹介しています。

３つのコラムがあります

そのページで解説している動物の、赤ちゃんや子育てについての情報を紹介しています。

そのページで解説している動物の、くらしや行動についての興味深い情報を紹介しています。

そのページで解説している動物の、動物園や水族館で観察できる特ちょう的な行動を紹介しています。

そのページで解説している動物についての豆ちしきです。

おもな動物とヒトの大きさを、シルエットで比べています。
ヒトの身長は大人170cm・子ども120cm、てのひらの大きさは大人20cm・子ども12cmが目安です。

「本当の大きさです」のページ

実物大写真で、動物の部位を解説しています。実物大で見て、はじめてわかる情報が満載です。

いろいろなマーク

絶滅危惧種 IUCN（国際自然保護連合）が発行する絶滅危機動物の現状を解説したレッドリスト（2023年版）で、深刻な危機（CR）、危機（EN）、危急（VU）に指定されている種です。また、日本にすむ動物については、環境省で作成しているレッドリスト（2020年版）で、絶滅危惧Ⅰ類（CR+EN）、絶滅危惧Ⅱ類（VU）に指定されている種です。

絶滅 野生絶滅 IUCNのレッドリストで絶滅（EX）・野生絶滅（EW）に指定された種です。

在来種 昔から日本にいる種です。

日本固有種 昔から日本にいる動物のうち、日本にしかいない種です。

外来種 人間の活動によって、もともと生息していなかった場所に持ちこまれ、定着した種です。

天然記念物 国が文化財保護法で指定した動物や植物、地質鉱物で、学術上価値が高く、特に重要なものです。

特別天然記念物 天然記念物の中で、特に価値が高いものです。

体の大きさについて

体長（頭胴長） 体をのばしたときの鼻先から尾のつけねまでの長さ。鯨目のなかま（→P.224）は、上あごの先から尾びれの切れこみまでの長さ。
尾長 尾のつけねから先（骨の部分）までの長さ。
体高 地面から肩までの高さ。

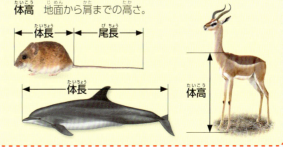

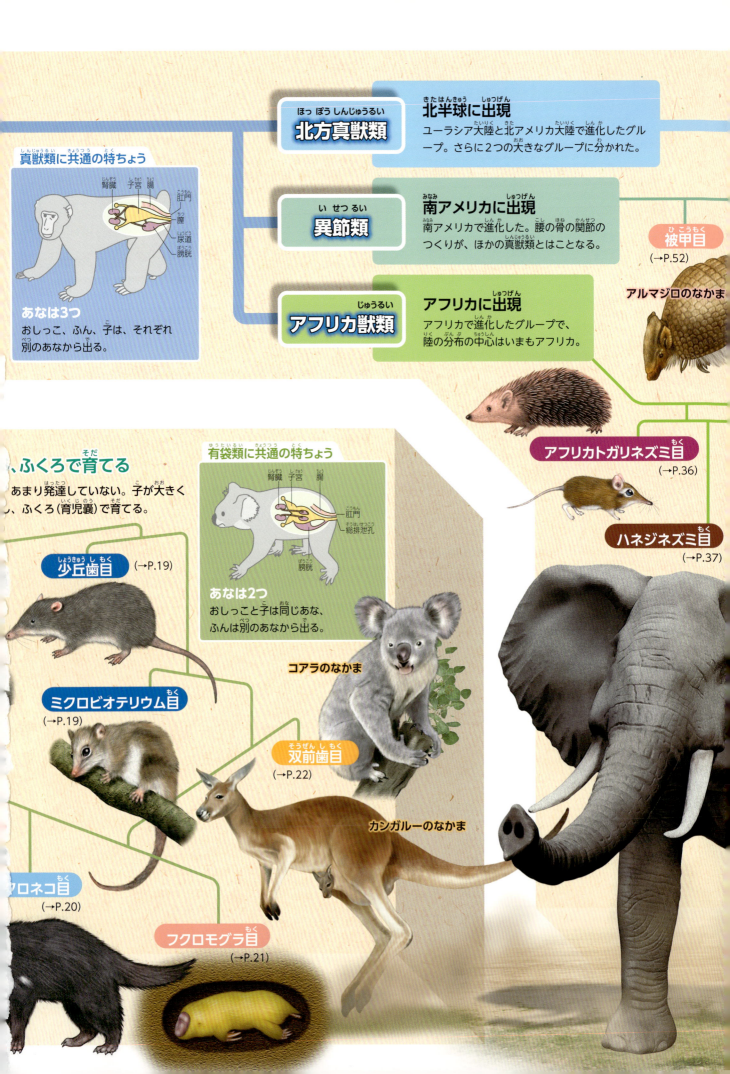

哺乳類のなかまたち

子が育つしくみのちがいで分けられる

現在、地球上に生息している哺乳類は、単孔類、有袋類、真獣類（有胎盤類）の３つに大きく分けられています。単孔類は卵をうみ、有袋類は子を育児嚢で育て、真獣類（有胎盤類）は、母親の子宮で子が成長するまで育んでからうみます。真獣類のなかまは多く、北方真獣類、異節類、アフリカ獣類に分かれます。それぞれのグループは、さらに「目」というグループに分けられ、現在、28の目が存在しています。

真獣類（有胎盤類）

大きく育んでからうむ
発達した胎盤をもち、子に子宮で継続的に栄養をあたえ、成長させてからうむ。

哺乳類の祖先と爬虫類は古生代石炭紀に分かれた。

三畳紀に、現在につながる哺乳類の系統が現れた。

白亜紀前期には有袋類と真獣類が分かれていた。

脊椎動物の祖先
脊椎動物の祖先はカンブリア紀に現れた。

哺乳類

ジュラ紀前期に単孔類の祖先が現れた。

爬虫類

魚類
卵はやわらかくて乾燥に弱く、水中や水気の多いところに産卵する。

両生類

恐竜
卵はかたい殻でおおわれ乾燥に強く、水場をはなれて産卵できる。

鳥類

有袋類

小さくう（む）
胎盤はあるか（、大きく）なる前に出産

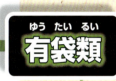

オポッサム目（→P.18）
オポッサム目と少丘歯目はアメリカ大陸に分布。

バンディクート目（→P.21）

単孔類

卵をうむ
卵をうみ、孵化させ、乳で育てる。

単孔目（→P.16）

単孔類に共通の特ちょう

腎臓、子宮、腸、膀胱、総排泄孔

あなは1つ
おしっこ、ふん、卵はすべて同じ1つのあなから出る。

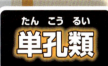

カモノハシのなかま

ハリモグラのなかま

＊イラストの哺乳類は、現在の地球上で見られるもので、そのグループのいずれかを取り上げています。

哺乳類の特ちょう

現在、地球上に生息している脊椎動物（背骨をもつ動物）は、哺乳類、魚類、両生類、爬虫類、鳥類の5つに分けられます。それぞれのグループは共通する特ちょうをもちます。この図鑑で紹介する哺乳類には、3つの特ちょうがあります。

① 子をうんで、乳で育てる

哺乳類は、「哺乳」の文字のとおり、乳で子を育てます。わたしたちヒトを含む多くの哺乳類は、子を体内で育み、ある程度まで成長してからうみます。生まれた子は乳で育てます。

カモノハシやハリモグラのように一部の種では、卵をうみ、卵から孵化した子を乳で育てます。

子をうむキリン。子が母体の中で育まれる期間（妊娠期間）は、種によってことなる。

乳を飲むネコの子たち。乳に含まれる栄養成分は種によってことなるが、子が育つのに必要な栄養素や、体を病気から守る免疫物質も含まれる。

ヒトも哺乳類

わたしたちヒトも、子を乳で育てる哺乳類のなかま。体内で子を育む期間は約40週。

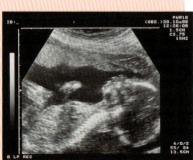

超音波写真に映った、子宮の中の子。

② 体温が一定で、毛がある

脊椎動物のなかで、哺乳類と鳥類は体内で発熱し、体温を一定に保つ恒温動物です。いっぽう魚類、両生類、爬虫類は、外部の温度により体温が変化する変温動物です。

直射日光など、外部の刺激から皮ふを保護したり、体温を一定に保ったりする役割をもっているのが体毛です。体毛は、皮ふの角質が変化したもので、爬虫類の鱗や鳥類の羽毛と、もとは同じであると考えられています。

ネコはひげのおかげで、体より先に障害物があることを知ることができる。ひげは、すきまを通りぬけられるかどうかを知るメジャーにもなる。

保温と保護色
毛があると温かいだけではなく、けがなどをしにくくなる。毛の色やもようがまわりの環境にとけこむことで目立たなくなり、敵から身を守るのにも役立つ。

感覚を伝える
口のまわりや、目の上、耳の中や上には、外からの刺激を感じ取る感覚毛とよばれる毛が感覚細胞からはえている。感覚毛が周囲にふれることにより、すきまの広さや自分の向きを知ることができる。

夏 ホッキョクギツネの夏毛。雪がとけ、植物が成育するツンドラの景色の中にまぎれることができる。

冬 ホッキョクギツネの冬毛。ふかふかの白い毛が全身をおおっている。足の裏にも密集した毛がはえ、氷の上でもすべらずに歩くことができる。−70℃という非常に厳しい寒さの中でも生きのびるための防寒着の役割をもつ。白い雪の中にとけこむ保護色の役割もある。

③ 3つの耳の骨

哺乳類は、鼓膜の奥にある中耳の骨が発達しています。中耳の骨とは「ツチ骨」「キヌタ骨」「アブミ骨」の3つの小さな骨のことで、まとめて耳小骨と呼んでいます。

あごの骨が耳の骨に
爬虫類や鳥類には、「アブミ骨」にあたる骨はあるが、「ツチ骨」と「キヌタ骨」はない。ツチ骨は下あごの骨の一部（関節骨）が、キヌタ骨は上あごの骨の一部（方形骨）が、それぞれ変化してできた。

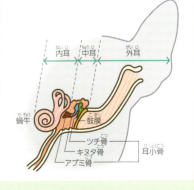

夜行性のショウガラゴ。耳介と目は特に大きく、暗闇の中でもえものの昆虫の音を聞き取り、とらえる。

哺乳類の耳の構造
外耳から入った音が鼓膜をふるわせる。振動は中耳のツチ骨、キヌタ骨、アブミ骨と進み、内耳の蝸牛を経て、脳へつながる神経に伝わっていく。

哺乳類の
すむところ

哺乳類は、地球のさまざまな環境にすんでいます。寒いところ、暑いところ、木がしげっている森林、広々とした草原、それぞれに特ちょうがあります。それぞれの環境に体や生活が適応できたものが、生き残ってきました。

高山

岩山にくらすアイベックス。偶蹄目は先がふたまたに分かれるひづめをもち、足もとが不安定な斜面地でも、たやすく移動することができる。

標高が高くなるほど気圧や気温が低くなり、空気もうすい。風は強いことが多い。背の高い樹木は育たず、森林がない。地形はけわしく、岩が切り立っていることが多い。ほかの高山との行き来がむずかしく、亜種が多く、絶滅がおこりやすい。

温帯林

日本の落葉広葉樹林のニホンザルの群れ。季節によって森から得られる食べ物の量に応じて、森を移動してくらす。

四季はあるが気温は比較的おだやか。冬に葉を落とす落葉広葉樹林（夏緑樹林）、落とさない常緑広葉樹林（照葉樹林、硬葉樹林）がある。ドングリなどの木の実も多く実り、小動物が冬越しなどのために埋めたドングリから、新たに芽ばえることも多い。

砂漠

フェネックの大きな耳は、体の熱をにがすのに役立つ。

雨が非常に少ない乾いたところ。砂や岩におおわれ、昼間は日差しが強く高温になるが夜間は地面の熱が空へにげ、20℃くらい気温が下がる。植物が育つにはきびしい環境だが、雨が降るといっせいに急成長して、わずかな期間に種子を残す。

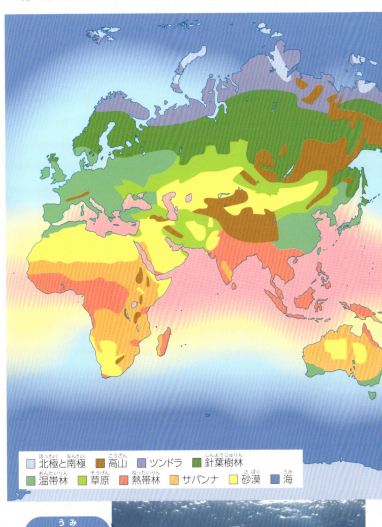

■北極と南極　■高山　■ツンドラ　■針葉樹林
■温帯林　■草原　■熱帯林　■サバンナ　■砂漠　■海

サバンナ

サバンナでシマウマをねらうライオンの群れ。ライオンの狩りは、群れのメスが協力して行う。

1年中、気温が高い熱帯の草原。おもにイネ科の植物が豊富にはえ、大型の草食動物が多い。樹木はまばら。雨季と乾季がはっきりとあり、乾季で植物がなくなると、植物をもとめて雨季の地域への草食動物の移動が見られる。大型の肉食動物も多い。

海

地球で最大の動物であるシロナガスクジラ。体長約30m、体重は120tにも達するが、広大な海では、のびのびとくらせる。

地球の表面積の70%を占める。水温は場所によるが、1年を通じて大きく変わらない。深海にも生物がいるが、植物プランクトンによる光合成が行われる水深200mまでに数が多い。水が体をささえるので体の大きな生物も動きやすい。

ボルネオオランウータン
同じ類人猿であるゴリラやチンパンジーは地上でくらすが、オランウータンは東洋区でよく発達している森林の樹上でくらす。

東洋区

ヒマラヤ以南から東南アジアまでの地域。インドはアフリカから分かれてきたため、アフリカ系の生き物が多い。さらに分かれていった東南アジア方面にもアフリカ系の種が見られる。旧北区から分布を広げたトラやライオンもいる。

プロングホーン
祖先は新第三紀に北アメリカに現れ、進化した。現在は1種のみが見られる。

新北区

北アメリカ大陸の大部分。200万年前にベーリング海峡が陸となり、旧北区と生き物の行き来があったため、バイソンやビーバーのような共通種も見られる。南アメリカとも地続きとなったことで、ヤマアラシやオポッサムなどが共通している。

新熱帯区

メキシコより南の地域で、南アメリカ大陸をすべて含む。白亜紀の中頃から島大陸だったため、アルマジロなどの異節類や、マーモセットなどの広鼻猿類のほか、独自に進化したものが多い。新生代の終わりに北アメリカとつながり、ヤマネコやジャガーなどの共通種もいる。

ココノオビアルマジロ
アルマジロは南アメリカで進化した。現在は、中央〜南アメリカに分布する異節類のなかま。

アカカンガルー
有袋類の祖先は北アメリカで誕生し、分布を広げた。長い後ろ足でジャンプするカンガルーは、オーストラリアで進化した。

新生代

古第三紀（4000万年前）

インドが衝突
インド大陸がユーラシア大陸に衝突し、ヒマラヤ山脈が隆起していく。

新第三紀（2000万年前）

南極が孤立している
地続きだった南極大陸と南アメリカ大陸が海峡で分かれ、完全に孤立した南極は海流にとり囲まれ寒冷化が進む。

現在

6つの大陸の時代
パナマ地峡で南北のアメリカ大陸がつながるなど、部分的につながっているが、6つの大陸に分かれている。

動物地理区

地球の陸地は、分布する動物の特ちょうから大きく6つに分けられます。地理区ごとに見られる動物がちがうのは、高い山や広い海にへだてられていたり、気候がちがっていたりするからです。地球の歴史のなかでは大陸も移動しています。陸地がつながったときに分布を広げることもあれば、はなれてしまったことで行き来ができなくなり、同じ祖先をもつ動物が、それぞれ進化することもあります。

旧北区

ユーラシア大陸をすべて含み、日本もそのほとんどは旧北区に属している。新生代にインドとアフリカが陸でつながり、生き物が行き来した。たとえばライオンはユーラシアからアフリカに、ゾウはアフリカからアジアに分布を広げた。

イノシシ
反すうをしない偶蹄目の1種で、アフリカからヨーロッパ、日本を含むアジアにかけて旧北区に広く分布する。

サバクキンモグラ
モグラのようだがアフリカトガリネズミ目のなかま。アフリカで進化し、現在もアフリカだけに分布する。

エチオピア区

サハラ砂漠より南のアフリカ大陸。大陸移動により、新生代になる前にユーラシア大陸などと分かれたため、原始的な種も多い。特にアフリカ大陸とも早くから分かれたマダガスカル島には、原始的なサルが多くみられる。

オーストラリア区

オーストラリア大陸とニュージーランドなどの島々。パンゲアからいち早く分かれたため、単孔類と有袋類が独自に進化した。ニュージーランドはオーストラリアより早くパンゲアから分かれ、現代になって人間がもちこむまで、コウモリ以外の哺乳類はいなかった。

大陸移動

大陸は地表のプレートの動きにより、くっついたりはなれたりをくりかえしています。大陸の移動は、生き物の分布や進化にも影響を与えます。

中生代

三畳紀（2億5000万年前）

陸地はパンゲアだけ
南半球のゴンドワナ大陸に北アメリカなどの大陸がくっついてパンゲア大陸ができた。

ジュラ紀（1億5000万年前）

はなれていく大陸
パンゲアは北のローラシア大陸と南のゴンドワナ大陸に分かれていった。

白亜紀（8400万年前）

細かく分かれる大陸
大陸はさらにばらばらになる。インド大陸はアフリカから分かれ、北上を始める。

北極と南極

北極にくらすホッキョクグマ。体毛は内部が空洞で、その中の空気が温まることで高い保温効果がある。

北極は平均気温約−18℃で、極点のある北極海そのものが凍っている。植物はグリーンランドなどの陸地にははえているが、樹木は見られない。南極は大陸がぶ厚い氷でおおわれ、平均気温約−50℃と地球上でもっとも寒く、哺乳類は生息していない。

ツンドラ

トナカイは冬は針葉樹林（タイガ）ですごすが、夏は1000kmもはなれたツンドラに集団で移動し、たくさんはえている植物などの若芽を食べてくらす。

寒さがきびしい草原。地下に永久凍土があり、夏は地面の表面の氷はとけるが、永久凍土があるために水はけが悪く、湿地となる。高い木は育たず、ツツジやヤナギ、ハンノキなどの低木や、コケ、地衣類が地面をおおう。

針葉樹林

ヒグマは肉食動物だが、マツの実や果物などの植物質も食べる。針葉樹林はそれらの食べ物も豊富だ。

寒さはきびしいがツンドラより暖かく、寒さに強い針葉樹が森林をつくっている。さまざまな針葉樹にできる「マツの実」は多くの哺乳類が利用し、草食動物を狩る肉食動物も生息する。

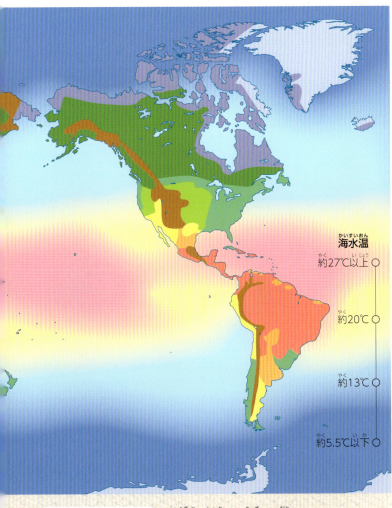

海水温
約27℃以上
約20℃
約13℃
約5.5℃以下

草原

アメリカの草原に分布するプレーリードッグは、地下に複雑なトンネルを掘り、群れでくらす。草原は見通しがよい。敵から身を守るため、出入口には見張りが立つ。

地球の全陸地の約4分の1を占める。気温は比較的高く、砂漠になるほど乾燥もしていないが、高い木が育つほど雨は多くない。イネ科を中心とした草がはえ、一年草もあれば多年草もあるが、どちらも雨季に成長し乾季に枯れる。

水辺と湿地

＊水辺と湿地は、地図には表されていません。

水辺でくらすカピバラの指には、水かきがあり、泳ぎがうまい。潜水も得意で、水中や水辺の植物を食べる。

水と陸地の境界で、水がひくこともあるが、おおむねいつも水をたくさん含んでいたり、おおわれていたりする。マングローブ、泥炭地、沼沢地、川、湖、水田など、世界中に見られ、大きなものから小さなものまで、さまざまな規模のものがある。

熱帯林

ノドチャミユビナマケモノの親子。木にぶら下がってすごすナマケモノは体重が軽い。毛は、腹から背に向かってはえていて、雨が腹にたまりにくい。

赤道をはさんで南北に広がる地域で、1年中気温が高く、雨も多い。さまざまな種類の植物がしげり、木は背が高く成長し、高木のこずえを利用してくらす生き物も多い。落ち葉や倒木の分解が早く進むので腐葉土の層は少ない。

単孔目 — カモノハシ、ハリモグラのなかま

単孔目は、哺乳類で卵をうむ唯一のグループで、カモノハシとハリモグラのなかまがいます。いずれも歯がなく、おしっことうんちを出すあなと、卵をうむあなが、1つになっています。

カモノハシ・ハリモグラの分布

ビーバーのような平たい尾／水かきのある足

カモノハシ

Ornithorhynchus anatinus カモノハシ科

カモのような、くちばしがあります。川辺の土手などにあなを掘って、巣をつくります。♣体長31～40cm、尾長10～15cm ◆0.7～2.4kg ♣オーストラリア東部、タスマニア島 ■川辺の土手など ♥ザリガニ、エビ、ミミズなど

▲おすの後ろ足のつけねには、毒を出すけづめがはえています（↓）。

▲口が鳥のカモのくちばしににているので、この名がつけられました。

どんな赤ちゃん？ 卵から生まれ、お乳をなめる

カモノハシのめすは、巣あなのおくの産室で直径15mmほどの卵を2個うみます。10日くらいで孵化し、赤ちゃんが生まれます。お母さんにおっぱい（乳首）はなく、腹の皮ふの下にある乳腺からしみ出す濃いお乳を、赤ちゃんがなめとります。

もっと知りたい！ くちばしでえもの探し

カモノハシのくちばしの表面には、小さなあながたくさんあいています。あなのおくには感覚器官があり、生き物から出る弱い電流や水流を受信し、居場所をつきとめます。

体の大きさ ◆体重 ♣分布 ■生息環境 ♥食べ物

口の長さは6cmくらい

腹以外の全身にとげがはえている

前足と後ろ足の爪は5本。前足の太くじょうぶな爪は土を掘りやすい

全身に短いとげがまばらにはえている

口の長さは頭の長さの3分の2にもなる

前足と後ろ足の爪は3本のことが多い

ハリモグラ *Tachyglossus aculeatus* ハリモグラ科
昼間は自分で掘ったあななどで休んでいます。1回に1個の卵をうみます。前足でアリやシロアリなどの巣をこわし、ねばねばした長い舌をさしこんで食べます。♠体長30〜45cm、尾長0cm ◆2〜7kg ♣オーストラリア、ニューギニア島 ■森林や荒れ地など ♥昆虫（おもにシロアリやアリ）

ミユビハリモグラ *Zaglossus bruijni* ハリモグラ科 絶滅危惧種
単孔目のなかまで最大。岩のさけ目などに巣をつくり、夜に活動します。細長い口を地面にさしこみ、長い舌でミミズや昆虫などをつかまえて食べます。♠体長46〜79cm、尾長0cm ◆5〜10kg ♣ニューギニア島 ■高地の森林や草地 ♥おもにミミズ、ほかに昆虫

▲舌をのばしてシロアリを食べるハリモグラ。口先から舌を18cmもつき出すことができます。

鼻先でえもの探し

ハリモグラは鼻先を地面にさして、においでアリやシロアリの巣を探します。鼻先で感じる振動も、えもの探しに役立っていると考えられています。

◀ハリモグラの後ろ足。第2指（人差し指）と第3指（中指）の長い爪で毛づくろいをします。

第2指
第3指

▲ハリモグラは、おそわれると体を丸めたり、あなを掘ってふせたりして、とげで身を守ります。

育児嚢の中で成長

ハリモグラのめすは、腹のくぼみ（育児嚢）に卵を1個うみつけます。10日ほどで孵化した赤ちゃんは、育児嚢の乳腺からしみ出すお乳をなめて育ちます。

生まれたてのとげのない赤ちゃん
育児嚢

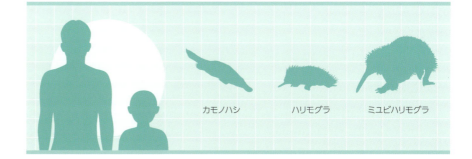

カモノハシ　ハリモグラ　ミユビハリモグラ

カモノハシと同じように、ハリモグラのおすの後ろ足にも、けづめがはえていますが、毒はありません。

オポッサム目 オポッサムのなかま

オポッサムのなかまは、北〜南アメリカにすむ有袋類（→P.8）です。めすは乳首まわりの皮ふが、ひだになっているだけで、はっきりしたふくろはもちません。

オポッサムの分布

目の上に白いもようがあり、目が4つあるように見える

長い尾

長い尾で枝をつかんだり、木の上でバランスをとったりする

セジロウーリーオポッサム
Caluromys derbianus オポッサム科
木の上でくらし、夜に活動します。めすは木のあなに落ち葉で巣をつくります。🌲体長23〜30cm、尾長38〜45cm ◆245〜370g ♣中央〜南アメリカ ■森林 ♥昆虫、果実

ヨツメオポッサム *Philander opossum* オポッサム科
おもに地表や低い木の間で活動しますが、泳ぎや木登りも上手で、木の上に木の葉や草で巣をつくります。🌲体長28〜30cm、尾長28〜35cm ◆800g ♣中央〜南アメリカ ■森林 ♥ネズミ、小鳥、昆虫、果実

尾は体長の半分くらい

長い尾を使って上手に木に登る

ハイイロジネズミオポッサム
Monodelphis domestica オポッサム科
最小のオポッサムです。夜、ときには人家に入りこんでえものをとらえます。めすの腹にふくろはありません。🌲体長13〜16cm、尾長6.5〜7.5cm ◆400g ♣南アメリカ ■森林、草原、人家 ♥昆虫、果実

キタオポッサム *Didelphis virginiana* オポッサム科
森林から家のまわりまでさまざまな場所で見られます。夜行性で何でも食べます。🌲体長39〜48cm、尾長25.5〜53.5cm ◆1900〜6000g ♣北アメリカ、中央アメリカ ■森林や草原、農地など ♥ネズミ、小鳥、昆虫、果実

▶子を背負って育てるキタオポッサムの母親。一度に最大で56頭の子をうみますが、乳首は13個しかないので、生き残れない子も多いです。

前足の長い指でえものをとらえる

白い耳

ミズオポッサム
Chironectes minimus オポッサム科
ただ1種の水生の有袋類です。水かきのある後ろ足で上手に泳ぎます。おすもめすも、腹に防水性のあるふくろをもちます。🌲体長25〜40cm、尾長27〜43cm ◆510〜790g ♣中央〜南アメリカ ■水辺 ♥エビやカニ、魚、カエル、昆虫

シロミミオポッサム
Didelphis albiventris オポッサム科
日が沈むと動き出して昆虫や果実などを探し、その時期に多くとれるものをよく食べます。🌲体長41〜60cm、尾長40〜65cm ◆500〜2000g ♣南アメリカ中部 ■草原から熱帯雨林 ♥カエル、小鳥

死んだふりで身を守る

キタオポッサムは、敵におそわれると失神状態になり、くさいにおいを出します。すると、敵は死体とかんちがいして興味をなくし、去っていきます。

🌲体の大きさ ◆体重 ♣分布 ■生息環境 ♥食べ物

少丘歯目 ケノレステスのなかま

ケノレステスのなかまは、南アメリカにすむ有袋類ですが、めすのお腹にふくろはありません。トガリネズミ（→P.119〜）のような姿をしていて、下あごの2本の前歯が大きく、前につき出ています。

ケノレステスの分布

毛皮は厚く、長くあらい毛でおおわれる

ハイバラケノレステス *Caenolestes caniventer* ケノレステス科
涼しくて湿度の高い地域を好み、日中は木の根の下のあなですごします。夕方から夜に活動し、落ち葉の中からえものを見つけると、前足でとらえて食べます。♠体長9〜13cm、尾長12〜15cm ♦29〜47g ♣エクアドル、ペルー ■山地、森林 ♥昆虫、クモ、小動物、果実

つやのあるなめらかな毛

エクアドルケノレステス *Caenolestes fuliginosus* ケノレステス科
単独で地上にくらし、夕方から夜に活動してえものを探します。ジャンプしたり、長い尾でささえながら、木によじ登ったりすることができます。♠体長10〜13cm、尾長10〜14cm ♦25〜32g ♣エクアドル、コロンビア ■森林、牧草地 ♥昆虫、小型哺乳類

ミクロビオテリウム目 ミクロビオテリウムのなかま

南アメリカにすむ有袋類で、めすのお腹に小さなふくろがあります。数千年前には何種ものなかまがいましたが、現在はチロエオポッサム1種です。

チロエオポッサムの分布

尾の長さは体長と同じくらい

目のまわりに黒い輪のようなもよう

チロエオポッサム
Dromiciops gliroides ミクロビオテリウム科
尾と大きな手足で上手に木に登り、木の上でくらします。尾に脂肪をたくわえて冬眠します。めすは子育て用の小さなふくろと4つの乳首をもちます。♠体長8〜13cm、尾長9〜13cm ♦16〜42g ♣南アメリカ南部 ■森林の木の上 ♥おもに昆虫、小動物、果実

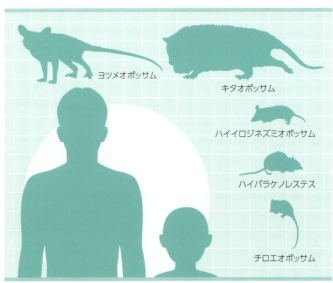
ヨツメオポッサム
キタオポッサム
ハイイロジネズミオポッサム
ハイバラケノレステス
チロエオポッサム

オポッサムのなかまは、さまざまな毒ヘビの毒に耐性があります。

フクロネコ目 — フクロネコのなかま

肉食性の有袋類（→P.8）で、小動物や鳥、昆虫などを食べます。オーストラリアやニュージーランドにすんでいます。

フクロネコのなかまの分布

フクロアリクイ
Myrmecobius fasciatus フクロアリクイ科 絶滅危惧種

昼間に行動します。長い舌を使ってアリやシロアリをなめとって食べます。腹にふくろはありません。♠体長20〜27cm 尾長16〜21cm ◆280〜550g ♣オーストラリア ■森林 ♥シロアリ、アリ

大きな爪のある前足でシロアリの巣をこわす

タスマニアデビル
Sarcophilus harrisii フクロネコ科 絶滅危惧種

最大の肉食性の有袋類。するどい歯で肉を切りさき、強いあごで骨をくだきます。♠体長57〜65cm 尾長24.5〜26cm ◆5〜8kg ♣オーストラリア（タスマニア島）■森林や荒れ地 ♥哺乳類（小型）、鳥、爬虫類

▲口を開けていかくするタスマニアデビル。

するどい歯

フクロネコ
Dasyurus viverrinus フクロネコ科 絶滅危惧種

白いはん点もよう

夜に活動します。タスマニアデビルの食べ残しをあさることもあります。♠体長34〜37cm 尾長22〜24cm ◆880〜1300g ♣オーストラリア、タスマニア島 ■人家近くの林の上 ♥ネズミ、小鳥、昆虫、魚

ネズミクイ
Dasycercus cristicauda フクロネコ科

尾の先の毛が上側だけ長い

砂丘の草の根元などに巣あなを掘ってすみ、夜にえものを探します。♠体長13〜23cm 尾長8〜12.5cm ◆110〜185g ♣オーストラリア西部、中部 ■砂漠、荒れ地 ♥小動物、昆虫

オオネズミクイ
Dasyuroides byrnei フクロネコ科 絶滅危惧種

尾の先は筆のよう

昼間は地面のあなで休んでいて、夜に活動します。♠体長16〜18cm 尾長13〜14cm ◆110g ♣オーストラリア ■砂漠地帯や、岩の多い地域 ♥小動物、昆虫

アカオファスコガーレ
Phascogale calura フクロネコ科

赤い尾の先は黒くてふさふさ

木の上でくらします。おもに夜活動し、木々の間をジャンプしながらえものを探します。♠体長9〜12cm 尾長12〜14.5cm ◆40〜65g ♣オーストラリア ■森林 ♥昆虫、小鳥、ネズミ

フクロトビネズミ
Antechinomys laniger フクロネコ科

夜の活動に適した大きな目と耳
長い後ろあし

夜行性で、弾むようにすばやく動きます。♠体長7〜10cm、尾長10〜15cm ◆25〜35g ♣オーストラリア中部、南部 ■草原、森林、低木林 ♥昆虫、クモ

フクロオオカミ
Thylacinus cynocephalus フクロオオカミ科 絶滅

もちこまれた家畜をおそったため、ヒトに殺され、1936年に絶滅しました。♠体長100〜130cm 尾長50〜60cm ◆15〜35kg ♣オーストラリア、ニューギニア、タスマニア島 ♥哺乳類、鳥

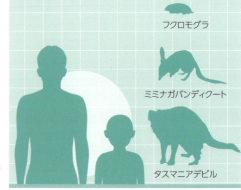
フクロモグラ
ミミナガバンディクート
タスマニアデビル

♠体の大きさ ◆体重 ♣分布 ■生息環境 ♥食べ物

フクロモグラ目 フクロモグラのなかま

フクロモグラのなかまは、モグラのようにトンネルを掘る有袋類です。めすのお腹に、後ろ向きのふくろがあります。

フクロモグラの分布

目と耳は退化して小さく、毛にかくれている

土の中を進みやすい流線形の体

フクロモグラ *Notoryctes typhlops* フクロモグラ科
砂漠や荒れ地にトンネルを掘ってすんでいます。地中を掘り進みながら、においや触覚をたよりにえものを探します。♣体長12〜16cm、尾長2〜3cm ◆40〜70g
♣オーストラリア中部 ■砂漠、草原 ♥昆虫、小動物

◀前足に大きな2本の爪があり、この爪で砂地に浅いトンネルを掘ります。

バンディクート目 バンディクートのなかま

バンディクートのなかまは雑食性の有袋類で、さまざまな環境にすんでいます。とがった鼻先をもち、長い後ろあしでカンガルーのようにとびはねます。

バンディクートの分布

ミミナガバンディクート
Macrotis lagotis
ミミナガバンディクート科 絶滅危惧種
あな掘りがうまく、地下に巣をつくります。夜に活動します。♣体長20〜56cm 尾長12〜29cm ◆600〜2500g ♣オーストラリア ■砂漠 ♥ネズミ、小鳥、昆虫

小さくて丸い耳

シモフリコミミバンディクート
Isoodon macrourus バンディクート科
夜に活動して、食べ物を探します。♣体長30〜47cm 尾長15cm ◆500〜3100g
♣オーストラリア ■森林や草地 ♥昆虫、ミミズ、植物の種子

長い耳

3色に分かれた尾

ブタアシバンディクート
Chaeropus ecaudatus ブタアシバンディクート科 絶滅
ヨーロッパ人による開拓や牧畜、もちこまれたネコなどによって生息地を追われ、20世紀半ばに絶滅したと考えられています。♣体長23〜26cm 尾長10〜15cm ◆500g ♣オーストラリア ■砂漠、草原、森林 ♥おもに葉や根、草

前足の指は2本。ひづめのような爪があり、ブタの足ににている

もっと知りたい！ 生態系を保つ

ミミナガバンディクートが、地面のあちこちにあなを掘ることで、土が耕され植物が育ちます。また、そのあなを巣やかくれ場所にして、敵や暑さから身を守る生き物もいます。ミミナガバンディクートがいることで、砂漠のさまざまな生物が命をつなぎ、豊かな生態系が保たれています。

フクロモグラ目のなかまは、フクロモグラとキタフクロモグラの2種だけです。

双前歯目

コアラ、カンガルーなどのなかま

双前歯目の動物は、その名の通り、植物を食べるための大きな2本の前歯（切歯）が下あごにあります。オーストラリアとそのまわりにすむ有袋類（→P.8）で、めすのお腹には赤ちゃんを育てるためのふくろ（育児嚢）があります。

双前歯目の種数の割合

双前歯目の種数 約150種

哺乳類の総種数 約6700種

＊2024年4月時点（500年以内に絶滅した種を含む）

◀カンガルーのなかま（→P.28）の親子。子どもは、お母さんのお腹のふくろの中でおっぱいを吸って育ちます。生まれてから半年ほどたつと、ふくろの外に顔を出します。

双前歯目の分類

双前歯目は11科に分類されています。後ろ足の人差し指と中指がくっついていることも、このグループの特ちょうです。（→P.24、P.28）

コアラ科 ▶P.24
コアラ

ウォンバット科 ▶P.25
ウォンバット

ブーラミス科 ▶P.26
ブーラミス

クスクス科 ▶P.26
プチクスクス

リングテイル科 ▶P.27
ハイイロリングテイル

フクロモモンガ科 ▶P.27
フクロモモンガ

フクロミツスイ科 ▶P.27
フクロミツスイ

チビフクロモモンガ科 ▶P.27
チビフクロモモンガ

カンガルー科 ▶P.28
オオカンガルー

ニオイネズミカンガルー科 ▶P.32
ニオイネズミカンガルー

ネズミカンガルー科 ▶P.32
アカネズミカンガルー

骨格を見よう

カンガルーのなかまは、長くてじょうぶな後ろあし（脛骨・腓骨）、太くて長い尾などが特ちょうです。また、骨盤の近くには袋骨（前恥骨）という骨があります。めすの育児嚢をささえる働きをしますが、袋骨はおすにもあります。

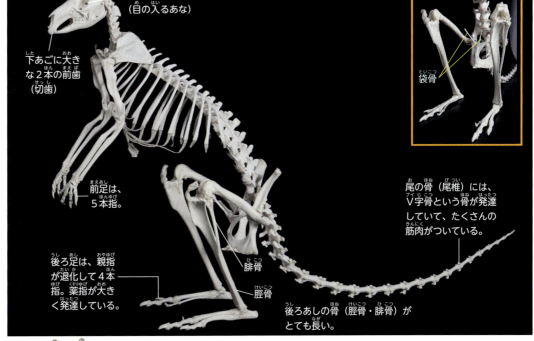

▶ワラビーのなかまの全身骨格
写真協力：群馬県立自然史博物館

ふくろのつき方

双前歯目のなかまを含む、有袋類のふくろ（育児嚢）は、お腹の皮ふがのびたものです。種によって、つき方はさまざまです。

カンガルーのなかま（→P.28）
◀入り口が体の前側にひらく、完全なふくろ状

コアラ、ウォンバットのなかま（→P.24）
◀入り口が体の後ろ側にひらく、完全なふくろ状

フクロモモンガ（→P.27）など
▶入り口が体の前側にひらく、きんちゃくのような形

コアラ・ウォンバットのなかま

双前歯目／コアラ科・ウォンバット科

このなかまは、オーストラリアやタスマニア島にすんでいます。コアラは木の上で、ウォンバットは地上でくらし、夜に動き出して草や葉を食べます。

コアラの分布

ふさふさの毛がはえた大きな耳

コアラ
Phascolarctos cinereus

コアラ科 **絶滅危惧種**

巣はつくらず、昼間は木の枝にすわって体を丸めて眠ります。夜になると、ゆっくり行動します。

- 体長60〜83cm、尾長0cm
- 8〜12kg
- オーストラリア東部
- ユーカリ林
- ユーカリの葉

▲コアラはほぼユーカリの葉しか食べません。この葉には水分が多く含まれているので、水をほとんど飲まなくてもくらせます。

▲昼間は木の上で、寝たり休んだりしています。1日に20時間も眠ります。

▲前足は、するどいかぎ爪のついた指が向かい合っていて、木の枝をしっかりつかむことができます。

▲後ろ足は親指以外にかぎ爪があります。くっついた人差し指と中指の爪は分かれていて、この爪で毛づくろいします。

もっと知りたい！ 長い盲腸

コアラは、体長の倍以上の長さの発達した盲腸をもちます。盲腸には特別な細菌がいて、コアラの食べたユーカリのタンパク質を分解し、栄養分と毒に分けます*。体には栄養分だけが吸収されます。

＊このときの盲腸の内容物が、お母さんが赤ちゃんに食べさせる「盲腸ふん」です。

胃／食道／盲腸／小腸／結腸／直腸

どんな赤ちゃん？ 離乳食は盲腸ふん

コアラの赤ちゃんは体長3cm、体重0.5gほどで生まれ、お母さんの育児嚢の中のおっぱいに吸いついて育ちます。6か月くらいたつと、お母さんの盲腸ふんを食べ始めます。この離乳食により腸内に細菌がすみついて、お母さんと同じようにユーカリの葉を食べられるようになります。

育児嚢の中にいる赤ちゃん／盲腸ふん

体の大きさ ◆体重 ♣分布 ■生息環境 ♥食べ物

短い耳
あなを掘るするどいかぎ爪

ウォンバット（ヒメウォンバット） *Vombatus ursinus* ウォンバット科
夜行性で、昼間は地中につくった巣で休んでいます。♠体長70〜115cm 尾長2.5cm ◆22〜39kg ♣オーストラリア南東部、タスマニア島 ■広葉樹林 ♥草木の根など

▲ウォンバットがすむタスマニア島のクレイドルマウンテン。地下に迷路のようなトンネルがはりめぐらされ、地上にたくさんの入り口があいています。

長い耳
あなを掘るするどいかぎ爪

キタケバナウォンバット
Lasiorhinus krefftii
ウォンバット科 絶滅危惧種
野生ではクイーンズランド州の国立公園と保護区に約300頭がいるだけです。♠体長97〜110.5cm 尾長5cm ◆27〜35kg ♣オーストラリア東部 ■乾燥した森林や草原 ♥草

▲育児嚢から顔を出すウォンバットの赤ちゃん。育児嚢が後ろ向きについているので、あなを掘るときに土が中に入りません。

長い耳
長い毛のはえた鼻
あなを掘るするどいかぎ爪

▲ミナミケバナウォンバットのふん。ウォンバットのなかまはサイコロのような四角いふんをします。

▲巣あなの中のキタケバナウォンバット。

ミナミケバナウォンバット
Lasiorhinus latifrons ウォンバット科
日中は地面のあなの中で休み、夜、数頭で活動します。♠体長77〜93.5cm 尾長2.5cm ◆19〜32kg ♣オーストラリア南部 ■乾燥した草地や木の多い平原 ♥草

コアラ　ウォンバット

コアラの育児嚢は下向きについています（→P.23）。育児嚢から赤ちゃんが顔を出して、盲腸ふんを食べやすいつくりです。

クスクスのなかま

このなかまは、オーストラリアと周辺の島々にすんでいます。多くは木の上でくらし、夜に活動します。

ブーラミス
Burramys parvus ブーラミス科 　絶滅危惧種

夜行性で、日中は丸まって体温を保ちます。5〜9月に冬眠します。🌿体長10〜13cm 尾長13〜16cm ◆30〜60g ♣オーストラリア ■山地 ♥昆虫、果実、種子など

丸い耳／うろこ状の長い尾／体長より長い尾

フクロヤマネ
Cercartetus nanus ブーラミス科

冬が近くなると、体（尾）にたくさんの脂肪をたくわえ、2〜3か月何も食べずに冬眠するといわれています。🌿体長8.5〜10cm 尾長9〜11cm ◆8〜22g ♣オーストラリア、タスマニア島 ■森林 ♥昆虫、クモ、木の葉、果実など

目のまわりに黒い輪／体長と同じくらいの長さの尾

オナガフクロヤマネ
Cercartetus caudatus ブーラミス科

昼は木の上の巣で休みます。水平に1mもジャンプすることができます。🌿体長10.3〜10.8cm 尾長12.8〜15.1cm ◆25〜40g ♣オーストラリア、ニューギニア島 ■熱帯雨林 ♥昆虫、クモ、花蜜、樹液など

おすにはぶちもよう

ブチクスクス
Spilocuscus maculatus クスクス科

夜行性で、木の上で行動します。🌿体長35〜58cm 尾長31.5〜43.5cm ◆1.5〜4.9kg ♣オーストラリア、ニューギニア島 ■開けた森林や熱帯雨林 ♥木の葉、果実、昆虫、小鳥など

▼ブチクスクスの母親と子ども。めすの体は白く、もようはありません。

ヒメクスクス
Strigocuscus celebensis クスクス科

夜行性で、木の上でくらします。ふつう、おすとめすのつがいで見られます。🌿体長30〜38cm 尾長31〜37cm ◆0.5〜1kg ♣インドネシア（スラウェシ島）■森林、熱帯雨林 ♥果実、木の葉など

尾の約半分には毛がない

フクロギツネ
Trichosurus vulpecula クスクス科

夜に行動し、人家に入りこむこともあります。🌿体長35〜55cm 尾長25〜40cm ◆1.5〜4.5kg ♣オーストラリア、ニュージーランド ■森林 ♥木の葉、皮、果実、花など

体色は赤茶色または銀灰色／とがった大きな耳

▲木からジャンプするフクロギツネ。

もっと知りたい！ クスクスのしっぽ

クスクスのなかまは、尾の一部の皮ふがむき出しになっていて、木の上ですべり止めになります。

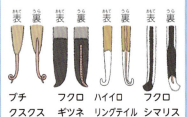

ブチクスクス／フクロギツネ／ハイイロリングテイル／フクロシマリス（表・裏）

🌿体の大きさ ◆体重 ♣分布 ■生息環境 ♥食べ物

双前歯目／ブーラミス科・クスクス科など

丸く大きな耳

ひじから足首にかけて飛膜がある

ハイイロリングテイル
Pseudocheirus peregrinus リングテイル科
夜行性で、日中は小枝や葉でつくった巣で休みます。♠ 体長30～35cm 尾長30～35cm ◆ 0.7～1.1kg ♣ オーストラリア ■ 熱帯雨林やユーカリの森 ♥ 葉、花、果実

丸く小さな耳

尾の先のほうは白い

◀ハイイロリングテイルの親子。有袋類ではめずらしく、子を運ぶなど、おすも子育てを手伝います。

フクロムササビ
Petauroides volans
リングテイル科 絶滅危惧種
夜行性で、あしの間にある飛膜を広げて滑空します。♠ 体長35～45cm 尾長45～60cm ◆ 0.9～1.7kg ♣ オーストラリア東部 ■ ユーカリ林や森林 ♥ ユーカリの葉や芽、花

ふさふさの長い尾。滑空中にかじをとることができる

背中に黒い3本のしまもよう

尾の先はふさふさして白い

フクロシマリス
Dactylopsila trivirgata フクロモモンガ科
フクロモモンガのなかまですが、飛膜はありません。前足の長い指で、木のすき間などから昆虫の幼虫を引き出して食べます。♠ 体長25.5～27.8cm 尾長31～34cm ◆ 240～390g ♣ オーストラリア、ニューギニア島 ■ 沿岸のやぶや山の熱帯雨林 ♥ 昆虫の幼虫、木の葉、果実

フクロモモンガ
Petaurus breviceps フクロモモンガ科
昼は木のあなにつくった巣で休みます。夜、あしの間の飛膜を広げ、枝から枝へ、50mほども滑空します。♠ 体長16～21cm 尾長16.5～21cm ◆ 95～160g ♣ オーストラリア、ニューギニア島 ■ 森林 ♥ 昆虫、木の実、芽、花

大きな目

手首から足首にかけて飛膜がある

▲滑空するフクロモモンガ

ものをつかめる長い尾

細長い鼻先

フクロミツスイ
Tarsipes rostratus
フクロミツスイ科
哺乳類で唯一、花の蜜や果実の汁だけを食べます。♠ 体長4～9.5cm 尾長4.5～11cm ◆ 7～11g ♣ オーストラリア ■ 沿岸 ♥ 花の蜜、果実の汁

チビフクロモモンガ
Acrobates pygmaeus
チビフクロモモンガ科
滑空する有袋類の中で最小です。夜行性で、あしの間の飛膜を広げ、長い尾でかじをとりながら滑空します。♠ 体長6.5～8cm 尾長7～8cm ◆ 9～15g ♣ オーストラリア東部 ■ 温帯林、熱帯雨林 ♥ 花の蜜や花粉、小動物

手首からひざにかけて飛膜がある

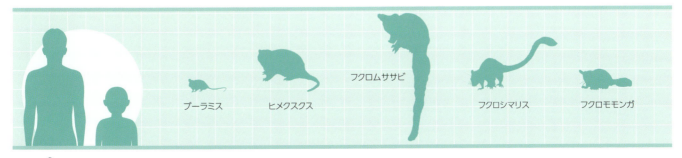

ブーラミス　ヒメクスクス　フクロムササビ　フクロシマリス　フクロモモンガ

ブーラミスは、氷河期の終わりごろに高地に取り残された「生きている化石」のひとつです。

カンガルーのなかま ①

双前歯目／カンガルー科

カンガルーのなかまは、大きく発達した後ろあしで、ジャンプするように移動します。大きさはさまざまで、多くは地上でくらしますが、木の上でくらすものもいます。

アカカンガルーの分布

アカカンガルー
Osphranter rufus　カンガルー科

カンガルーのなかまで、もっとも大きいもののひとつです。ふつう、1頭のおすを中心に2〜10頭でくらします。🌲体長85〜160cm 尾長65〜120cm ◆20〜90kg ♣オーストラリア ■岩石の多い草原 ♥草など

- ふつう、おすの体は赤茶色
- 前足の指は5本でかぎ爪がある
- 後ろ足の指は4本でとくに薬指が大きい
- めすの体は灰茶色
- おす
- めす

▲アカカンガルーの右後ろ足。人差し指と中指（➡）がくっつき、2つに分かれた爪で毛づくろいします。（小指／薬指）

▲群れで移動するアカカンガルー。100頭もの大群になることもあります。

▲めすをめぐってたたかうアカカンガルーのおす。前足でなぐったり、後ろ足でけったりしてはげしくあらそいます。

どんな赤ちゃん？　自分のおっぱいが決まっている

アカカンガルーの赤ちゃんは、体長2cm、体重1gほどで生まれます。自分でお母さんの育児嚢に入り、4つある乳首の1つに吸いつくと、乳首がふくれて口からはずれなくなります。そしてお母さんがおっぱいの筋肉を動かして、お乳を胃に流しこみます。

お乳の成分は、赤ちゃんの成長に応じて変化します。そのため、育児嚢を出たあとも、赤ちゃんは乳離れするまで同じおっぱいを吸いつづけます。

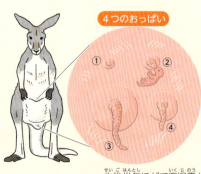

4つのおっぱい
① 使っていないおっぱい
② 赤ちゃんが使用中
③ 育児嚢から出た年長の子が使用中
④ 乳離れしたあとのおっぱい。ちぢんで①の状態にもどりかけている

生後半年ほどで育児嚢から顔を出し始める。

🌲体の大きさ ◆体重 ♣分布 ■生息環境 ♥食べ物

▲子を育児嚢に入れてジャンプするオオカンガルーの母親。尾でバランスをとりながら大きくとびはねます。

おすもめすも
体は灰茶色

尾の先は黒い

▲カンガルーは、前足の親指がほかの指とはなれているので、ものをつかむことができます。

▲寝そべるオオカンガルー。夜行性なので、日中は寝そべって休んでいることが多いです。

オオカンガルー

Macropus giganteus　カンガルー科

朝と夕方に活動します。ジャンプ力があり、時速70km以上のスピードで移動できます。♠体長51〜121cm　尾長43〜109cm　♦32〜66kg　♣オーストラリア、タスマニア島　■草原、森林など　♥草など

アカカンガルー　　　オオカンガルー

カンガルーのなかまは、あしが大きくて尾も長いので、前を向いたまま後ろに下がることができません。

双前歯目／カンガルー科

カンガルーのなかま②

▲水辺をとびはねるスナイロワラビー。

とびだす！AR クロカンガルー

大きな耳

体色は明るい茶色からチョコレート色までさまざま

▲クロカンガルーは夜行性で、夕方から活動しはじめます。

スナイロワラビー
Notamacropus agilis
カンガルー科
水辺近くでよく見られ、泳ぎが得意です。🌱体長59～85cm 尾長59～84cm ◆9～27kg ♣オーストラリア北部、ニューギニア島 ■海岸地方のやぶや低い木の林 ♥草など

クロカンガルー
Macropus fuliginosus カンガルー科
おすはめすの2倍くらい大きく、強いにおいを出します。🌱体長52～123cm 尾長42～100cm ◆27.5～53.5kg ♣オーストラリア ■草原、森林、やぶなど ♥草など

◀求愛の儀式をするダマヤブワラビー。おすは自分の強さや大きさをめすにアピールします。

ダマヤブワラビー
Notamacropus eugenii カンガルー科
長い間、水を飲まなくても生きていけます。🌱体長52～68cm 尾長33～45cm ◆4～10kg ♣オーストラリア南部 ■草原や荒れ地 ♥草など

肩とわき腹は茶色～赤茶色

頭から背中の中央に濃い色のすじ

パルマワラビー
Notamacropus parma
カンガルー科
小型のワラビーです。🌱体長45～53cm 尾長40～55cm ◆3.2～5.9kg ♣オーストラリア東南部 ■森林 ♥草など

おすは首から肩が赤茶色。めすは体全体の色がおすよりあわい

アカクビワラビー
Notamacropus rufogriseus
カンガルー科
朝や夕方に活動します。🌱体長65～92.5cm 尾長62～88cm ◆11～27kg ♣オーストラリア東南部、タスマニア島 ■ユーカリの林など ♥草など

白いほほ　細い体

▲エレガントワラビーの家族。10頭ずつの集団が集まり、50～80頭の群れになることがあります。

エレガントワラビー
Notamacropus parryi カンガルー科
群れでくらし、昼も夜も活動します。🌱体長70～85cm 尾長80～95cm ◆7～26kg ♣オーストラリア北東部 ■ユーカリがまばらにはえる草原 ♥草など

体長より長い尾

🌱体の大きさ ◆体重 ♣分布 ■生息環境 ♥食べ物

白いふちのある耳

アカワラルー
Osphranter antilopinus
カンガルー科
山地の石の多い荒れ地に最大30頭の群れでくらします。♠体長78〜120cm 尾長68〜90cm ♦16〜49kg ♣オーストラリア北部 ■山地、荒れ地、森林 ♥草など

小さな耳
長く毛深い尾

コミミイワワラビー
Petrogale brachyotis
カンガルー科
おもに夜行性ですが、涼しい季節には岩の上で日光浴をすることもあります。♠体長44.4〜51.7cm 尾長37〜56.5cm ♦2.9〜6kg ♣オーストラリア北西部 ■森林や草原の岩場 ♥草など

ずんぐりした体
短い尾

アカハラヤブワラビー
Thylogale billardierii カンガルー科
しげみに巣をつくり、昼は休んで、夜に活動します。♠体長56〜63cm 尾長35〜48cm ♦2.4〜12kg ♣オーストラリア、タスマニア島 ■森林や草地 ♥草など

▶シマオイワワラビーは、けわしいがけの岩場をすばやく動き回ります。
長い耳
ほほに白い帯
しまもようの長い尾

シマオイワワラビー *Petrogale xanthopus* カンガルー科
昼は岩の割れ目などで休み、夜に活動します。♠体長48〜65cm 尾長57〜70cm ♦6〜11kg ♣オーストラリア東南部 ■山地やけわしい岩地 ♥草など

耳と顔が丸い
ずんぐりした体

▲クアッカワラビーの親子。

クアッカワラビー
Setonix brachyurus カンガルー科 【絶滅危惧種】
雨の多い地域に、ふつう10〜20頭の群れでくらします。場所によっては100〜150頭が集まることもあります。♠体長40〜54cm 尾長24.5〜31cm ♦2.7〜4.2kg ♣オーストラリア南西部、タスマニア ■海岸や、沼地の近くの草地 ♥草など

ほほに白い帯
短い前あし
尾とあしは黒い

オグロワラビー
Wallabia bicolor カンガルー科
単独で密林にすみ、夜にさまざまな植物を食べます。♠体長66.5〜85cm 尾長64〜86cm ♦10.3〜20.5kg ♣オーストラリア東部 ■沼地に近い低木林 ♥草など

カンガルー、ワラルー、ワラビーのちがい

カンガルー、ワラルー、ワラビーのあきらかなちがいはありません。体の大きさの大中小で、3種に分類されています。

カンガルー　ワラルー　ワラビー

クアッカワラビー
クロカンガルー　アカワラルー

パルマワラビーは、一度は絶滅したと考えられていましたが、1967年にオーストラリア本土の森林で生きているものが再発見されました。

カンガルーのなかま ③

双前歯目／カンガルー科・ネズミカンガルー科など

セスジキノボリカンガルー
Dendrolagus goodfellowi
カンガルー科　絶滅危惧種
足には木にひっかけられるするどい爪があり、尾は長く、木の上でバランスをとります。♠体長55〜77cm 尾長70〜85cm ◆6.7〜9.1kg ♣ニューギニア島 ■標高3000m以下の密生した熱帯林 ♥木の葉、木の根、果実など

カオグロキノボリカンガルー
Dendrolagus lumholtzi　カンガルー科
3〜5頭の小さな群れをつくり、木の上でくらします。♠体長48〜65cm 尾長60〜74cm ◆5.9〜7.2kg ♣オーストラリア北部 ■熱帯雨林 ♥木の葉、木の皮、花、果実など

丸い耳／黒い顔

顔や下半身は明るい黄色〜金色

背中に2本のしまもよう

ニオイネズミカンガルー
Hypsiprymnodon moschatus
ニオイネズミカンガルー科
昼行性で地上の草の間で活動します。♠体長21〜34cm 尾長6.5〜12.3cm ◆300〜680g ♣オーストラリア北東部 ■熱帯雨林 ♥大きな種子、果実、昆虫など

うろこ状の長い尾／黒く長い尾

アカキノボリカンガルー
Dendrolagus matschiei
カンガルー科　絶滅危惧種
1日のうち14〜15時間ほど寝ているか、休んでいます。♠体長55〜63cm 尾長55〜62cm ◆6.7〜9.1kg ♣ニューギニア島北東部 ■標高1000〜3300mの山地の森林 ♥木の葉、果実、コケなど

しまもようの長い尾

アカネズミカンガルー
Aepyprymnus rufescens
ネズミカンガルー科
完全な夜行性で、昼は草などでつくった卵型の巣で休みます。♠体長34.5〜48cm 尾長31.4〜40.7cm ◆1.3〜3kg ♣オーストラリア東部 ■森林 ♥草、根、昆虫など

長い耳／短い鼻先

フサオネズミカンガルー
Bettongia penicillata
ネズミカンガルー科　絶滅危惧種
夜行性で、昼間は巣などで休んでいます。♠体長36〜39cm 尾長31cm ◆1.1〜1.6kg ♣オーストラリア南部 ■開けて乾いた森林 ♥草、きのこなど

尾の先が黒いふさ状

ハナナガネズミカンガルー
Potorous tridactylus　ネズミカンガルー科
かれ草を尾に巻きつけて巣へ運び、巣をつくります。♠体長34〜38cm 尾長20〜26cm ◆0.7〜1.6kg ♣オーストラリア、タスマニア島 ■熱帯雨林 ♥草、根など

長い鼻先

そうじをするお母さん
カンガルーの赤ちゃんは、育児嚢の中にうんちやおしっこをします。お母さんはそれを舌でなめ取りそうじをして、育児嚢を清潔に保ちます。

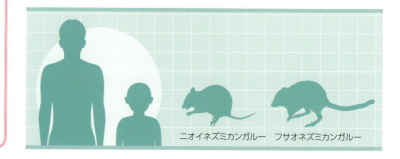
ニオイネズミカンガルー　フサオネズミカンガルー

♠体の大きさ　◆体重　♣分布　■生息環境　♥食べ物

オセアニアってどんなところ？

多くの有袋類（→P.8）が生息するオセアニアは、オーストラリア連邦やパプアニューギニア独立国、ニュージーランド、ハワイ諸島などを含む広い地域です。もっとも面積の広いオーストラリア大陸と大小の島があり、独自の生き物が進化しています。

ブチクスクス（→P.26）は、熱帯雨林の木の上でくらしています。

オーストラリアの国獣、**カンガルー**。オーストラリア全体に広く生息しています。写真はオオカンガルー（→P.29）。

北部
熱帯性の気候で、乾季と雨季があります。

西部中央
亜熱帯性の気候で、年間を通して雨が少ないです。

東部中央
西部と同じように亜熱帯性の気候です。

コアラ（→P.24）は、東部のユーカリ林にすんでいます。

食肉目の**ニュージーランドアシカ**（→P.171）もやって来ます。夜になると、海で魚などをとらえます。

南部
温帯性の気候で、四季があります。

中央部
乾燥して、砂漠が広がっています。巨大な一枚岩のエアーズ・ロックがあります。

首都キャンベラ

クアッカワラビー（→P.31）は南西部にくらしています。湿地を好みます。

タスマニア島

タスマニアデビル（→P.20）は、森林などで巣あなをつくってくらしています。

ニュージーランド

オセアニアができるまで

大昔、地球の陸地は「パンゲア」が1つあるだけでした（→P.12）。オーストラリアは長らく南極大陸とつながっていましたが、1億6000万〜4500万年前の間に南極からはなれました。大陸移動によって、現在の有袋類の祖先も一緒に大陸から切り離され、独自に進化しました。

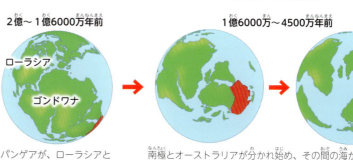

2億〜1億6000万年前
ローラシア
ゴンドワナ
パンゲアが、ローラシアとゴンドワナに分裂

1億6000万〜4500万年前
南極とオーストラリアが分かれ始め、その間の海が時間をかけて広がる

オーストラリア連邦は6番目に広い国で、面積は日本の約20倍です。国民のほとんどは海岸沿いの大都市にすんでいます。

くらべてみよう
有袋類と真獣類のにたものどうし

このページの真獣類がすむところ

| 有袋類 | 名前がにていて、外見やくらし方もよくにている | 真獣類 |

❶ フクロモモンガ（双前歯目）

フクロモモンガ（→P.27）

にているところ
- 飛膜があり滑空する
- 木の上にすむ
- 夜活動する

1 モモンガ（齧歯目）

タイリクモモンガ（→P.91）

❷ フクロモグラ（フクロモグラ目）

フクロモグラ（→P.21）

にているところ
- 大きい前あし、太い指に長い爪
- あなを掘り地中で生活する

2 モグラ（真無盲腸目）

アズマモグラ（→P.117）

❸ フクロアリクイ（フクロネコ目）

フクロアリクイ（→P.20）

にているところ
- シロアリやアリを食べる
- 細長い舌をもつ
- 後ろあしで立つ

3 アリクイ（有毛目）

ミナミコアリクイ（→P.55）

❹ フクロヤマネ（双前歯目）

フクロヤマネ（→P.26）

にているところ
- 冬眠する
- 木の上にすむ
- 小さな体に長い尾

4 ヤマネ（齧歯目）

ヨーロッパヤマネ（→P.93）

このページの有袋類がすむところ

有袋類（→P.8）には、外見やくらし方などがオーストラリア以外にすむ真獣類（→P.8）とにたものがいて、その多くは名前に「フクロ」がつきます。このようにことなるグループの哺乳類が、よくにた環境に適応するために、にたような進化をすることを「収れん」といいます。収れん進化が見られる有袋類と真獣類を比べてみましょう。

名前と、外見やくらし方の一部がにている

有袋類 ❺ フクロシマリス（双前歯目）

フクロシマリス（→P.27）

真獣類 ❺ シマリス（齧歯目）

シベリアシマリス（→P.92）

にているところ
- しまもようのある体
- 長い尾
- 木の上にすむ

有袋類 ❻ フクロギツネ（双前歯目）

フクロギツネ（→P.26）

真獣類 ❻ キツネ（食肉目）

アカギツネ（→P.156）

にているところ
- 三角形の耳
- 長く太い尾

名前はにていないが、外見やくらし方がにている

有袋類 ❼ タスマニアデビル（フクロネコ目）

タスマニアデビル（→P.20）

真獣類 ❼ ハイエナ（食肉目）

ブチハイエナ（→P.153）

にているところ
- 骨もかみくだく、がんじょうな歯とあご
- おもに哺乳類とその死肉を食べる

有袋類 ❽ バンディクート（バンディクート目）

ミミナガバンディクート（→P.21）

真獣類 ❽ ウサギ（兎形目）

アナウサギ（→P.109）

にているところ
- 耳が長い
- 地中に巣あなを掘る

アフリカトガリネズミ目 | テンレックのなかま

このなかまは、おしっこやふんを出すあなと、子どもをうむあなが1つという、原始的な哺乳類の特ちょうをもっています。また、ほかの哺乳類に比べて体温が低いものが見られ、体温調節がうまくできません。

テンレックのなかまの分布

おとなははり状の毛はあまり発達しない
長くつき出た口先
背中にするどいとげ
大きな耳

テンレック Tenrec ecaudatus テンレック科
若いときははり状の毛があります。ふつう赤ちゃんは15〜18頭うみます。♠体長30〜40cm 尾長0cm ◆1.5〜2.4kg ♣マダガスカル島全域（コモロ諸島、セーシェル諸島などに移入）■森林やサバンナ ♥昆虫や陸貝類、ミミズ、カエル、果実など

ヒメハリテンレック Echinops telfairi テンレック科
地上性で、昼間は倒木のうろなどにひそみます。子育て時期以外は単独でくらし、冬は休眠します。♠体長13〜18cm 尾長0cm ◆約200g ♣マダガスカル島南部〜南西部 ■熱帯雨林 ♥昆虫、小型脊椎動物など

シマテンレック Hemicentetes semispinosus テンレック科
皮ふの下の特殊な筋肉で、はり状の毛を震わせて音を出し、なかまに情報を伝えます。♠体長平均16.5cm 尾長0cm ◆まれに200g以上 ♣マダガスカル島北部〜東部 ■低地の熱帯雨林 ♥ミミズなどの無脊椎動物、果実など

長くとがった口先
はり状の毛がまばら
黄褐色と黒の縦じま

◀体を丸めて身を守るハリテンレック。

全身をはり状の毛がおおう

ポタモガーレ Potamogale velox テンレック科
川岸に巣あなを掘ってすんでいます。カワウソににて、泳ぎが上手です。♠体長25〜35cm 尾長24〜29cm ◆300〜400g ♣アフリカ（カメルーン〜アンゴラ、コンゴ）■低地の小さな川など ♥魚、カエル、甲殻類など

長く、縦長に平らな尾

ハリテンレック Setifer setosus テンレック科
行動範囲が広く、夜行性です。危険がせまると丸くなります。♠体長14.5〜22.5cm 尾長1.6cm ◆175〜300g ♣マダガスカル島全域 ■森林。都市部にも見られる ♥昆虫やその幼虫、ほかの無脊椎動物、果実など

短いあし

どんな赤ちゃん？ 育てる子どもの数は哺乳類最多

テンレックのめすは、平均15頭（最高記録は32頭）の赤ちゃんをうみます。おっぱいの数は、哺乳類でもっとも多い24個です。赤ちゃんは細長い口先で、競い合うようにお母さんの小さい乳首に吸いついて、お乳を飲みます。

一度に育つ子の数は哺乳類最多と考えられる

もっと知りたい！ テンレックのなかまの収れん進化

テンレックのなかまは、マダガスカル島とアフリカ大陸の地上、地下、水中で進化しました。ほかの地域のにた環境にすむ、ほかの種類の哺乳類とも、外見やくらし方に共通点が見られます。このような進化を「収れん」といいます。

地上・ハリテンレック	地下・サバクキンモグラ	水中・ポタモガーレ
真無盲腸目ハリネズミ（→P.118）	真無盲腸目モグラ（→P.116）	食肉目カワウソ（→P.164）

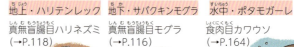

♠体の大きさ ◆体重 ♣分布 ■生息環境 ♥食べ物

サバクキンモグラ
Eremitalpa granti

キンモグラ科

モグラと同じく、目が退化している

最小のキンモグラ。一晩に砂地を4.8km掘り進んだ例が知られています。♠体長7.6～8.8cm 尾長0cm ◆10～30g ♣南アフリカ南西部、ナミビア ■海岸や内陸の砂丘および草地など ♥アリなどの昆虫、クモ、小型爬虫類など

ケープキンモグラ
Chrysochloris asiatica

キンモグラ科

目が退化している／紡錘形の体

モグラのようにトンネルの中で生活します。幅の広い鼻と発達した前足で、あなを掘ります。♠体長9～11cm 尾長0cm ◆37～47g ♣南アフリカのケープ地方西部 ■砂地～山地 ♥ミミズや昆虫の幼虫、小型のトカゲなど

ハネジネズミ目　ハネジネズミのなかま

このなかまは、アフリカの砂漠から森林までさまざまな環境にすんで、長いあしですばしこくかけまわります。長い鼻と大きな目と耳をもち、これらのすぐれた感覚をたよりに、食べ物や敵を見つけます。

ハネジネズミの分布

細長い口先／大きい目／発達した後ろあし

アカハネジネズミ
Elephantulus rufescens

ハネジネズミ科

地上性で、巣あなは作りません。食べるためと逃げるための通路を作ります。♠体長12cm 尾長9cm ◆50～60g ♣アフリカ東部（ウガンダ、エチオピア、ケニアなど） ■乾いた森林やサバンナ ♥シロアリなどの節足動物、果実、葉など

コミミハネジネズミ
Macroscelides proboscideus

ハネジネズミ科

丸い耳

地上性ですがあな掘りは上手で、巣あなを作って休みます。♠体長9.5～13cm 尾長8.3～14cm ◆31～47g ♣アフリカ（ボツワナ南部、ナミビア西部、南アフリカ西部） ■乾燥した低木地帯、草原、砂漠 ♥昆虫、新芽、根など

ほかの種よりも口先が細長い

アルジェリアハネジネズミ
Petrosaltator rozeti ハネジネズミ科

地上に複雑な通路を作って、単独で生活しています。巣あなは作りません。♠体長9～13cm 尾長10～16cm ◆25～70g ♣アフリカ（アルジェリア、モロッコ、チュニジアおよびリビア西部） ■サバンナ、低木地、森林 ♥昆虫などの節足動物、果実など

テングハネジネズミ
Rhynchocyon cirnei　ハネジネズミ科

なわばりにペアか、小さな群れでくらします。鳴き声で情報を伝えます。♠体長22.9～32cm 尾長17.8～27cm ◆400～550g ♣アフリカ中央部～南東部 ■低地と山地の熱帯雨林、草原など ♥昆虫とその幼虫、ミミズなど

黄色い腰／尾は先端1/3が白く、末端は黒い

コシキハネジネズミ
Rhynchocyon chrysopygus

ハネジネズミ科　絶滅危惧種

安定したペアでくらします。♠体長23.5～31.5cm 尾長19～26.3cm ◆500～540g ♣アフリカ東部（ケニア南東部） ■低木林や半落葉樹林 ♥ミミズ、ヤスデ、昆虫、クモなど

テンレック／サバクキンモグラ／コシキハネジネズミ

ハネジネズミのなかまは、臭腺から強いにおいのする液を出します。この液のにおいで、なわばりを主張します。

管歯目 ツチブタのなかま

ツチブタの分布

鼻先はブタににていますが、祖先はゾウなどに近い原始的な哺乳類です。管状の六角柱が集まったような歯をもつので「管歯目」とよばれます。現在まで生きのびている管歯目は、ツチブタ1種だけです。

ツチブタ
Orycteropus afer ツチブタ科

夜行性で、昼間はあなの中で休みます。敵に出会うと、するどい爪ですばやくあなを掘って逃げます。爪は、アリ塚をこわすのにも役立ちます。♠体長100～158cm 尾長44～71cm ◆40～100kg ♣アフリカ（サハラより南）■サバンナ、森林 ♥アリ、シロアリ

- 長い管状の耳
- 長い鼻と口。鼻先はブタにていている
- 前足のシャベルのような爪
- 大きな後ろ足

▲30cm以上もある細長い舌で、アリやシロアリをなめとって食べます。

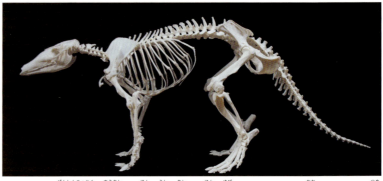

▲ツチブタの全身骨格。前足に4本、後ろ足に5本の指があり、それぞれ大きなするどい爪がはえています。歯は奥歯（臼歯）しかありません。（写真協力：国立科学博物館）

どんな赤ちゃん？ 濃いお乳で急成長

ツチブタのお母さんは、巣に赤ちゃんをおいて食事に出かけ、もどると栄養たっぷりのお乳を飲ませます。赤ちゃんの成長は早く、2か月後には巣から出てきて、あな掘りを始めます。

動物園で見てみよう ツチブタはあな掘り名人

ツチブタは、前足のショベルのような爪でかき出した土を大きい後ろ足でけ散らし、すばやくあなを掘ります。動物園でも獣舎や運動場の地面に、ツチブタが掘ったあなが見られます。夜の間にトンネルを掘り、園内にぬけ出したツチブタもいるそうです。

♠体の大きさ ◆体重 ♣分布 ■生息環境 ♥食べ物

イワダヌキ目 ハイラックスのなかま

体型がタヌキににていることから、イワダヌキ目とよばれますが、ゾウに近い動物です。平らな爪をもち、足の裏を汗のような液でしめらせて、岩や木をしっかりつかみます。

ハイラックスの分布

顔のまわりや体のあちこちにある長い毛で触覚を感じる

大きな2本の歯は一生のび続ける

ケープハイラックス *Procavia capensis* ハイラックス科
多数の群れで生活しています。♠体長38～60cm ◆1.8～5.5kg ♣アフリカ（南アフリカ、ボツワナ、ジンバブエ）、アラビア半島 ■岩場の割れ目やあななど ♥イネ科の植物

▲なわばりを見はるケープハイラックス。敵やほかのおすが近づくと大声で警告し、入ってきたほかのおすとするどい歯でたたかいます。

ほかのハイラックスより耳が目立つ

背中に黄～白のはん点

キボシイワハイラックス *Heterohyrax brucei* ハイラックス科
集団でくらします。岩の間に休み場があります。♠体長32～57cm ◆2～3.5kg ♣アフリカ東部～北東部 ■サバンナの岩山 ♥木の葉

▲岩の上で日光浴するキボシイワハイラックス。体温調節がうまくできないので、身を寄せ合って日光浴をしたり、木や岩の陰で体を冷やしたりします。

背中に白いはん点。この下に臭腺がある

ミナミキノボリハイラックス *Dendrohyrax arboreus* ハイラックス科
もっとも原始的なハイラックスのなかまです。夜に単独で活動します。♠体長45～60cm ◆1.5～4.5kg ♣アフリカ中央部 ■森林、岩場 ♥木の葉、草

動物園で見てみよう すきまに集まる

ハイラックスは危険を感じたとき、部屋のすみやすきまに、すばやく集まります。こうしてまわりのようすをうかがいます。

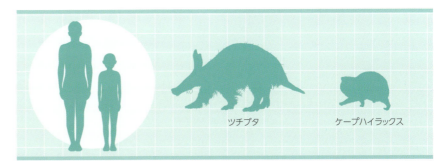

ツチブタ　ケープハイラックス

ケープハイラックスとキボシイワハイラックスが同じ場所でくらすことがありますが、植物を食べわけるため、あらそいをさけられます。

長鼻目

ゾウのなかま

長鼻目とはゾウのなかまです。陸上にすむ哺乳類で最大で、長い鼻と大きな耳をもっています。大昔は非常に繁栄し、たくさんの種がいましたが、現在はアフリカゾウ、マルミミゾウ、アジアゾウの3種のみが残っています。

アフリカゾウ（→P.44）の親子。移動するときは、おとなが子どもを間にはさんで、守りながら歩きます。若いめすはお母さんを見て、子育ての仕方を学びます。

ゾウをとりまく現状

ゾウの数は年々減っていて、絶滅の危機にひんしています。ゾウを絶滅の危機に追いやっている大きな原因は、人間にあります。

象牙をとるために殺されるゾウ

ゾウのきば（象牙）は見た目が美しく加工もしやすいため、昔から装飾品などに利用されてきました。多くのゾウが象牙を取るためだけに殺され、数を減らしました。現在は国際的な象牙の取り引きが禁止されていますが、密猟によって殺され、きばだけをもち去られるゾウが後を絶ちません。

違法に輸入されて押収された象牙の加工品

▲ケニアのナイロビ国立公園では、押収したアフリカゾウの象牙を焼却処分することで、密猟者を減らす取り組みを続けています。

すむ場所を追われるゾウ

アジアゾウは、東南アジアや中国などの森林に生息しています。どの場所も人間による森林開発が進み、すむ場所が失われつつあります。また、象牙や肉を目的とした密猟も問題になっています。

▲森に身をひそめるアジアゾウ。

からだを見よう
アフリカゾウ

アフリカゾウの体は、太くがっしりした骨や短い首など、大きく重い体をささえられるつくりになっています。

鼻のあな

写真協力:日本大学生物資源科学部博物館

頭蓋骨
正面から見てほぼまん中、目より上に鼻のあながあいている。

耳のあな
耳のつけねにあるが、見えにくい。

肩甲骨
肩甲骨のいちばん上が、体のいちばん高い位置になる。

棘突起

きば（前歯）
上あごの前歯（切歯）が変化したもので、一生のびつづける。

臼歯（奥歯）
上下のあごの左右に1本ずつ、計4本の臼歯（←）がある。歯がすり減るにつれ、後ろから前へ押し出されるようにして、一生に5回はえ変わる。

下顎骨

頸椎
大きな頭と重いきばをささえるため、首が短い。

胸骨

上腕骨

橈骨

尺骨

▲アフリカゾウの口の中

鼻
長い鼻には骨がなく、筋肉でできている。鼻の中には、ヒトと同じように2つのあなが通っているが、鼻先から根元まであなの大きさは変わらない。

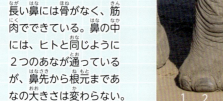

爪
アフリカゾウは前足に4つ、後ろ足に3つの爪がある。

手根骨

中手骨

指骨
ゾウのなかまはすべて、前後の足に5本の指がある。

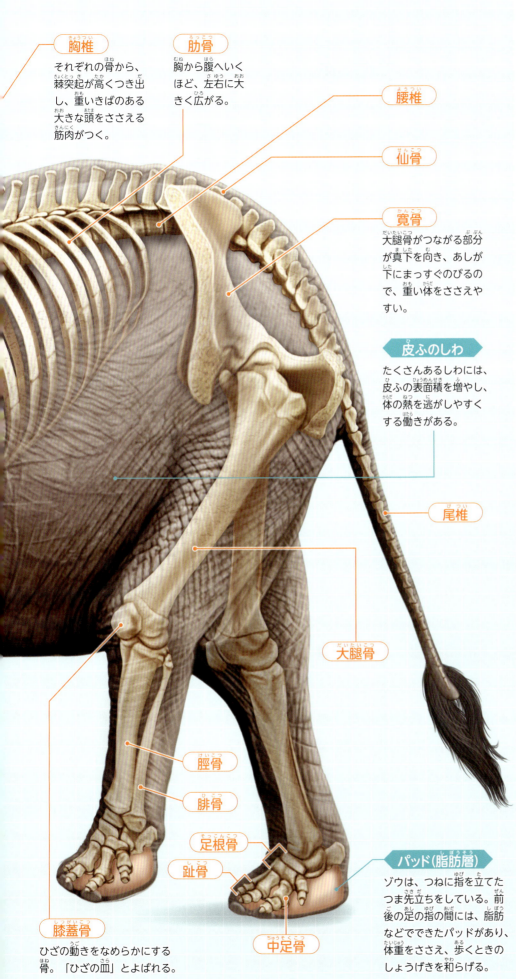

- **胸椎**: それぞれの骨から、棘突起が高くつき出し、重いきばのある大きな頭をささえる筋肉がつく。
- **肋骨**: 胸から腹へいくほど、左右に大きく広がる。
- **腰椎**
- **仙骨**
- **寛骨**: 大腿骨がつながる部分が真下を向き、あしが下にまっすぐのびるので、重い体をささえやすい。
- **皮ふのしわ**: たくさんあるしわには、皮ふの表面積を増やし、体の熱を逃がしやすくする働きがある。
- **尾椎**
- **大腿骨**
- **脛骨**
- **腓骨**
- **足根骨**
- **趾骨**
- **中足骨**
- **膝蓋骨**: ひざの動きをなめらかにする骨。「ひざの皿」とよばれる。
- **パッド(脂肪層)**: ゾウは、つねに指を立ててつま先立ちをしている。前後の足の指の間には、脂肪などでできたパッドがあり、体重をささえ、歩くときのしょうげきを和らげる。

ヒトの骨格

ヒトの骨格と比べてみましょう。

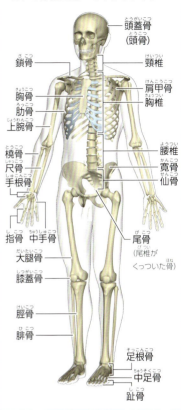

頭蓋骨(頭骨)、鎖骨、頸椎、胸骨、肩甲骨、肋骨、胸椎、上腕骨、橈骨、尺骨、手根骨、腰椎、寛骨、仙骨、指骨、中手骨、尾骨(尾椎がくっついた骨)、大腿骨、膝蓋骨、脛骨、腓骨、足根骨、中足骨、趾骨

ゾウの歩き方

ゾウは、右の前足と後ろ足、左の前足と後ろ足と、同じ側の足をほぼ同時に出して歩きます(側対歩)。また、前足の跡をたどるように後ろ足を運びます。

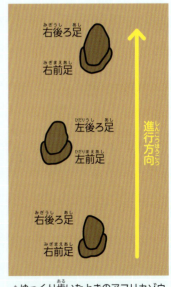

▲ゆっくり歩いたときのアフリカゾウの足跡。ゆっくり歩くときは前後の足跡が重なり、速くなるとともに、後ろ足の足跡が前足の前につくようになる。

43

ゾウのなかま ①

アフリカには、最大のゾウのアフリカゾウと、それより小さなマルミミゾウがすんでいます。どちらとも、おすもめすも長いきばをもちます。

- 三角形の大きな耳
- 肩と腰が高い
- おすもめすも長いきばをもつ。おすのきばは最長3.5m

とびだす！AR アフリカゾウ

アフリカゾウ・マルミミゾウの分布

アフリカゾウ（サバンナゾウ）
Loxodonta africana
ゾウ科　絶滅危惧種

最大の陸生哺乳類です。めすや子どもは大きな群れでくらします。おすは1頭かおすだけの小さな群れでくらし、繁殖期にだけめすの群れに近づきます。♠全長540〜750cm 体高320〜400cm ◆5800〜7500kg ♣アフリカ（サハラより南）■森林、山地、サバンナなど ♥草、木の葉、実、根など、ほとんどの植物

▲アフリカゾウやマルミミゾウは頭の上が丸く、後ろから見ると肩がいちばん高くなっていることがわかります。

- 丸い耳
- おすもめすも、下にまっすぐのびた長いきばをもつ

マルミミゾウ *Loxodonta cyclotis* ゾウ科　絶滅危惧種

アフリカゾウより体がひとまわり小さく、耳も小さくて丸みをおびた形をしています。♠全長450〜550cm 体高160〜286cm ◆900〜1500kg ♣アフリカ（サハラより南）■森林 ♥木の葉、実、草など

どんな赤ちゃん？ おなかの中で体重100kgに育つ

アフリカゾウの赤ちゃんは、お母さんのおなかの中で、約22か月間育てられて生まれてきます。生まれたばかりでも、体重は100kgくらいあります。赤ちゃんは、お母さんの前あしのつけねにあるおっぱいを口にくわえて、鼻を使わずにお乳をのみます。

▲森の中のマルミミゾウの群れ。

♠体の大きさ（全長…鼻の先から尾の先までの水平距離） ◆体重 ♣分布 ■生息環境 ♥食べ物

▲アフリカゾウは、最年長のめすを中心に、血のつながっためすや子が数十頭の群れでくらします。水や食べ物を求めて、ときには100頭以上の群れで移動します。おそわれにくいように、子どもは群れの間に入れて守ります。

▲ゾウは、高い木の葉も長い鼻でむしり取って食べられます。野生のアフリカゾウは、1日に130kgの食べ物を14時間かけて食べます。

▲ゾウは、長い鼻で水を吸いこんで飲みます。毎日水場へ出かけて100〜200Lも飲みます。乾季には干上がった川底にあなを掘って、水を探します。

前足の裏は第2の耳

ゾウは、ヒトには聞こえない低い声（20Hz以下）も用いて、会話をします。低い声は振動となって地中を伝わります。その振動が前足の裏にある脂肪を通じて骨に伝わり、内耳に届くと、声として認識されます。この第2の耳で、ゾウは数kmはなれたなかまとも交信していると考えられています。

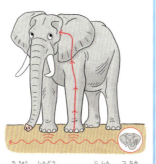

地中の振動により、地震や津波なども、ヒトより早く感知する

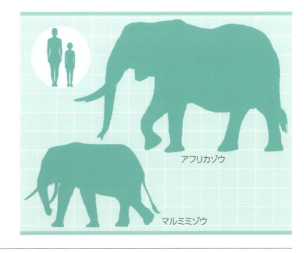

アフリカゾウ

マルミミゾウ

ゾウは、土や岩を食べて必要な塩分をとります。ケニアのキタム洞窟は、ゾウが長い間、岩塩をけずったためにできたといわれます。

ゾウのなかま ②

アジアにすむアジアゾウは、アフリカゾウより体や耳、きばが小さく、めすのきばは口の外には見えません。すむ場所ごとに4亜種がいます。

四角形の小さな耳

背中が山なりになっている

アフリカゾウよりふつうきばは小さい。めすのきばはとても小さく、ないこともある

アジアゾウ
Elephas maximus
ゾウ科 **絶滅危惧種**

1頭のめすを中心とした群れをつくります。インドなどでは、家ちくとしても使用されてきました。🌱全長550～640cm 体高250～300cm ◆2700～5400kg 🍀東南アジア、中国南部 ■森林、草原 ♥木の葉、実、草など

▲アジアゾウは頭の上に2つのこぶがあります。後ろから見ると、頭または背中のまん中がいちばん高くなっていることがわかります。

▲アジアゾウのめすのきば（➡）は、口を開けたときにのぞきこまないとよく見えません。

▲アジアゾウは、前足（上）に5本、後ろ足（下）に4本の爪があります。

アジアゾウの亜種

インドゾウはアジアの大陸部に広く分布し、ほかの3亜種は、それぞれすんでいる島の名前がついています。ボルネオゾウは、いちばん小さなゾウといわれます。※日本の動物園では全ての亜種が飼育されています（2024年4月現在）。

アジアゾウの分布

インドゾウ
スリランカゾウ
スマトラゾウ
ボルネオゾウ

インドゾウ（写真提供：鹿児島市平川動物公園）

スマトラゾウ（写真提供：群馬サファリパーク）

スリランカゾウ（写真提供：到津の森公園）

ボルネオゾウ（写真提供：福山市立動物園）

🌱体の大きさ（全長…鼻の先から尾の先までの水平距離）◆体重 🍀分布 ■生息環境 ♥食べ物

▲海を泳ぐアジアゾウ。泳ぎが得意で、足のつかない場所では鼻の先を水上に出して呼吸します。

▲おすは発情期に攻撃的になり、めすをめぐってほかのおすと激しくたたかいます。きばでけがをしたり、死んだりすることもあります。

▲木材を運ぶインドゾウ。現在は実演ショーなどで行われることが多いようです。2004年のスマトラ島沖地震では、被災地の片づけにも活躍しました。

大切な水あび、泥あび

ゾウは1日に何度も、水あびや泥あび、砂あびをします。水や泥や砂は、ゾウの皮ふの表面のしわの間に入りこみ、体温が上がるのをふせぎます。暑い季節には、日ざしや乾燥からも守ってくれます。また、地面やぬかるみに転がって、ごしごし体をこすりつけて、皮ふについたダニなどの寄生虫も落とします。

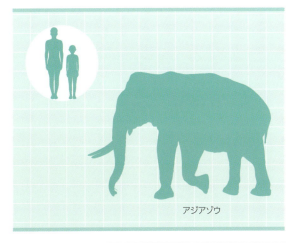

アジアゾウ

ゾウの寿命は70〜80年で、陸上の哺乳類ではヒトの次に長寿です。飼育下では80歳以上まで生きた記録があります。

本当の大きさです

ゾウの鼻先

空気、水、食べ物。生きるために欠かせないものを、ゾウはすべて鼻を使って体に取りこみます。とくに長い鼻の先は、もっともよく使う大切なところです。広がったりすぼんだりして形を自在に変え、ヒトの手や指と同じような役目をします。アジアゾウとアフリカゾウの鼻先を比べてみましょう。

アジアゾウ

アフリカゾウよりも小さく、きゃしゃな感じの鼻先です。

指状突起
鼻先の細長いでっぱり。よくのびちぢみする。ヒトの手の指のように、ものをつかんだりつまんだりする。

太く短い毛
鼻先のまわりや鼻のあなの入り口にはえている。ものにさわると敏感に反応する。

鼻のあな
呼吸をしたり、においをかいだりする。長い鼻の中を通って、のどの手前までつづく。

深いしわがたくさんある。

鼻中隔
左右のあなの間にあるしきり。のどの手前までつづいて、鼻のあなを2つに分けている。

下側には指状突起はないが、この部分が上の指状突起とあわさって、小さなものもつまむことができる。

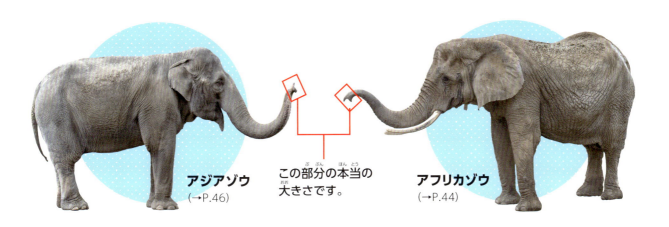

アジアゾウ (→P.46)

この部分の本当の大きさです。

アフリカゾウ (→P.44)

アフリカゾウ

アジアゾウよりも大きくて、ごつごつした感じの鼻先です。

指状突起
長く発達したでっぱり。下側の指状突起とあわさって、細かいものもつまむことができる。

太く短い毛
鼻先のまわりや鼻のあなの入り口に、たくさんはえている。

鼻のあな
あなの大きさはアジアゾウと同じくらい。

鼻中隔

深いしわがたくさんある。

指状突起
アフリカゾウは下側にもある。

海牛目 ジュゴン、マナティーのなかま

海や川にすむ草食の哺乳類で、ジュゴン1種とマナティー3種がいます。水中でくらしやすいよう、前あしと尾はひれになり、後ろあしは退化し、体はイルカのような流線形になりました。ゾウに近いなかまと考えられています。

ジュゴン・マナティーの分布

ジュゴンは三日月形の尾びれ

下向きの口で海底にはえる海草を食べる

ジュゴン *Dugong dugon* ジュゴン科 絶滅危惧種 天然記念物
人魚のモデルになった動物だといわれています。日本では南西諸島周辺にすんでいます。♠体長2.5～3m ◆250～400kg ♣インド洋～太平洋南西部 ■沿岸 ♥海草

▲上くちびるにはえた感覚毛（）で食べ物を探します。おすは上あごの前歯がきばのようになっています。

▲ジュゴンの親子。赤ちゃんは1年半お乳を飲んで育ちますが、生まれて3か月以内に海草も食べはじめます。

ステラーカイギュウ *Hydrodamalis gigas* ジュゴン科 絶滅
群れでのんびりと海面ですごすおとなしい動物でした。人に発見されて以来、肉や油をとるために次々に殺され、1768年の記録を最後に、発見後わずか27年で絶滅しました。
♠体長7.5～9m ◆4000kg ■北太平洋 ■沿岸 ♥海草

もっと知りたい！ 食べかたのちがい

マナティーは水面の浮草などを食べるので、口が前向きになりました。ジュゴンは海底からはえる海草を食べるので、口が下向きになりました。

♠体の大きさ ◆体重 ♣分布 ■生息環境 ♥食べ物

しゃもじ形の尾びれ

マナティーは前向きの口で水辺や水面の水草を食べる

胸びれに爪はない

胸びれのつけねにあるおっぱい

マナティーは水中で出産します。お母さんは、生まれたての赤ちゃんをすぐに水面におし上げて呼吸をさせます。おっぱいは胸びれのつけねにあり、赤ちゃんはお母さんによりそって、お乳を飲みます。

アマゾンマナティー　*Trichechus inunguis*　マナティー科　絶滅危惧種

淡水だけにすみます。乾季に水位が下がって食べ物がなくなると、3〜4か月以上、何も食べられなくなります。♠体長2.5〜3m ◆350〜500kg ♣南アメリカ北東部 ■淡水域 ♥水草

しゃもじ形の尾びれ

胸びれに3〜4本の爪があり、胸びれで水底を歩くことができる

ニシインドマナティー
Trichechus manatus

マナティー科　絶滅危惧種

現在、アメリカなど数か国で保護されていますが、数が減っています。
♠体長2.5〜4.5m ◆200〜600kg
♣北アメリカ南東部〜南アメリカ北東部 ■浅い海や川、湖 ♥海草、水草

アフリカマナティー
Trichechus senegalensis　マナティー科　絶滅危惧種

草食性ですが、漁網にかかった小魚や貝も食べるといわれています。♠体長2.5〜3.4m ◆360〜500kg ♣アフリカ中部大西洋岸とニジェール川 ■浅い海や川 ♥海草、水草

胸びれに3〜4本の爪があり、胸びれで水底を歩くことができる

浮きしずみに適した肺

ジュゴンとマナティーの肺は背中側に位置し、内臓全体と同じくらいの長さです。肺に空気を出し入れすることで、魚の浮きぶくろのように浮力が調整され、浮いたりしずんだりを楽に行えます。

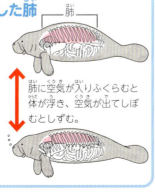

肺に空気が入りふくらむと体が浮き、空気が出てしぼむとしずむ。

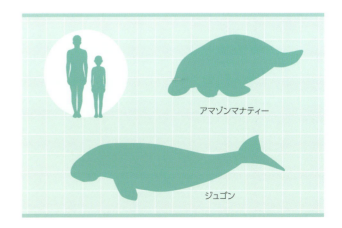

アマゾンマナティー

ジュゴン

ジュゴンやマナティーは、食べた海草や水草を腸内細菌が分解するときにガスが出るため、よくおならをします。

被甲目 アルマジロのなかま

アルマジロのなかまは、頭から背中、尾やあしの上側が甲羅のような鱗甲板でおおわれていることから「被甲目」とよばれます。おそわれると丸まったりふせたりして、やわらかいお腹などを守ります。

アルマジロの分布

3本の帯

ミツオビアルマジロ *Tolypeutes tricinctus* アルマジロ科 **絶滅危惧種**
おもに夜活動します。よろいのような鱗甲板の下に空気をためて体温を保てるので、寒い冬でも活動できます。敵に出合うとボールのように丸まって身を守ります。♠体長35～45cm 尾長9cm ◆1.4～1.6kg ♣南アメリカ（ブラジル）■森林や草原 ♥昆虫の幼虫、アリ、シロアリ、果実

マタコミツオビアルマジロ *Tolypeutes matacus* アルマジロ科
おもに夜活動し、おそわれると体をボールのように丸めます。ふつう1頭ずつくらしますが、冬には群れをつくることもあります。♠体長20～25cm 尾長5～7cm ◆1～2kg ♣南アメリカ ■森林や草原 ♥昆虫の幼虫、アリ、果実、種子

丸くなって身を守る

2種のミツオビアルマジロだけが完全に丸くなれます。危険を感じると、一瞬で丸くなります。

頭と尾の部分が、すきまをうめるふたの役割をします。
鱗甲板の間にわずかにすきまをあけ、そこに入った敵の足をはさむこともあります。

危険が去ったと感じると、体をのばして動き出します。

2種の見分け方

2種のミツオビアルマジロは、体の大きさのほかに、頭の鱗甲板のパターンにもちがいがあります。例外もありますが、それぞれ7割以上が次のパターンに当てはまります。

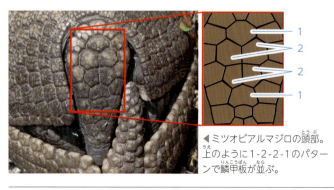

◀ミツオビアルマジロの頭部。上のように1-2-2-1のパターンで鱗甲板が並ぶ。

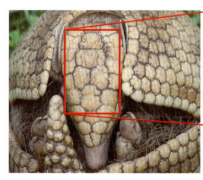

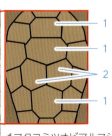

◀マタコミツオビアルマジロの頭部。上のように1-1-2-1のパターンで鱗甲板が並ぶ。

♠体の大きさ ◆体重 ♣分布 ■生息環境 ♥食べ物

ムツオビアルマジロ
Euphractus sexcinctus アルマジロ科

地中にあなを掘ってねぐらにします。おもに夜活動します。泳ぎも得意です。♠体長35〜45cm 尾長9cm ◆3〜8kg ♣南アメリカ ■木のまばらな草原や農地近く ♥アリ、シロアリ、果実

6本の帯／白く長い毛でおおわれる

どんな赤ちゃん？ やわらかい鱗甲板
ムツオビアルマジロの生まれたての赤ちゃんの鱗甲板はやわらかく、数週間するとかたくなります。お母さんは、前あしのつけねをくわえて運びます。

7本の帯

ナナツオビアルマジロ
Dasypus septemcinctus アルマジロ科

昼に活動し、食べ物をとったり、かくれたりするためにあなを掘ります。♠体長24〜31cm 尾長12〜17cm ◆1.1〜5kg ♣南アメリカ中東部 ■草原やサバンナなど ♥昆虫、植物

長い耳／9本の帯／長い尾

▲水底を歩くココノオビアルマジロ。

ココノオビアルマジロ
Dasypus novemcinctus アルマジロ科

夜活動し、昼間は自分が掘った巣あなで休んでいます。数分間息を止めて、水底を歩くように移動できます。♠体長35〜57cm 尾長24〜45cm ◆3〜6kg ♣北アメリカ、中央アメリカ〜南アメリカ ■草原やまばらな森林など ♥昆虫、果実

オオアルマジロ
Priodontes maximus
アルマジロ科　絶滅危惧種

最大のアルマジロです。夜活動し、前足の巨大な爪であなを掘ったり、アリ塚をこわしたりしてえものをとらえます。♠体長75〜100cm 尾長50〜55cm ◆19〜32kg ♣南アメリカ（アルゼンチン、パラグアイ） ■低地や草原 ♥ヘビ、昆虫の幼虫、アリ、シロアリ

前足の第3指（中指）の爪は特に大きい／最大100本の単純な歯をもつ

▲巣あなから出てきたオオアルマジロ。2日に1つのペースで深さ5mもの巣あなを掘ります。このあなは、ほかのさまざまな動物にもかくれ家などとして利用されています。

ピンク色の鱗甲板／白く長い毛

ヒメアルマジロ
Chlamyphorus truncatus
アルマジロ科

最小のアルマジロです。地下でくらすことが多く、強力な爪を使ってトンネルを掘るのが上手です。♠体長13〜15cm 尾長2.5〜3cm ◆80〜100g ♣南アメリカ（アルゼンチン） ■草原 ♥昆虫の幼虫、アリ、シロアリ

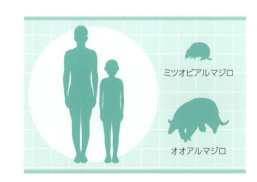
ミツオビアルマジロ／オオアルマジロ

アルマジロの鱗甲板は、皮ふがうろこのようにかたくなったものです。

有毛目　ナマケモノ、アリクイのなかま

このなかまは、前足に大きなかぎ爪をもち、歯はまったくないか、あっても貧弱です。木の上で葉や果実を食べるナマケモノのなかまと、地上や木の上でアリやシロアリを食べるアリクイのなかまに分けられます。

ナマケモノ・アリクイの分布

フタユビナマケモノ
Choloepus didactylus　フタユビナマケモノ科
夜行性で、地上におりることはほとんどなく、樹上で単独で行動します。♠体長46～86cm 尾長1.5～3.5cm ◆4～8.5kg
♣南アメリカ北部　■熱帯雨林　♥木の葉、果実

前足の指は2本。
フック状の爪で枝にぶら下がる

ホフマンナマケモノ
Choloepus hoffmanni
フタユビナマケモノ科
夜に活動し、単独で生活します。おとなになるのに、めすは3年、おすは4～5年かかります。♠体長54～70cm 尾長1.5～3cm ◆5～8kg ♣南アメリカ(ニカラグア～ペルーとブラジル)　■熱帯雨林　♥木の葉、果実

前足の指は2本

ノドジロミユビナマケモノ
Bradypus tridactylus
ミユビナマケモノ科
一生のほとんどを木の上ですごします。単独で活動します。♠体長45～70cm 尾長4～6cm ◆3.2～6.5kg
♣南アメリカ北東部　■熱帯雨林　♥木の葉

前足の指は3本
白いのど

ノドチャミユビナマケモノ
Bradypus variegatus　ミユビナマケモノ科
昼も夜も活動します。おもに木の上にいます。歩くのは得意ではありませんが、泳ぎは上手です。♠体長50～70cm 尾長6～7cm ◆2.5～5.5kg
♣南アメリカ (ホンジュラス～アルゼンチン)　■熱帯雨林　♥木の葉

前足の指は3本
茶色いのど
長い腕

▲川を泳ぐノドチャミユビナマケモノ。

タテガミナマケモノ
Bradypus torquatus　ミユビナマケモノ科　絶滅危惧種
昼も夜も活動します。単独で木の上でくらし、ほとんど地上におりません。♠体長50～54cm 尾長5cm
◆3.6～4.2kg　♣南アメリカ(ブラジル)　■熱帯雨林
♥木の葉

おすもめすも、首筋から肩に長さ15cmのたてがみのような毛がある。この毛はおすのほうが色が濃い

どんな赤ちゃん？　お母さんの体で運動
フタユビナマケモノの赤ちゃんは、お母さんの体をはい回って運動します。やがて木につかまる練習を始め、10か月くらいでお母さんの体をはなれます。

♠体の大きさ　◆体重　♣分布　■生息環境　♥食べ物

長い毛がはえた、ふさふさの尾

▲オオアリクイの爪。

第2指と第3指に大きくするどい爪。歩くときは爪を内側におる

オオアリクイ　*Myrmecophaga tridactyla*　アリクイ科　絶滅危惧種

日中活動しています。においをかぎわける能力は人間の約40倍もあり、大きな前足の爪でアリ塚をこわし、細長い口をさしこみ、長い舌でシロアリやアリを食べます。♠体長100〜120cm 尾長65〜90cm ◆25〜35kg ♣南アメリカ ■森林や湿地、草原 ♥アリ、シロアリ

大きな爪。おそわれると爪で攻撃する

ヒメアリクイ　*Cyclopes didactylus*　ヒメアリクイ科

最小のアリクイ。木の上でくらし、地上にはほとんどおりません。夜、尾を木の枝に巻きつけながら、ゆっくり動きまわります。細長い舌でおもにアリをなめとって食べます。♠体長15〜23cm 尾長18〜30cm ◆300〜500g ♣中央アメリカ〜南アメリカ ■熱帯の森林 ♥アリ

ミナミコアリクイ　*Tamandua tetradactyla*　アリクイ科

おもに木の上でくらします。夜行性でアリなどを舌でなめとって食べます。尾を木の枝に巻きつけたり、尾と後ろあしで体をささえて、立ち上がることもできます。♠体長54〜58cm 尾長53〜55cm ◆3.5〜6kg ♣南アメリカ ■熱帯の森林など ♥アリ、シロアリ

尾の毛は短く、枝をつかみやすい

第3指の爪が大きい

ミナミコアリクイより少し耳が小さい

キタコアリクイ　*Tamandua mexicana*　アリクイ科

個体によって昼または夜に活動し、木の上や地上で活動します。♠体長52〜77cm 尾長40〜67.5cm ◆3.8〜8.5kg ♣中央アメリカ、南アメリカ北部 ■平地から山地の森林 ♥アリ、シロアリ、ハチの幼虫

どんな赤ちゃん？ お母さんと一体化

オオアリクイのめすは、後ろあしで立ち上がって出産します。赤ちゃんはお母さんにそっくりで、背中や尾にしがみつくと、一体化して目立ちにくくなります。乳離れしてからも、生後10か月くらいまではお母さんの背中に乗って運ばれます。

もっと知りたい！ 舌の出し入れのしかた

アリクイの下あごの骨は、左と右に分かれています。舌を口の中にしまった状態で、左右の骨をそれぞれ回転させて縦にすると、口の中がせまくなり、舌をすばやく出すことができます。骨を横にすると、舌が口の中に入ります。

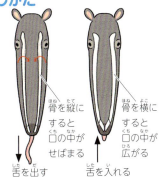

骨を縦にすると口の中がせばまる　舌を出す

骨を横にすると口の中が広がる　舌を入れる

フタユビナマケモノ

ノドチャミユビナマケモノ

オオアリクイ

キタコアリクイ

ナマケモノは、体毛にガをすまわせて藻を育て、体を藻でおおいます。緑色の藻は森の中で保護色になるほか、食料にもなります。

登木目

ツパイのなかま

ツパイのなかまは、姿やくらし方がリスによくにています。地上または木の上でくらし、昆虫や果実などを食べます。木の上でくらすものほど、鼻先が短く、尾が長くなっています。

ツパイの分布

コモンツパイ *Tupaia glis* ツパイ科
樹上と地上の両方で見られますが、林の地面でえものを探して動き回っていることが多いです。♠体長16〜21cm 尾長12〜20cm ◆180g ♣東南アジア（マレー半島、ジャワ島、スマトラ島など）■熱帯雨林 ♥昆虫、果実、種子など

尾が長い
5本指のすべてに爪があり、これで木に登る
鼻先が短い

鼻先が短い　尾が長い

ジャワツパイ *Tupaia javanica* ツパイ科
ふだんは樹上で生活していますが、ときどき地上におりてきます。♠体長14〜23cm 尾長16cm ◆100〜300g ♣インドネシア（バリ島、ジャワ島、スマトラ島西部など）■熱帯雨林 ♥昆虫、果実、種子など

ピグミーツパイ
Tupaia minor ツパイ科
最小のツパイ。樹上でくらし、1〜数頭でふつう7〜8mのところで活動しますが、ときには20m以上の高い場所にもいます。♠体長11.5〜13.5cm 尾長13〜17cm ◆60g ♣東南アジア（マレー半島、スマトラ島、ボルネオ）■熱帯雨林 ♥昆虫、果実、種子など

前後の足のするどい爪で木に登る
尾が長い

ほかのツパイより短めの尾
鼻先が長い
前足のするどい爪で、えものをつかまえて食べる

オオツパイ *Tupaia tana* ツパイ科
おもに地上でくらし、長い鼻先で落ち葉の中などのえものを探します。♠体長22cm 尾長16cm ◆220g ♣アジア東南部（カリマンタン島、スマトラ島）■熱帯雨林 ♥昆虫、果実、種子など

もっと知りたい！ 食虫植物がトイレ

ツパイの一種は、食虫植物のウツボカズラ類のふたの裏から出る蜜をなめ、ふくろの中にふんをします。ふんは、ウツボカズラの養分となります。

消化液

ハネオツパイ
Ptilocercus lowii
ハネオツパイ科
ツパイの中で唯一、夜に活動します。樹上でくらしています。♠体長13〜14cm、尾長16〜29cm ◆40〜62g ♣東南アジア ■熱帯雨林 ♥昆虫、果実、花の蜜など

長い尾の先にだけ、鳥の羽のような毛がある

♠体の大きさ ◆体重 ♣分布 ■生息環境 ♥食べ物

皮翼目 ヒヨケザルのなかま

ヒヨケザルのなかまは2種だけです。ムササビ（→P.91）のように飛膜を広げて、枝から枝へ滑空して移動します。ヒヨケザルという名前ですが、サルのなかまではありません。

ヒヨケザルの分布

フィリピンヒヨケザル
Cynocephalus volans

ヒヨケザル科

昼は木のあなで休み、夜に木から木へ滑空して木の葉などを食べます。♠体長33～38cm 尾長22～27cm ◆1～1.5kg ♣アジア南東部（フィリピン南部）■熱帯雨林 ♥木の葉、果実

マレーヒヨケザル
Galeopterus variegatus

ヒヨケザル科

木の上で生活し、完全な夜行性です。♠体長33～42cm 尾長22～27cm ◆1～1.75kg ♣アジア南東部（タイ南部、マレー半島、スマトラ、ジャワ、カリマンタン島など）■熱帯雨林、山地 ♥木の葉、果実

- マレーヒヨケザルより、やや大きな耳
- 前足のかぎ爪をひっかけて木に登る
- 背中のもようは樹皮ににてかくれやすい

- 両目が正面を向いているので、目標との距離をはかりやすい
- 子ども
- 首から前後の足や尾の先まで広がる大きな飛膜

▲滑空するマレーヒヨケザル。大きな飛膜で100m以上滑空することができます。めすは子どもを腹につかまらせて滑空します。

飛膜をまくって出す

ヒヨケザルは、木の幹につかまったまま、尾と後ろあしの間の飛膜をまくり上げ、ふんやおしっこを出します。

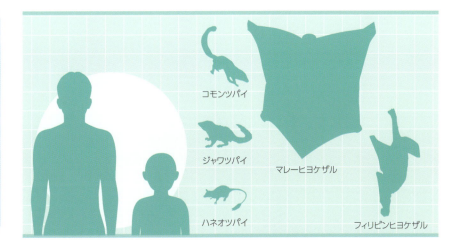

コモンツパイ／ジャワツパイ／ハネオツパイ／マレーヒヨケザル／フィリピンヒヨケザル

ハネオツパイは、アルコール分の多いブルタムヤシの花蜜をよく食べますが、よっぱらうことはないようです。

霊長目 | サルのなかま

霊長目は、脳が大きく、知能が発達したグループです。目が正面についている・前足でものがつかめる・平らな爪をもつ、などの特ちょうがあります。わたしたちヒトも、霊長目に含まれます。

霊長目の種数の割合

霊長目の種数 約520種

哺乳類の総種数 約6700種

※2024年4月時点
(500年以内に絶滅した種を含む)

▶チンパンジー（→P.85）の親子。お母さんは3か月くらい子どもを抱いたまますごします。3か月ほどすると、子どもは自力で動けるようになります。

霊長目の分類と分布

霊長目は14科に分類されています。鼻の内部が曲がっている「曲鼻猿類」と、鼻の内部がまっすぐな「直鼻猿類」に大きく分けられます。

曲鼻猿類

キツネザル科 ▶P.62	コビトキツネザル科 ▶P.63	イタチキツネザル科 ▶P.63	インドリ科 ▶P.64	アイアイ科 ▶P.64	ロリス科 ▶P.66	ガラゴ科 ▶P.66
ワオキツネザル	ハイイロネズミキツネザル	イタチキツネザル	インドリ	アイアイ	スンダスローロリス	ショウガラゴ

直鼻猿類

メガネザル科 ▶P.67
フィリピンメガネザル

真猿類

広鼻猿類 2つの鼻のあなは間かくが広く、外を向いています。

オマキザル科 ▶P.68	サキ科 ▶P.70	クモザル科 ▶P.70
フサオマキザル	シロガオサキ	ジェフロイクモザル

狭鼻猿類 2つの鼻のあなは、間かくがせまく、下を向いています。

オナガザル科 ▶P.72
ニホンザル

類人猿 わたしたちヒトを含みます。

テナガザル科 ▶P.80	ヒト科 ▶P.82
シロテテナガザル	ヒガシゴリラ

サルからヒトへ

ヒトは、チンパンジーやゴリラなどと同じ祖先から約700万年前に分かれたと考えられています。700万年前に初期の人類がアフリカで出現して以降、アルディピテクスのなかま、アウストラロピテクスのなかま、現在のわたしたちが分類されるホモのなかまが出現しました。現在までに生き残っている人類は、ホモ・サピエンス1種のみです。

アルディピテクスのなかま　アウストラロピテクスのなかま　ホモ・エレクトス　ホモ・ネアンデルタレンシス　ホモ・サピエンス

からだを見よう

ボルネオオランウータン

霊長目のなかまのほとんどは、木の上でくらしています。長い腕や枝をしっかりつかめる手足など、オランウータンやクモザルを通して、木の上での生活にあった体のつくりを見てみましょう。

フランジ
のど袋

▲オランウータンは後ろあしが大きく開くので、手足で木のつるなどをつかんで登ることができる。

フランジ
力の強いおすには、顔の両側にフランジというひだが大きく発達し、強さをアピールする。また、おとなのおすにはのど袋があり、大きな声を出すときに使う。

頭骨
歯はヒトと同じで32本ある。

切歯（前歯）
口が前につき出ているので、切歯で果実の皮などをむきやすい。

犬歯（きば）
上下のあごに1対のきばがある。

肩甲骨
大きな肩甲骨が肋骨の背中側につき、鎖骨も発達している。肩関節が外を向くので、腕（前あし）を自由に動かせる。

橈骨
腕（前あし）が後ろあしの2倍くらい長いため、枝などにぶら下がって移動しやすい。

◀ボルネオオランウータンの左手。ぶら下がるときは、親指以外の4本の指だけを使う。

指骨
手は小さな親指と、長く曲がった4本の指がはなれているので、物をつかみやすい。

上腕骨

鎖骨

肋骨

腰椎

仙骨

尾骨
尾はないが、尾の骨がいくつか残っている。

寛骨

大腿骨
大腿骨と寛骨との関節がやわらかく、後ろあしを180度以上開くことができる。

胸骨

尺骨

脛骨

腓骨

中足骨

足根骨

手根骨

中手骨

趾骨
指骨と同じつくりになっていて、足でも物をつかむことができる。

▲ボルネオオランウータンの左足

霊長目／キツネザル科・コビトキツネザル科など

キツネザルのなかま ①

このなかまは、マダガスカル島だけにすむ原始的なサルです。キツネのように鼻先がつき出し、多くはふさふさした長い尾をもちます。

キツネザルの分布

▲体を広げて日光浴するワオキツネザル。明け方に体温を上げてから活動します。

名前の通り、尾に黒と白の輪がしまになっている

名前の通り、体色は黒と白だけ

クロシロエリマキキツネザル
Varecia variegata キツネザル科 絶滅危惧種
木の上にすんでいます。生まれたばかりの赤ちゃんを、木の上の巣に残して活動します。🔺体長45cm 尾長60〜61cm ◆3.6〜3.7kg ♣マダガスカル島東部 ■熱帯雨林 ♥果実、木の葉など

▲尾を立てて歩くワオキツネザルの群れ。

ワオキツネザル
Lemur catta キツネザル科 絶滅危惧種
尾をピンと立てて、なかまへのデモンストレーションをしながら歩きます。🔺体長39〜46cm 尾長56〜63cm ◆2.4〜3.7kg ♣マダガスカル島南部 ■熱帯雨林 ♥果実、木の葉、昆虫など

顔だけ黒い

おすもめすも、体はうす茶色

ブラウンキツネザル
Eulemur fulvus キツネザル科 絶滅危惧種
種子をよく食べます。未消化で排泄するので、植物の種子散布に貢献しています。🔺体長43〜50cm 尾長41〜51cm ◆1.5kg ♣マダガスカル島中北部 ■熱帯雨林、乾燥した林 ♥果実、若葉、花、昆虫など

動物園で見てみよう

エリマキキツネザルの大合唱

クロシロエリマキキツネザルは、大きな声でなかまとコミュニケーションをとります。1頭が鳴きだすとみんなが加わって、大合唱になることもあります。自分の居場所を知らせる、危険を知らせる、群れの移動などの連絡、ほかの群れとのなわばりの確認などの目的があると考えられています。鳥の声などに反応して鳴くこともあります。

🔺体の大きさ ◆体重 ♣分布 ■生息環境 ♥食べ物

おす
体色が黒い

めす
体色がうす茶色

顔のまわりは金色

▲タケノコを食べるキンイロジェントルキツネザル。

キンイロジェントルキツネザル
Hapalemur aureus キツネザル科 絶滅危惧種
タケを食べることに特殊化したサルです。タケノコの毒に耐性があります。♠体長28〜45cm 尾長24〜40cm ◆1.2〜1.6kg ♣マダガスカル島南東部 ■竹林、熱帯雨林 ♥タケの若葉、タケノコなど

金色の尾

おすもめすも、灰色〜うす茶色

ハイイロジェントルキツネザル
Hapalemur griseus
キツネザル科 絶滅危惧種
竹林にすんで、おもにタケの若芽や葉を食べています。♠体長28〜30cm 尾長35〜37cm ◆813〜967g ♣マダガスカル島西部海岸域と東部 ■竹林、熱帯雨林 ♥タケの若葉、新芽、タケノコなど

クロキツネザル
Eulemur macaco キツネザル科 絶滅危惧種
昼も夜も行動します。体色は、おすは黒で、めすはうす茶色です。♠体長39〜45cm 尾長51〜65cm ◆1.9〜2kg ♣マダガスカル島北西部 ■熱帯雨林 ♥木の葉、花、昆虫など

ハイイロネズミキツネザル
Microcebus murinus
コビトキツネザル科
もっとも小さいサルで、15年ほど生きます。とびはねながら木の上を移動します。♠体長12〜14cm 尾長13〜14.5cm ◆50〜60g ♣マダガスカル島南西部 ■乾燥した林など ♥昆虫、小動物など

お腹以外は目立たないうす茶色

イタチキツネザル
Lepilemur mustelinus
イタチキツネザル科 絶滅危惧種
夜行性のサルです。昼間は木のうろで寝ています。♠体長21〜25cm 尾長25〜29cm ◆0.8〜1kg ♣マダガスカル島東部 ■乾燥した林、川辺の林、しめった林 ♥木の葉、果実、花、樹皮など

ハイイロネズミキツネザルの休眠
コビトキツネザル科のなかまは、食べ物の少ない乾季は巣で休眠します。雨季の間に尾や後ろあしにたくわえた脂肪が、休眠中のエネルギーになります。

雨季に活動 → 乾季に休眠

ワオキツネザルのおすは、手首の臭腺から出る分泌液を尾につけてめすをひきつけたり、木につけてなわばりを主張したりします。

霊長目／インドリ科・アイアイ科

キツネザルのなかま ②

▲後ろあしで横にとびはねるベローシファカ。

▲インドリは、1頭がうたいだすと、なかまが合唱します。

体は白黒もよう

インドリ
Indri indri
インドリ科 絶滅危惧種
マダガスカル島にすむサルのなかまで最大です。♠体長62〜72cm 尾長5cm ◆5.8〜9kg ♣マダガスカル島東部 ■低地の熱帯雨林 ♥木の葉、果実、花など

短い尾

顔と頭頂部だけが黒い

白目の部分が赤茶色

ベローシファカ
Propithecus verreauxi
インドリ科 絶滅危惧種
木の上で生活します。地上では2本あしで立ち、横にとびはねながら移動します。♠体長40〜48cm 尾長50〜60cm ◆2.9kg ♣マダガスカル島南部 ■落葉樹林 ♥木の葉など

大きな耳

茶色の丸い目

ヒガシアバヒ
Avahi laniger
インドリ科 絶滅危惧種
夜行性のサルです。あまり大きな群れをつくらずにくらしています。♠体長27.7〜32.2cm 尾長30.4〜36.6cm ◆1.1〜1.3kg ♣マダガスカル島北東部 ■雨が多い林、二次林 ♥木の葉、花、果実など

▲長い指で木のあなをほじるアイアイ。

アイアイ *Daubentonia madagascariensis*
アイアイ科 絶滅危惧種
現地では「悪魔の使い」とよばれます。長い指で、木のあなにいる虫をほじくり出して食べます。♠体長30〜37cm 尾長44〜53cm ◆2.4〜2.6kg ♣マダガスカル島東海岸部 ■マングローブ林、竹林など ♥昆虫、鳥の卵、果実など

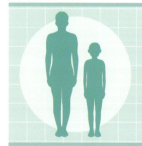  

ワオキツネザル(→P.62) ／ ハイイロネズミキツネザル(→P.63) ／ ベローシファカ ／ インドリ

♠体の大きさ ◆体重 ♣分布 ■生息環境 ♥食べ物

マダガスカルってどんなところ？

マダガスカル島はアフリカ大陸の東に位置する島で、島全体がマダガスカル共和国の領土です。世界で4番目に大きな島で、面積は日本の約1.6倍になります。大昔に大陸から分離して以降、哺乳類や植物をはじめ、多くの生き物が独自に進化してきました。そのため、生息する生き物のうち約90％が固有種です。

北部
乾燥していて、気温が高い気候です。

フォッサ（→P.151）は、海岸から標高2600m以下までの森林地帯にくらしています。

ツァラタナナ山地

西部
乾燥した気候で、乾季と雨季があります。バオバブ並木があります。

アイアイ（→P.64）は、東部の海岸に近いマングローブ林などにくらしています。

首都 アンタナナリボ

インドリ（→P.64）は、東部の熱帯雨林にくらしています。

マダガスカルの国獣、ワオキツネザル（→P.62）。南部の乾燥地帯のとげのある植物のはえた場所でくらしています。

中央部
標高の高い高原地帯で、1年中涼しくて、すごしやすい気候です。

ハリテンレック（→P.36）は、島全体に広く生息しています。

南部
砂漠化が進む乾燥地帯です。

マダガスカル島ができるまで

マダガスカル島は今から1億8000万年前にゴンドワナ大陸ができたあと、1億5000万年より前にインドと一緒にアフリカからはなれました（→P.12）。その後、8400万年前には現在のインドからはなれ、少しづつ現在の位置まで移動しました。

1億8000万年前

マダガスカルはアフリカ、インドとくっついている

1億5000万年前

アフリカからインドやマダガスカルがはなれる

9000万〜8400万年前

インドが北上していく

 ロリス科とガラゴ科をのぞく全ての曲鼻猿類は、マダガスカル島のみに生息しています。

ロリスのなかま

ロリスはアジアに、ガラゴはアフリカにすむ原始的なサルのなかまです。夜行性で木の上でくらします。目が大きく、夜でもよく見えます。

▲虫をつかまえたスンダスローロリス。えものに気づかれないように、ゆっくり近づきます。

スンダスローロリス
Nycticebus coucang ロリス科 絶滅危惧種

夜行性のサルです。枝をしっかりとにぎって、木の上をゆっくりと移動します。♠体長30〜34cm 尾長0cm ◆635〜850g ♣マレー半島、スマトラ島 ■熱帯雨林 ♥果実、昆虫、木の葉、鳥の卵など

アカスレンダーロリス
Loris tardigradus
ロリス科 絶滅危惧種

木の上で、虫や小動物を食べてくらしています。♠体長18〜21cm 尾長0cm ◆85〜220g ♣スリランカ南西部 ■熱帯雨林 ♥果実、昆虫、小動物など

尾はない

ポットー
Perodicticus potto ロリス科

夜行性のサルです。木の上をゆっくりと移動して、果実や虫を食べています。♠体長30cm 尾長4〜6cm ◆850〜1000g ♣西アフリカ海岸部 ■低地性熱帯雨林、水辺の林、山地の林など ♥果実、昆虫、小動物、樹液など

短い尾

大きな目　大きな耳

ショウガラゴ *Galago senegalensis* ガラゴ科

とてもびんしょうなサルです。小柄ですが、数m先の木まで飛び移ることができます。♠体長13〜21cm 尾長20〜30cm ◆110〜300g ♣アフリカ西部〜東部 ■有刺低木林、サバンナ、回廊林など ♥樹液、昆虫、小動物など

ふさふさした体毛

もっと知りたい！ 毒をもつスローロリス

スンダスローロリスは、だ液と、ひじの内側にある皮脂腺から出る液に毒をもち、まぜるとさらに強い毒になります。これを全身にぬり、身を守っています。

毒の出る皮脂腺（上腕腺）　毛づくろいをしながら毒をぬる

▲ネコのように光るオオガラゴの目。

オオガラゴ
Otolemur crassicaudatus ガラゴ科

夜行性のサルです。目の奥に「タペタム」という組織があり、ネコのように目が光ります。♠体長26〜40cm 尾長30〜50cm ◆1.1〜1.8kg ♣アフリカ南部 ■回廊林、山地の林、竹林など ♥果実、昆虫、樹液など

♠体の大きさ ◆体重 ♣分布 ■生息環境 ♥食べ物

メガネザルのなかま

東南アジアの島々にすんでいます。大きな目と長い後ろあしをもち、夜に枝から枝へ飛び移りながら、えものを探します。

フィリピンメガネザル
Carlito syrichta メガネザル科
昼は木の上などで休み、夜に地上近くで昆虫などを狩ります。親子で小さな群れをつくることがあります。🌱体長11.8～14cm 尾長14.7～28.8cm ◆110～153g ♣レイテ島、サマール島、ミンダナオ島など ■熱帯雨林 ♥昆虫、小動物など

大きな目
尾の先に房毛がある

スラウェシメガネザル
Tarsius tarsier メガネザル科 【絶滅危惧種】
いつも木にしがみついています。目（眼球）を動かさず、頭を回してまわりを確認します。🌱体長12～14cm 尾長23～26cm ◆98～103g ♣スラウェシ島南端部 ■熱帯雨林 ♥昆虫、小動物など

大きな目
体長の2倍にもなる長い後ろあし
尾の先の房毛が少ない

▲ニシメガネザルは、吸盤のような指先で木をしっかりつかみます。

▶後ろを見るニシメガネザル。

ニシメガネザル
Cephalopachus bancanus
メガネザル科 【絶滅危惧種】
大きな目をもつ夜行性のサルです。垂直の木にしがみついた姿勢から、となりの木に飛び移ります。🌱体長11.4～13.2cm 尾長20～23cm ◆110～138.5g ♣スマトラ島南部、ボルネオ島 ■熱帯雨林 ♥昆虫、小動物など

尾の先に房毛がある

動かない眼球

暗やみでもよく見えるメガネザルの眼球は、頭蓋骨にがっちりとはまり、上下左右に動かすことはできません。かわりに首が180度回転し、後ろまで見わたせます。

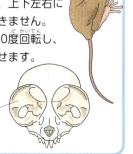
眼球が収まっているところ

スンダスローロリス　ショウガラゴ　ニシメガネザル

ロリスやキツネザルのなかまは、舌の下側に、もう1枚の舌のような「下舌」があります。歯の掃除用と考えられています。

オマキザルのなかま ①

オマキザルのなかまは、1日のほとんどを木の上でくらし、果実や昆虫などを食べています。ヨザルのなかま以外は昼間に活動します。

▲赤ちゃんを背おうシロガオマーモセットのおす。

コモンマーモセット
Callithrix jacchus オマキザル科
するどい前歯で木の幹にあなをあけて、しみ出てきた樹液を食べます。♠体長16〜21cm 尾長24〜31cm ◆318〜322g ♣ブラジル東部 ■熱帯雨林 ♥樹液、昆虫など

白いふさふさした毛

背中に3色のまだらもよう

シロガオマーモセット
Callithrix geoffroyi オマキザル科
生まれたての赤ちゃんを、母親だけでなく、群れのおすやめすも世話をします。♠体長18〜23cm 尾長29cm ◆190〜350g ♣ブラジル南東部 ■低地の二次林など ♥樹液、昆虫など

▲ピグミーマーモセット
Cebuella pygmaea オマキザル科 絶滅危惧種
もっとも小さな真猿類（→P.59）です。数頭の群れでくらし、子どもは一度に2頭生まれます。♠体長12〜16cm 尾長17〜23cm ◆85〜140g ♣アマゾン川上流域 ■落葉林、低地林、海岸の林など ♥樹液、昆虫など

全身が黄金色で、とても美しい

まっ黒な全身

白いひげ

ゲルディモンキー
Callimico goeldii
オマキザル科 絶滅危惧種
子どもはふつう、一度に1頭しか生まれません。♠体長19〜25cm 尾長26〜35cm ◆355〜366g ♣ボリビア、ペルー、コロンビア、ブラジル ■竹林や二次林の下層部 ♥昆虫、小動物、キノコなど

ゴールデンライオンタマリン
Leontopithecus rosalia
オマキザル科 絶滅危惧種
かつては狩りの対象にされ、絶滅寸前でした。近年、保護活動によって数が増えています。♠体長26〜33cm 尾長32〜40cm ◆710〜795g ♣ブラジル南東部 ■海岸の林 ♥果実、樹液、花の蜜など

エンペラータマリン
Saguinus imperator
オマキザル科
皇帝（エンペラー）のようなひげがはえていることから、名前がつけられました。♠体長23〜26cm 尾長35〜42cm ◆400〜550g ♣アマゾン川上流域 ■熱帯雨林 ♥樹液、果実、昆虫など

ワタボウシタマリン
Saguinus oedipus
オマキザル科 絶滅危惧種
頭に「綿帽子」のような白い毛がはえていることから、名前がつけられました。♠体長21〜26cm 尾長33〜40cm ◆404〜418g ♣パナマ〜コロンビア西部〜エクアドル西部 ■乾燥した落葉林、低地林など ♥樹液、果実、昆虫など

白くて長い毛

♠体の大きさ ◆体重 ♣分布 ■生息環境 ♥食べ物

耳には毛がない
銀灰色の全身
黒い尾

シルバーマーモセット
Mico argentatus オマキザル科
小さなサルです。おもに樹液を食べています。♠体長20〜22cm 尾長26〜33cm ◆349〜406g ♣ブラジル西部〜ボリビア ■熱帯雨林 ♥樹液、果実、昆虫など

顔からのど、肩が白い

ノドジロオマキザル
Cebus capucinus
オマキザル科 絶滅危惧種
かしこいサルで、石などを道具として使用することが確認されています。♠体長33〜45cm 尾長35〜55cm ◆1.5〜4kg ♣パナマ〜コロンビア西部〜エクアドル西部 ■常緑林、マングローブ林、乾燥した落葉林など ♥昆虫、果実など

眼のまわりに白い毛

コモンリスザル
Saimiri sciureus オマキザル科
数十頭の群れでくらしています。リスのように小さいことから、名前がつけられました。♠体長25〜37cm 尾長36〜47cm ◆550〜1400g ♣南米北部のアマゾン川下流域 ■熱帯雨林の下層林、川辺の林、沼沢林など ♥昆虫、果実など

白い顔

シロガオオマキザル
Cebus albifrons オマキザル科
嗅覚が発達していて、おしっこのにおいでコミュニケーションをとります。♠体長34〜39cm 尾長41〜46cm ◆2.3〜2.6kg ♣ブラジル北西部〜コロンビア、ベネズエラ ■しめった林、川辺の林〜山地の林 ♥果実、木の実など

頭に房毛がある

フサオマキザル
Sapajus apella
オマキザル科
尾の先がくるりと巻いている姿は、ナスカの地上絵にも描かれています。♠体長38〜46cm 尾長38〜49cm ◆1.3〜4.8kg ♣南アメリカ北中部のアマゾン川流域 ■低地林、半山地林などの中下層部 ♥昆虫、鳥の卵、果実、小動物など

▲フサオマキザルも石を道具として使い、木の実などを割って食べます。

大きな目

フンボルトヨザル
Aotus trivirgatus オマキザル科
夜行性のサルです。昼間は木のうろなどで寝ていて、夜になると動き回って採食します。♠体長30〜38cm 尾長33〜40cm ◆740〜813g ♣南米北部のオリノコ川〜アマゾン川中流域 ■熱帯雨林 ♥木の実、昆虫、小動物など

どんな赤ちゃん？ 両親に育てられる

ヨザルの赤ちゃんは、両親に育てられます。お乳はお母さんが飲ませてくれますが、そのほかの毛づくろいなどの世話は、おもにお父さんがしてくれます。

年長の子　赤ちゃん　父　母

📝 フサオマキザルはその知能の高さから、アメリカで、体の不自由な人を助ける「介助猿」として訓練されています。

オマキザルのなかま②

霊長目／サキ科・クモザル科

まっ赤な顔

南アメリカにすむサルのなかでは尾が短い

アカウアカリ
Cacajao calvus サキ科 **絶滅危惧種**

がんじょうな歯をもっていて、かたい種子を主食としています。♠体長36〜57cm 尾長14〜19cm ♦2.3〜3.5kg ♣アマゾン川上流域（ブラジル西部〜ペルー）■熱帯雨林、氾濫林など ♥種子、果実、昆虫、小動物など

おかっぱのような頭

まっ黒な顔

クロウアカリ
Cacajao melanocephalus サキ科

雨季に冠水する森林にすんでいます。いつも木の上で、かたい果実などを食べています。♠体長30〜50cm 尾長13〜21cm ♦2.4〜4.5kg ♣オリノコ川上流〜アマゾン川中流域 ■低地性の浸水林、沼沢林など ♥昆虫、小動物、果実など

ダスキーティティ
Plecturocebus moloch サキ科

木の枝におすとめすが並んで、尾をからませている姿がよく見られます。♠体長27〜43cm 尾長35〜55cm ♦850〜1200g ♣アマゾン川中流域の南部 ■アマゾンの熱帯雨林 ♥昆虫、小動物、果実など

体よりも長くて太い尾

ヒゲサキ
Chiropotes chiropotes サキ科

高い口笛のような音で、なかまとコミュニケーションをとります。♠体長35〜46cm 尾長30〜46cm ♦2〜4kg ♣オリノコ川上流域、アマゾン川中流域の北側 ■アマゾンの熱帯雨林 ♥果実、種子など

2つこぶのような頭

あごひげが目立つ

おす / めす

めすは灰褐色の体に黒い顔

シロガオサキ
Pithecia pithecia サキ科

おすは、まっ黒な体に特ちょう的な白い顔で、よく目立ちます。♠体長29〜46cm 尾長33〜46cm ♦1.4〜1.9kg ♣アマゾン川下流域の北部 ■アマゾンの熱帯雨林 ♥果実、昆虫、小動物など

マントのような長い体毛

マントホエザル
Alouatta palliata クモザル科 **絶滅危惧種**

夕方になると、おすが枝に並んで、となりの群れに向かって大声でほえています。♠体長46〜63cm 尾長55〜70cm ♦3.1〜9kg ♣中央アメリカ〜南米北西端 ■熱帯雨林 ♥木の葉、果実など

♠体の大きさ ♦体重 ♣分布 ■生息環境 ♥食べ物

赤い顔

黒くて長い体毛

ジェフロイクモザル
Ateles geoffroyi
クモザル科 **絶滅危惧種**
長い手あしと「尾紋」のある尾を使って、枝を渡り歩きます。手の親指は退化しています。♠体長31〜63cm 尾長64〜86cm ◆6〜9.4kg ♣メキシコ南部〜パナマ ■熱帯雨林、しめった林、落葉樹林など ♥果実、木の葉、木の実、昆虫など

アカガオクロクモザル
Ateles paniscus クモザル科 **絶滅危惧種**
尾の先にある「尾紋」を使って、尾だけで枝にぶら下がることができます。♠体長42〜66cm 尾長64〜93cm ◆8.4〜9.1kg ♣アマゾン川下流域北部 ■熱帯雨林（高木林）♥果実、木の葉、種子など

フンボルトウーリーモンキー
Lagothrix lagotricha クモザル科 **絶滅危惧種**
めすが群れの間を移動する「父系」の社会構造をもっています。♠体長46〜65cm 尾長53〜77cm ◆5〜10kg ♣アマゾン川上流域〜マグダレナ川上流域 ■しめった林、低地の熱帯雨林、山地林など ♥木の葉、木の実、果実など

◀葉を食べるフンボルトウーリーモンキー。

じゅうたんのような毛なみ

長い手あし

長い体毛

ミナミムリキ（ウーリークモザル）
Brachyteles arachnoides クモザル科 **絶滅危惧種**
群れの中には優劣関係がなく、めったにけんかをしない平和なサルです。♠体長48〜80cm 尾長73〜80cm ◆8〜15kg ♣ブラジル南東部の海岸地帯 ■常緑林、落葉林、半落葉林など ♥果実、木の葉、樹皮など

動物園で見てみよう クモザルの尾の尾紋

クモザル科のなかまの尾は、先のほうの裏に毛がなく、ヒトの指紋のような細かい凹凸やしわがあります。これは「尾紋」とよばれます。尾紋がすべりどめになるので、枝からぶら下がったり、器用にものをつかんだりすることができます。

尾紋

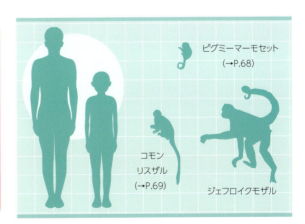

ピグミーマーモセット（→P.68）

コモンリスザル（→P.69）

ジェフロイクモザル

アカウアカリの顔は、毛細血管が浮き出ているために、赤く見えます。

オナガザルのなかま ①

このなかまは、霊長目でいちばん種類が多く、アジアとアフリカにすんでいます。オナガザルとよばれますが、ニホンザルのように尾が短いものもいます。

アレンモンキー
Allenopithecus nigroviridis
オナガザル科
しめった林にすんで、水を怖がらないめずらしいサルです。♠体長40〜50cm 尾長36〜51cm ◆3.2〜6.1kg ♣アフリカ中央部 ■しめった林など ♥果実、木の葉、昆虫など

ロエストモンキー
Allochrocebus lhoesti
オナガザル科 絶滅危惧種
群れの中の母親以外のめすが、子どもの世話をする行動が知られています。♠体長45〜70cm 尾長46〜76cm ◆3〜10kg ♣コンゴ民主共和国東部 ■低地林、川辺の林、山地の林など ♥果実、種子、若葉、昆虫など

シロエリマンガベイ
Cercocebus torquatus
オナガザル科 絶滅危惧種
おすとめすで十数頭の群れをつくりますが、あまり個体間の争いはないようです。♠体長42〜87cm 尾長46〜76cm ◆5〜12.5kg ♣アフリカ中央部の海岸地域 ■マングローブ林、沼沢林など ♥果実、種子、木の実、昆虫など

サイクスモンキー
Cercopithecus albogularis
オナガザル科
木の上にすんでいます。ブルーモンキーと近縁です。♠体長20〜68cm 尾長26〜95cm ◆1.3〜11.1kg ♣アフリカ東岸部 ■森林、平地など ♥木の芽、木の葉、果実など

アカオザル
Cercopithecus ascanius
オナガザル科
木の上にすんでいます。♠体長34〜51.5cm 尾長54〜92cm ◆1.8〜6kg ♣アフリカ中央部（コンゴ川南部）■熱帯雨林、沼沢林など ♥果実、種子、花、花蜜など

クチヒゲグエノン *Cercopithecus cephus* オナガザル科
雨の多い森林にすんでいます。♠体長44〜58cm 尾長60〜99cm ◆2〜5kg ♣カメルーン、アンゴラ ■熱帯雨林 ♥木の実、種子、昆虫など

♠体の大きさ ◆体重 ♣分布 ■生息環境 ♥食べ物

太ももに白い線

地味な毛色

ダイアナモンキー
Cercopithecus diana

オナガザル科 絶滅危惧種

木の上にすんでいます。ほかの種のサルと群れをつくって、移動します。♠体長42〜60cm 尾長70〜80cm ◆2.2〜7.5kg ♣シエラレオネ、ガーナ ■低地のしめった林、半落葉林など ♥木の葉、木の実、果実、昆虫など

鼻の頭が白い
首のまわりが白い

ショウハナジログエノン
Cercopithecus petaurista

オナガザル科

木の上にすんでいます。♠体長40〜53cm 尾長52〜79cm ◆2〜4.5kg ♣ガンビア、ベニン ■熱帯雨林 ♥木の実、花など

ブルーモンキー
Cercopithecus mitis

オナガザル科

十数頭の群れでくらしています。アカオザルと群れをつくって移動します。♠体長39〜71cm 尾長49〜95cm ◆2.7〜9kg ♣アフリカ中央部など ■熱帯雨林、山地林など ♥果実、木の葉、花、昆虫など

ブラッザグエノン
Cercopithecus neglectus　**オナガザル科**

しめった林や川辺の林など、水の近くにすむサルです。♠体長44〜54cm 尾長59〜70cm ◆3.2〜5kg ♣エチオピア、アフリカ中央部 ■しめった林、川辺の林 ♥木の実、果実、昆虫、小動物など

オレンジ色の額
白いあごひげ

顔の両脇に、白い毛が真横にのびる

グリベットモンキー
Chlorocebus aethiops

オナガザル科

草原にすむ「サバンナモンキー」とよばれるサルのなかまです。寝るのは樹上です。♠体長30〜60cm 尾長41〜76cm ◆1.5〜6.4kg ♣スーダン南西部〜エチオピア ■おもに草原 ♥果実、木の葉、木の実、昆虫など

おすの睾丸はあざやかな青色

ベルベットモンキー
Chlorocebus pygerythrus

オナガザル科

サバンナの、樹木がまばらな林にすんでいます。敵が来ると警戒音を出してなかまに知らせます。♠体長30〜70cm 尾長41〜76cm ◆1.5〜6.4kg ♣アフリカ東部 ■サバンナ、川辺の林など ♥果実、木の葉、種子、小動物など

▲子を抱えて走るベルベットモンキーの母親。

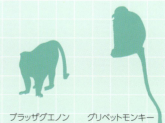
シロエリマンガベイ　ブラッザグエノン　グリベットモンキー

オナガザルのなかまの多くには、ほお袋があります。そこに食べ物を入れて、安全な場所まで運んで食べます。

73

オナガザルのなかま ②

おす　めす

▲アッサムモンキーの亜種ヒガシアッサムモンキーのおすとめす。

赤茶色の額
白いひげ

▶**アッサムモンキー**
Macaca assamensis
オナガザル科
高地の山林を好んでくらしています。♠体長43.7〜73cm 尾長17〜36cm ◆4.9〜16.5kg ♣インド北部、ネパール、東南アジア高地 ■高山地域の常緑広葉樹林など ♥木の実、若葉、昆虫、小動物など

額の毛が左右に分かれてはえている
体毛は黄褐色

◀**パタスモンキー**
Erythrocebus patas
オナガザル科
走るのが得意です。サルのなかまで、もっとも速いといわれています。♠体長48〜87.5cm 尾長48〜72cm ◆4〜13kg ♣西アフリカ〜東アフリカ ■サバンナ ♥果実、種子、昆虫など

頭の毛がボンネット（帽子）のように見える

ボンネットモンキー
Macaca radiata
オナガザル科 絶滅危惧種
数十頭にもなる、大きな群れで生活しています。♠体長34.5〜60cm 尾長48〜69cm ◆2.9〜11.6kg ♣インド南部 ■常緑樹林、落葉広葉樹林など ♥果実、昆虫、小動物など

肩のまわりに、やや白い毛がはえている

ホオジロマンガベイ
Lophocebus albigena
オナガザル科 絶滅危惧種
木の上にすんでいます。グエノンやコロブスと群れをつくって移動します。♠体長50〜73cm 尾長67〜100cm ◆4.7〜9kg ♣アフリカ中央部（コンゴ川北部）■低地の森林など ♥果実、種子、木の葉など

顔も体毛もまっ黒

クロザル
Macaca nigra
オナガザル科 絶滅危惧種
複数のおすとめすからなる、大きな群れで生活しています。♠体長44.5〜57cm 尾長1.5〜2.5cm ◆5.5〜13kg ♣スラウェシ島 ■熱帯雨林 ♥果実、種子、木の実、昆虫など

頭のてっぺんの毛が立つ

尾が長い

カニクイザル *Macaca fascicularis* オナガザル科
とても適応力の高いサルです。カニだけでなく、いろいろなものを食べます。♠体長31.5〜63cm 尾長31.5〜71.5cm ◆2.4〜12kg ♣東南アジア ■森林やマングローブ林など ♥果実、種子、昆虫、小動物など

▲石で貝の殻を割って食べるカニクイザル。

もっと知りたい！ カニクイはカニが好き？

カニクイザルのように、名前にカニクイがつく動物は、いずれもカニ以外のものも食べる雑食性です。カニをまったく食べないものもいます。

カニクイザル

カニクイアライグマ
（→P.168）

カニクイイヌ
（→P.155）
カニクイアザラシ
（→P.174）

♠体の大きさ ◆体重 ♣分布 ■生息環境 ♥食べ物

顔のまわりのたてがみや、尾の形がライオンににている

短く丸まった尾がブタの尾ににている

ミナミブタオザル
Macaca nemestrina
オナガザル科　絶滅危惧種

かしこくて器用なサルです。東南アジアでは、調教してココナッツの実の収穫をさせています。♠体長43.4〜73.8cm 尾長13〜25cm ◆5.4〜13.6kg ♣マレー半島南部、スマトラ島、ボルネオ島（カリマンタン島）■熱帯雨林 ♥果実、種子、昆虫など

シシオザル
Macaca silenus　オナガザル科　絶滅危惧種

いつも木の上にいます。めったに地上には下りてきません。♠体長42〜61cm 尾長24〜39cm ◆2〜10kg ♣インド南西部 ■高地の森林地帯 ♥木の実、種子、昆虫など

短い尾

バーバリーマカク
Macaca sylvanus
オナガザル科　絶滅危惧種

地上や木の上に群れをつくります。
♠体長55.7〜63.4cm 尾長0.4〜2.2cm ◆9.9〜14.5kg ♣アフリカ北西部 ■針葉樹林 ♥木の葉、木の実、果実、昆虫など

短い尾

◀屋久島にすむニホンザルの亜種ヤクシマザル。手あしや体毛が黒っぽいのが特ちょうです。

ニホンザルににているが、尾が長い

アカゲザル
Macaca mulatta　オナガザル科　外来種

東アジアに広く生息します。ニホンザルの祖先と考えられています。♠体長37〜66cm 尾長12.5〜31cm ◆3〜14.1kg ♣アフガニスタン〜インド北部〜中国南部〜東南アジア北部、日本 ■森林、しめった林など ♥木の葉、木の実、果実、昆虫など

ニホンザル
Macaca fuscata　オナガザル科　日本固有種

スノーモンキーともよばれ、世界でもっとも北にすむサルです。♠体長46〜65cm 尾長8.1〜8.7cm ◆4〜18.4kg ♣日本（北海道以外）■常緑樹林、落葉広葉樹林など ♥木の葉、種子、昆虫、小動物など

ニホンザルににているが、尾が太くて長い

タイワンザル　*Macaca cyclopis*　オナガザル科　外来種

台湾のサルですが、動物園にいた個体が野生化し、ニホンザルと交雑して問題になっています。♠体長42〜65cm 尾長35〜50cm ◆5.5〜18.5kg ♣台湾、日本 ■山地や海岸部の岩山 ♥果実、木の葉、昆虫など

動物園で見てみよう

ニホンザルのくらし

ニホンザルは、年長の第1位めすを中心に、その娘たちと子ども、血のつながりのない複数のおすが群れをつくります。サル山でくらすニホンザルの社会を観察してみましょう。

①第1位のおすとめす
②母と子
③遊ぶ子どもたち
④地位が上のもの（上）と下のもの
⑤サル団子とよばれる集団

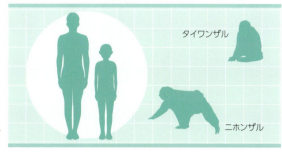

宮崎県幸島のニホンザルは、サツマイモを海水で洗って食べます。1頭の若いめすが始めて、なかまや子孫に広まりました。

オナガザルのなかま ③

ドリル
Mandrillus leucophaeus オナガザル科 絶滅危惧種

熱帯雨林の奥で、大きな群れで生活しています。🔺体長45.5〜83cm 尾長5〜12.5cm ◆6.5〜27kg ♣カメルーン西部、ナイジェリア東部、赤道ギニア ■熱帯雨林 ♥木の葉、種子、昆虫、小動物など

体は暗褐色
まっ黒な顔

▲ドリルは、複数のおすとめすからなる15〜30頭の群れをつくります。100頭以上になることもあります。

▲マンドリルのおすは、敵やライバルが近づくと、するどいきばを見せておどします。

おすは
鼻筋がまっ赤で
両脇は水色

おす

◀ミナミタラポアン
Miopithecus talapoin オナガザル科 絶滅危惧種

狭鼻猿類(→P.59)のなかでは最小です。アンゴラタラポアンともよばれます。🔺体長26〜45cm 尾長53cm ◆750〜1300g ♣コンゴ川下流の南部 ■熱帯雨林、しめった林など ♥果実、昆虫など

ほおの毛は
白っぽい

めす

マンドリル
Mandrillus sphinx オナガザル科 絶滅危惧種

森林の奥地にすんでいます。派手な顔で奇妙な鳴き声を出します。🔺体長55〜110cm 尾長5〜10cm ◆11〜33kg ♣カメルーン東部、ガボン、赤道ギニア、コンゴ ■熱帯雨林 ♥木の葉、種子、昆虫、小動物など

ほおの毛は
黄色

キタタラポアン
Miopithecus ogouensis オナガザル科

コンゴ川の北にすんでいます。ガボンタラポワンともよばれます。🔺体長28〜34cm 尾長37〜43cm ◆1.1〜1.4kg ♣コンゴ川下流の北部 ■熱帯雨林、しめった林など ♥果実、昆虫など

頭の毛は
白くて長い

ゲラダヒヒ
Theropithecus gelada オナガザル科

現在はエチオピアの高地にすんでいますが、スペインやインドからも化石が見つかっています。🔺体長50〜75cm 尾長33〜50cm ◆12〜30kg ♣エチオピア ■高地の岩山など ♥果実、木の葉、木の実、昆虫など

🔺体の大きさ ◆体重 ♣分布 ■生息環境 ♥食べ物

長い鼻面

顔のまわりは黄褐色

体は明るい茶色

チャクマヒヒ
Papio ursinus
オナガザル科

大型のヒヒです。複雑な構造の大きな群れで生活しています。♠体長51〜100cm 尾長37〜84cm ◆12〜35kg ♣ザンビア、アンゴラ、南アフリカ ■サバンナ、乾燥した林など ♥果実、木の葉、種子、昆虫など

ギニアヒヒ *Papio papio* オナガザル科

おすどうしが股間を見せて触ったりする、変わったコミュニケーションをします。♠体長35〜86cm 尾長43〜70cm ◆10〜26kg ♣ギニア、セネガル、モーリタニア、シエラレオネ ■サバンナ、低木林 ♥草、果実、昆虫など

マントをはおったように見える長い毛

めす　子ども　おす

マントヒヒ
Papio hamadryas
オナガザル科

古代エジプトでは月の神の象徴で、よく壁画に出てきます。♠体長50〜95cm 尾長37〜60cm ◆10〜21.3kg ♣エチオピア、ソマリア、アラビア半島南西部 ■半砂漠ステップ、乾燥サバンナなど ♥草、種子、果実、昆虫など

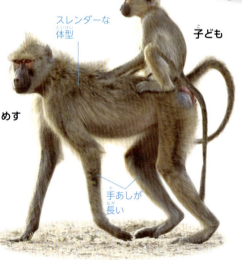

スレンダーな体型　子ども　めす　手あしが長い

キイロヒヒ
Papio cynocephalus
オナガザル科

社会性が高いサルです。複雑な個体間のコミュニケーション行動が見られます。♠体長51〜85cm 尾長34〜66cm ◆8〜28kg ♣エチオピア、ケニア ■まばらな林、低草原地帯など ♥草、キノコ、地衣類、小動物など

▲キイロヒヒは、複数のおすとめすからなる20〜80頭の群れでくらします。おすは、群れのなかでの順位をめぐってあらそいます。

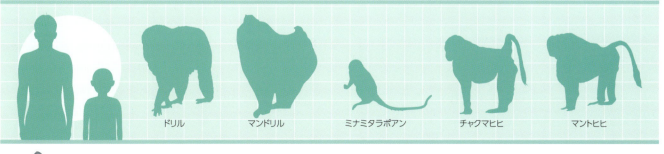

ドリル　マンドリル　ミナミタラポアン　チャクマヒヒ　マントヒヒ

マンドリルのおすの顔の派手な色は、森の中でなかまへの目印になります。色があざやかなほど群れで力をもち、めすにもてます。

オナガザルのなかま ④

アンゴラコロブス
Colobus angolensis
オナガザル科 絶滅危惧種
葉を食べるサルです。
♣体長48〜66cm 尾長63〜92cm ◆7.6〜12.6kg ♠アンゴラ、ルワンダ ■熱帯雨林、山地の林など ♥木の葉、果実、種子

顔のまわりから肩にかけて、長い白毛がある

アビシニアコロブス
Colobus guereza オナガザル科
群れの中の母親以外のめすが、子育てに参加する行動がよく見られます。
♣体長49.5〜75cm 尾長50〜90cm ◆5.5〜13.5kg ♠アフリカ中央部〜東アフリカ ■落葉樹林、常緑樹林など ♥木の葉、果実など

体毛は黒と白の2色

ニシアカコロブス
Piliocolobus badius
オナガザル科 絶滅危惧種
数十頭の群れでくらしています。チンパンジーやヒョウなどに捕食されることが多いようです。♣体長43〜63cm 尾長63〜77cm ◆6〜12.5kg ♠アフリカ中央部 ■しめった林など ♥木の葉、種子、果実など

赤味のある褐色の毛

動物園で見てみよう アビシニアコロブスの頭のこぶ

アビシニアコロブスは、あごの筋肉が頭まで発達し、こぶのようにもり上がっています。食べるとき、あごといっしょにこぶが動きます。

赤ちゃんのときは平らな頭

テングザル *Nasalis larvatus* オナガザル科 絶滅危惧種
一日中、木の上で葉を食べています。その後は、消化のためにずっと休んでいるようです。♣体長61〜76cm 尾長55〜67cm ◆10〜24kg ♠ボルネオ島（カリマンタン島） ■マングローブ林、しめった林 ♥木の葉、果実など

天狗のような長い鼻
大きなお腹
おす
めす

▲テングザルは泳ぎが得意で、おそわれると水に飛びこみます。

モモジロリーフモンキー
Presbytis femoralis
オナガザル科 絶滅危惧種
木の上にすみ、いつも木の葉を食べています。♣体長43〜61cm 尾長61〜84cm ◆5.9〜8.2kg ♠マレー半島、スマトラ島東部 ■熱帯雨林、沼沢林など ♥若葉、果実、新芽など

体は黒〜灰色

♣体の大きさ ◆体重 ♠分布 ■生息環境 ♥食べ物

アカアシドゥクラングール
Pygathrix nemaeus オナガザル科 絶滅危惧種

「世界一美しいサル」ともいわれる、カラフルなサルです。🌲体長49～63cm 尾長42～66cm ◆6～11.6kg ♣ベトナム、ラオス、カンボジア ■熱帯雨林の樹冠部 ♥木の葉、果実、種子など

キンシコウ
Rhinopithecus roxellana
オナガザル科 絶滅危惧種

現在は中国の山地にすんでいますが、かつては台湾島にもいました。🌲体長47～83cm 尾長51～104cm ◆6～19kg ♣中国中西部の山地 ■落葉広葉樹林、針葉樹林など ♥果実、種子、地衣類、木の葉、昆虫など

ダスキールトン
Trachypithecus obscurus
オナガザル科 絶滅危惧種

大きな群れで生活しています。🌲体長42～68cm 尾長57～81cm ◆5～9.1kg ♣マレー半島全域 ■低木林など ♥木の葉、果実、花など

ハヌマンラングール
Semnopithecus entellus オナガザル科

インドではハヌマン神の使いとされていて、大切にされています。🌲体長45.1～78.4cm 尾長80.3～111.8cm ◆9.5～19.5kg ♣インド亜大陸 ■乾燥した林、しめった林 ♥木の葉、樹皮、果実など

フランソワルトン
Trachypithecus francoisi オナガザル科 絶滅危惧種

岩壁にあるどうくつをねぐらにします。🌲体長50～63cm 尾長74～90cm ◆5.5～7.9kg ♣中国南部、ベトナム、ラオス ■亜熱帯雨林の岩壁 ♥木の葉、果実、花など

シルバールトン
Trachypithecus cristatus
オナガザル科 絶滅危惧種

生まれたての赤ちゃんの体色は金色です。やがて銀灰色に変わります。🌲体長46～58cm 尾長66～75cm ◆5.7～6.6kg ♣スマトラ島、ボルネオ島（カリマンタン島）■熱帯雨林 ♥木の葉、果実、花など

ふくれたおなかの理由

コロブス、テングザル、キンシコウなど、おもに樹上で木の葉を食べてくらすリーフモンキーのなかまは、下腹がふくれた洋梨のような体形をしています。固い木の葉をよく消化吸収するために、大きくてくびれた胃をもっているからです。やはり木の葉が主食のコアラやナマケモノも、洋梨のような体形です。

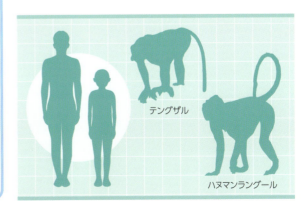

 78ページのコロブスのなかまは、木から木へ飛び移るときに邪魔にならないように、親指が退化しています。

テナガザルのなかま

テナガザルのなかまは小型類人猿ともよばれます。すべてアジアの森の木の上でくらし、長い腕でブラキエーション（腕わたり）して移動します。

テナガザルの分布

白いまゆ毛

おす

めす

ニシフーロックテナガザル
Hoolock hoolock
テナガザル科　絶滅危惧種

テナガザルのなかまでは、もっとも北西にすんでいます。♠体長81cm 尾長0cm ◆6〜7kg ♣インド東部、ミャンマー、中国南部 ■熱帯雨林の樹冠部 ♥果実、木の葉、昆虫など

おす

頭頂部の毛が逆立っていることから名前がつけられた

めす

子ども

カンムリテナガザル　*Nomascus concolor*　テナガザル科　絶滅危惧種
生まれたときは黄褐色ですが、成長するにつれて体色が変わります。♠体長43〜45cm 尾長0cm ◆6.9〜10kg ♣中国雲南省、海南島、ベトナム、ラオス ■熱帯雨林 ♥果実、木の葉、花など

のどに大きなふくろをもっている

フクロテナガザル
Symphalangus syndactylus　テナガザル科　絶滅危惧種
大型のテナガザルです。のどにある大きなふくろを使って、よくひびく声を出します。♠体長75〜90cm 尾長0cm ◆9.1〜12.7kg ♣マレー半島南部、スマトラ島西部 ■低地〜山地のフタバガキ林 ♥木の葉、果実、花など

動物園で見てみよう　テナガザルのブラキエーション

テナガザルは、腕を支点にした振り子運動のような動きで、ブラキエーションを行います。少ない力で効率よく移動ができます。

大声をひびかせながら、ブラキエーションをすることもある

♠体の大きさ　◆体重　♣分布　■生息環境　♥食べ物

ボウシテナガザル
Hylobates pileatus テナガザル科 絶滅危惧種

おすとめすがペアになって、ちがった歌い方をしながらデュエットします。♠体長45〜64cm 尾長0cm ◆4〜8kg ♣ラオス南部、タイ南東部、カンボジア西部 ■熱帯常緑林 ♥果実、木の葉、昆虫など

めすの頭には、帽子のような白い毛がはえている

体色は茶色

ワウワウテナガザル
Hylobates moloch
テナガザル科 絶滅危惧種

「ワウワウ」と聞こえる特ちょう的な鳴き声から、名前がつけられました。♠体長45〜65cm 尾長0cm ◆4〜9kg ♣ジャワ島西部 ■熱帯雨林の樹冠部 ♥果実、木の葉、花など

体色は銀灰色

ミュラーテナガザル
Hylobates muelleri
テナガザル科 絶滅危惧種

ほかのテナガザルとちがって、短い声を何回も繰り返すように歌います。♠体長45〜65cm 尾長0cm ◆4〜8kg ♣ボルネオ島（カリマンタン島）南東部 ■熱帯常緑林、半落葉モンスーン林 ♥果実、木の葉など

シロテテナガザル
Hylobates lar
テナガザル科 絶滅危惧種

森の中で、おすとめすがペアになって大きな声で歌って、なわばりをアピールします。♠体長42〜58cm 尾長0cm ◆4.4〜6.8kg ♣中国南部、タイ、ラオス、ミャンマー ■沿岸の林、常緑林 ♥果実、木の葉など

手足の甲が白い

白いまゆ毛
おす

白いまゆ毛
めす

アジルテナガザル *Hylobates agilis* テナガザル科 絶滅危惧種
木々の間をすばやく移動します。♠体長50cm 尾長0cm ◆4.5〜7.5kg ♣マレー半島、スマトラ島、ボルネオ島（カリマンタン島） ■熱帯雨林の樹冠部 ♥果実、木の葉、昆虫など

どんな赤ちゃん？ 家族のなかで育つ

シロテテナガザルの赤ちゃんは、家族の群れで育ちます。つねにお母さんにしがみついていますが、お父さんやお兄さん、お姉さんにだかれることもあります。

年長の子　赤ちゃん　父　母　年少の子

フクロテナガザル　シロテテナガザル　ミュラーテナガザル

📝 テナガザルには尾はありません。これは類人猿の特ちょうでもあります。

霊長目／ヒト科

ヒトのなかま①

このなかまにはヒトのほか、ゴリラやオランウータン、チンパンジーが含まれます。もっとも進化したサルのなかまで、高い知能をもち、顔の表情や声を使って、高度な社会生活を送っています。

ゴリラの分布

▶ナックルウォークするニシゴリラ。ゴリラは、軽くにぎったこぶしを地面につきながら歩きます。

おすの頭の毛は茶色
シルバーバック
おす
ナックルウォークで移動する

めすのほうが小さい

めす

ニシゴリラ
Gorilla gorilla ヒト科 絶滅危惧種
比較的低地にすむので、ローランドゴリラともいわれています。おすは成長すると背中が白くなり、シルバーバックとよばれます。ナックルウォークという半四足歩行で移動します。🌱身長138〜180cm（おす）、109〜152cm（めす）尾長0cm ◆145〜191kg（おす）、57〜73kg（めす）♣アフリカ中東部（コンゴ、ルワンダ、ウガンダ）■熱帯雨林 ♥果実、木の葉、昆虫など

▲ニシゴリラは、ヒガシゴリラよりも果実をよく食べます。
▲ニシゴリラの口の中。犬歯が上下2本ずつあります。

動物園で見てみよう

ゴリラの表情やしぐさ

ゴリラは、シルバーバックとよばれるリーダーのおすと数頭のめす、その子どもたちで群れをつくります。音声のほか豊かな表情やしぐさで、気持ちや情報をなかまと伝えあいます。子どもは、おとなのまねや子どもどうしの遊びを通して、群れの中で社会性や運動能力を身につけます。

遊んでいる顔 きばを見せないように口を開ける
おこっている顔 くちびるを固くむすぶ
子どものとっくみあい 親しいものどうしの遊び。体の動きや力かげんをおぼえる
ドラミング 胸をたたいて音をひびかせ、不満や自己主張などを伝える

♠体の大きさ ◆体重 ♣分布 ■生息環境 ♥食べ物

おす

シルバーバック

ナックルウォークで移動する

ヒガシゴリラ　Gorilla beringei　ヒト科　絶滅危惧種

標高の高い山地にすむ個体をヒガシゴリラまたはマウンテンゴリラといいます。🌲身長159〜196cm（おす）、130〜150cm（めす）尾長0cm　◆120〜209kg（おす）、60〜98kg（めす）　♣アフリカ中西部　■熱帯雨林　❤果実、木の葉、昆虫など

子ども

めすのほうが小さい

めす

▲ドラミングするヒガシゴリラ。ゴリラのおすは、敵やほかのシルバーバックに出合うと、胸をたたいておどします。

▲ヒガシゴリラの家族。1頭のシルバーバックを中心に、複数のめすとその子どもからなる群れをつくります。兄弟の家族などが集まり、大群になることもあります。

どんな赤ちゃん？　胸にだっこされてお乳を飲む

生まれたばかりのゴリラの赤ちゃんは、体重約2kgで、お母さんの胸にだかれてお乳を飲みます。お母さんは赤ちゃんの顔を見ながら、体をなでたりひっくり返したりして、かたときもはなしません。やがて、父親であるシルバーバックや年長の子も、赤ちゃんの世話を手伝うようになります。

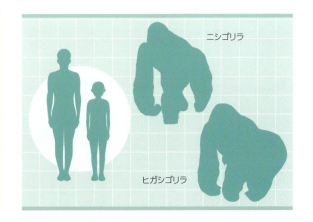

ニシゴリラ

ヒガシゴリラ

ゴリラは体が大きく、繊維質の食べ物をたくさん食べる必要があります。そのため、歯が大きく、あごの筋肉が発達しています。

霊長目／ヒト科

ヒトのなかま②

オランウータンは東南アジアに2種、チンパンジーはアフリカに2種すんでいます。

体毛は黄色〜明るい赤色
顔はやや縦長
おす

めす

スマトラオランウータン *Pongo abelii* ヒト科 絶滅危惧種
複数の個体で行動することが多く、枝などの道具を使った摂食行動が観察されています。🌲体長94〜99cm（おす）、68〜84cm（めす）尾長0cm ◆60〜85kg（おす）、30〜45kg（めす）♣スマトラ島北部 ■低地性熱帯雨林、沼沢林、山地の林 ♥果実、昆虫、小動物など

顔はやや幅広
体毛は暗褐色
おす

めす

ボルネオオランウータン *Pongo pygmaeus* ヒト科 絶滅危惧種
単独で行動することが多く、優位なおすは、顔の横にフランジという大きなひだをもちます。🌲体長96〜97cm（おす）、72〜85cm（めす）尾長0cm ◆60〜85kg（おす）、30〜45kg（めす）♣ボルネオ島（カリマンタン島）■熱帯雨林 ♥果実、木の葉、昆虫、小動物など

どんな赤ちゃん？ わき腹にだっこ

オランウータンの赤ちゃんは、お母さんのわき腹にしがみつきます。おっぱいがわきの近くにあるので、いつでもお乳を飲めます。

子どもは8歳くらいになってもお乳を飲むことがある

▲大声を出すスマトラオランウータン。フランジの大きい優位なおすは、大きな声でほかのおすをおどしたり、めすの気をひいたりします。

▲木の葉で水を飲むボルネオオランウータン。木の葉を傘のように使って、雨や強い日差しをさけることもあります。

ボノボ（ピグミーチンパンジー）
Pan paniscus ヒト科 【絶滅危惧種】

顔が黒い
チンパンジーとくらべて、やや小さい

チンパンジーとくらべると、地上性の傾向が強く、個体どうしであまりあらそいません。♠体長70〜83cm 尾長0cm ◆26〜43kg ♣アフリカ中央部 ■熱帯雨林 ♥果実、昆虫、小動物など

▲ボノボはふつう、複数のおすとめす、子どもからなる10頭ほどの群れでくらします。おすよりもめすのほうが、群れで力をもちます。

▲草の茎で道具をつくり、巣の中のシロアリをつって食べるチンパンジー。かたい木の実は石でたたき割って食べます。

チンパンジー
Pan troglodytes ヒト科 【絶滅危惧種】

ボノボとともに、ヒトにもっとも近い類人猿のひとつ。ヒトのように採食に道具を使ったり、協力行動をすることがあります。肉食の傾向が強く、個体間の闘争で殺されることもあります。♠体長70〜96cm 尾長0cm ◆20〜70kg ♣アフリカ西部〜中央部 ■熱帯雨林 ♥果実、昆虫、小動物など

ナックルウォークで移動する

▲チンパンジーは、おすどうしが群れでの順位などをめぐって激しくあらそいます。群れのリーダーを集団でおそい、殺してしまうこともあります。

ヒト
Homo sapiens ヒト科

現在生きている動物で、唯一、直立二足歩行をする動物。大脳が大きく、手先がとても器用で、体毛が極端にうすいことが特ちょうです。♠身長男性平均172.9cm 女性平均160.4cm ♣全世界 ■人工的な居住空間 ♥雑食

あなたの写真をはりましょう。

もっと知りたい！ 類人猿の樹上の巣

類人猿のなかまの一部は樹上に巣をつくり、夜はそこで休みます。地上15〜20mのところに、数分で手早く枝を組み、おわん型の寝床をこしらえます。基本は1頭だけのもので、同じ巣は二度使いません。移動をしながら毎晩新しい巣をつくります。

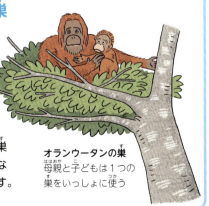
オランウータンの巣
母親と子どもは1つの巣をいっしょに使う

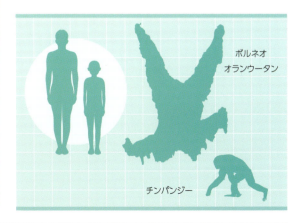
ボルネオオランウータン
チンパンジー

ヒトは、約700万年前に、チンパンジーとの共通祖先から分かれたと考えられています。

くらべてみよう
霊長目のなかまの手と足

ヒトの右のてのひらと比べてみましょう
④ ③ ②
⑤ ①

右のてのひら

①第1指（親指） ②第2指（人差し指） ③第3指（中指） ④第4指（薬指） ⑤第5指（小指）

チンパンジー（→P.85）
ヒトとよくにた手です。②〜⑤の指先を枝に引っかけるようにして移動するため、①は小さくなりました。

シロテテナガザル（→P.81）
②〜⑤とてのひらで、ブラキエーション（枝わたり）をします。そのとき使わない①は下のほうについています。

ニホンザル（→P.75）
②〜⑤と、ななめについた①でにぎります。①と②で、細かい食べ物や毛についた寄生虫などをつまみとることも得意です。

クモザルのなかま（→P.70）
②〜⑤を引っかけるようにして、枝にぶら下がります。①でにぎらないほうがすばやく動けるため、①は退化しました。

コモンマーモセット（→P.68）
5本の指がすべて同じ向きについています。指でつかむのではなく、かぎ爪を樹皮に食いこませて木の上を動きます。

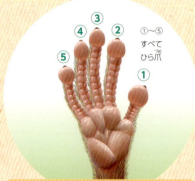

メガネザルのなかま（→P.67）
指が長く、先が太く丸い形です。これが吸盤の役目をして樹皮にはりつき、木から木へ飛び移ります。

スローロリスのなかま（→P.66）
②が小さく①と①の間が広いので、太い枝もつかめます。①と②の間の突起が、にぎる力を強くすると考えられます。

アイアイ（→P.64）
細長い③で木のあなの中の昆虫をほじくり出したり、①で果実をおさえて歯であなを開け、③で果肉をすくって食べたりします。

ワオキツネザル（→P.62）
指先が太く丸いほかは、ヒトの手とにています。果実などをつかむとき、①は使わず②のわきにそえられることが多いです。

ヒトの右の足の裏と比べてみましょう

霊長目のなかまの手と足を比べてみましょう。見るポイントは2つあります。1つは、ヒトの足のように第1指（親指）がほかの指と同じ向きについているか、もしくはヒトの手のようにななめについているかです。もう1つは、爪の先がとがった「かぎ爪」か、ヒトのような平たい「ひら爪」かです。ヒトの手のようなつくりは、ものをにぎるのに適しています。

右の足の裏

① 第1指（親指）　② 第2指（人差し指）　③ 第3指（中指）　④ 第4指（薬指）　⑤ 第5指（小指）

チンパンジー
はばが広く、木の上でも安定して体をささえます。太い①がななめについていて、枝などを器用ににぎります。

シロテテナガザル
①が発達し、大きく開いて枝などをにぎります。

ニホンザル
全体に細長い形です。①がほかの指よりも発達し、ななめについています。

クモザルのなかま
手には①はありませんが、足には①があります。枝などをしっかりにぎることができます。

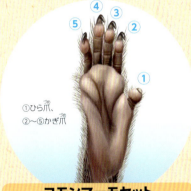

コモンマーモセット
手はすべてかぎ爪ですが、足は①だけひら爪です。かぎ爪を樹皮に引っかけ、①でささえて歩きます。

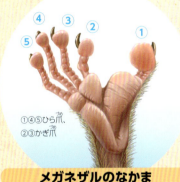

メガネザルのなかま
手と同じで、指先が吸盤のようになっています。①で木をつかむと、より安定します。②③のかぎ爪は毛づくろいに用います。

スローロリスのなかま
①が発達していて、手とにています。②のかぎ爪は毛づくろいに用います。

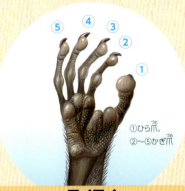

アイアイ
手はすべてかぎ爪ですが、足は①だけひら爪で、手の①とともに、果実をおさえて固定するのに役立ちます。

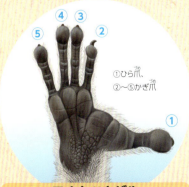

ワオキツネザル
①がよく発達しています。①を大きく開いて枝をしっかりにぎり、木から木へ飛び移ります。

齧歯目 ネズミ、リスなどのなかま

齧歯目は、哺乳類の中でもっとも種数が多いグループです。ものをかじるための前歯（切歯）が、上あごと下あごに2本ずつあるのが特ちょうで、前歯は一生のび続けます。「齧歯」とは「齧る歯」という意味です。

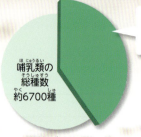

齧歯目の種数の割合

齧歯目の種数 約2680種
哺乳類の総種数 約6700種

＊2024年4月時点
（500年以内に絶滅した種を含む）

▲カピバラ（→P.102）の親子。川から上がったばかりで毛がぬれています。カピバラは齧歯目のなかまで最大です。水辺で群れでくらしています。

齧歯目の分類

現在、生息している齧歯目は32科に分類されています。体長が約4cmのものから、1m以上になるものがいます。地中にくらすもの、空を滑空するものもいます。

リス科 ▶P.90
ニホンリス

ヤマネ科 ▶P.93
ヤマネ

ヤマビーバー科 ▶P.93
ヤマビーバー

ポケットマウス科 ▶P.94
オルドカンガルーネズミ

ホリネズミ科 ▶P.94
ヘイチホリネズミ

ビーバー科 ▶P.94
アメリカビーバー

カンガルーハムスター科 ▶P.95
カンガルーハムスター

トビネズミ科 ▶P.95
キタミユビトビネズミ

トゲヤマネ科 ▶P.95
トゲヤマネ

メクラネズミ科 ▶P.95
タケネズミ

アシナガマウス科 ▶P.96
オオアシナガマウス

キヌゲネズミ科 ▶P.96
ノルウェーレミング

ウロコオリス科 ▶P.97
オオウロコオリス

トビウサギ科 ▶P.97
トビウサギ

ネズミ科 ▶P.98
カヤネズミ

ヤマアラシ科 ▶P.100
マレーヤマアラシ

グンディ科 ▶P.101
アトラスグンディ

デバネズミ科 ▶P.101
ハダカデバネズミ

アフリカイワネズミ科 ▶P.101
アフリカイワネズミ

ヨシネズミ科 ▶P.101
ヨシネズミ

アメリカヤマアラシ科 ▶P.101
カナダヤマアラシ

チンチラ科 ▶P.101
チンチラ

パカラナ科 ▶P.102
パカラナ

テンジクネズミ科 ▶P.102
カピバラ

アグーチ科 ▶P.102
マダラアグーチ

パカ科 ▶P.102
パカ

ツコツコ科 ▶P.103
フラマリオツコツコ

デグー科 ▶P.103
デグー

チンチラネズミ科 ▶P.103
ハイチンチラネズミ

アメリカトゲネズミ科 ▶P.103
ベネズエラグイラトゲネズミ

ヌートリア科 ▶P.103
ヌートリア

フチア科 ▶P.103
デマレフチア

骨格を見よう

齧歯目のなかまは、長くて大きな前歯（切歯）のほか、ものがつかめる前足、長い尾などが特ちょうです。

▶アカネズミの全身骨格

写真協力：国立科学博物館

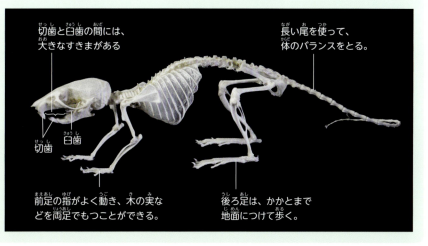

切歯と臼歯の間には、大きなすきまがある

長い尾を使って、体のバランスをとる。

切歯　臼歯

前足の指がよく動き、木の実などを両足でもつことができる。

後ろ足は、かかとまで地面につけて歩く。

齧歯目／リス科

🐭 リスのなかま ①

リスのなかまは体の小さい種類が多く、体の色はさまざまです。
木の上で生活するものの多くは、尾がふさふさしています。

インドオリス
Ratufa indica リス科
キチキチという声でコミュニケーションをとります。危険を感じると、サルのように鳴き始めます。🔺体長43cm 尾長45cm ◆2kg ♣インド ■熱帯林 ♥種子、木の実など

後ろあしだけで木にぶら下がることができる

ニホンリス
Sciurus lis
リス科 日本固有種
朝と夕方に1頭で活動し、夜間は巣で休みます。夏と冬で背中の毛がはえ変わります。🔺体長16～22cm 尾長13.5～17cm ◆250～310g ♣本州、四国、九州 ■平地から標高2100mの林 ♥種子、木の実など

夏毛

耳に長いふさ毛

冬毛は量が多く灰褐色

夏毛は短くて赤茶色

冬毛

キタリス *Sciurus vulgaris* リス科 在来種
ヨーロッパに亜種のヨーロッパアカリス、日本には北海道に亜種のエゾリスがいます。
🔺体長15～28cm 尾長14～24cm ◆260～440g ♣ヨーロッパ、アジア、日本（北海道） ■森林 ♥種子、木の実など

夏毛

耳に長いふさ毛

冬毛

ヨーロッパアカリス（亜種）

赤茶色の背中

アメリカアカリス
Tamiasciurus hudsonicus リス科
秋になると、まだ緑色のマツの実などを地中深くにうめます。🔺体長16.5～23cm 尾長9～16cm ◆140～310g ♣北アメリカ ■森林 ♥種子、木の実など

トウブハイイロリス
Sciurus carolinensis リス科
冬に食べるために、どんぐりやマツの実を土の中にうめます。🔺体長25～30cm 尾長20～23.5cm ◆400～710g ♣北アメリカ東部 ■森林 ♥種子、木の実など

灰色の背中

▲巣の中のトウブハイイロリス。葉や木の皮などで、木の上に球状の巣をつくります。

もっと知りたい！ オレンジ色の切歯

リスを含む齧歯目のなかまの切歯は、オレンジ色や黄褐色をしています。これは歯の表面の層に豊富に含まれる、鉄分の色です。

歯の裏面は白い

🔺体の大きさ ◆体重 ♣分布 ■生息環境 ♥食べ物

ほほに白い帯

ふさふさした太く長い尾

前足から後ろ足、後ろ足から尾にかけて飛膜がある

ムササビ（ホオジロムササビ）
Petaurista leucogenys　リス科　日本固有種

完全な夜行性で、飛膜を使って木から木へと飛びうつります。♠体長27〜48.5cm 尾長28〜41.5cm ◆700〜1300g ♣本州、四国、九州 ■山地、森林 ♥芽、花、木の実など

▲滑空するムササビ。長い尾でバランスを取りながら、最長160mも滑空します。

大きな目

前足と後ろ足の間に飛膜

平たい尾

タイリクモモンガ
Pteromys volans　リス科　在来種

日本には北海道に亜種のエゾモモンガがいます。木のさけ目やほら、キツツキのあけたあなどに巣をつくります。♠体長15〜16cm 尾長10〜12cm ◆100〜120g ♣ヨーロッパ（フィンランド）〜アジア北部、日本（北海道） ■山地、森林 ♥葉、木の実など

◀滑空するエゾモモンガ。

大きな目

前足と後ろ足の間に飛膜

平たい尾

ニホンモモンガ
Pteromys momonga　リス科　日本固有種

日中は木のほらなどで休み、夜に木の実や葉を食べます。♠体長14〜20cm 尾長10〜14cm ◆150〜200g ♣本州、四国、九州 ■山地、森林 ♥葉、木の実など

クリハラリス
Callosciurus erythraeus　リス科　外来種

高い木に、枝などを使って巣をつくります。日本では亜種のタイワンリスが、関東地方以南で野生化しています。♠体長20〜26cm 尾長17〜20cm ◆300〜440g ♣台湾、中国南部〜東南アジア、インド北東部、日本 ■森林 ♥種子、木の実、昆虫など

ふつう、腹は赤みがかった色

毛の色が3色

ミケリス（プレボストリス）
Callosciurus prevostii　リス科

日中活動し、多くの時間を木の上ですごします。♠体長20〜27cm 尾長20〜27cm ◆350g ♣東南アジア（タイ南部、マレー半島〜スマトラ、カリマンタン） ■森林、農地 ♥種子、木の実など

太く短い尾

チビオスンダリス
Sundasciurus lowii　リス科

世界最小のリス。日中に活動し、低い木や地上などで食べ物を探します。♠体長14.5cm 尾長9cm ◆79g ♣タイ、マレーシア、スマトラ島、ボルネオ島 ■森林 ♥樹皮、果実、菌類、昆虫など

タイリクモモンガの亜種エゾモモンガは、最長50m以上も滑空することができます。

齧歯目／リス科・ヤマネ科・ヤマビーバー科

リスのなかま②

背中に5本の黒っぽいしまもよう

▲ほおぶくろに食べ物を入れたエゾシマリス。

シベリアシマリス *Eutamias sibiricus* リス科 在来種 外来種
冬は地下の巣あなで冬眠します。日本には北海道に亜種のエゾシマリスがいます。そのいっぽうで、ペットの亜種チョウセンシマリスが各地で野生化しています。♠体長12〜17cm 尾長8〜13cm ◆50〜120g ♣北アジア、日本（北海道）■森林 ♥木の実、根など

円筒形の短い尾

ヨーロッパハタリス *Spermophilus citellus* リス科
絶滅危惧種
巣あなに1頭ですみます。昼行性ですが、ほぼ巣あなの中にいます。約半年間冬眠します。♠体長17.5〜23cm 尾長3〜9cm ◆125〜380g ♣ヨーロッパ ■草原 ♥葉、種子、果実、昆虫など

つき出た耳　ふさふさの尾

カリフォルニアジリス *Otospermophilus beecheyi* リス科
体温を上げた尾をふったりして、ガラガラヘビなどの攻撃をさけます。♠体長33〜55cm 尾長13〜23cm ◆280〜738g ♣アメリカ、メキシコ ■山地、森林、草原、農地 ♥木の実、穀物、昆虫など

土を掘るするどいかぎ爪

アルプスマーモット *Marmota marmota* リス科
冬眠にそなえて、秋には体重が春の1.5倍にもなります。♠体長47〜53cm 尾長15〜20cm ◆3〜4.5kg ♣ヨーロッパ（イタリア、スイス、ドイツ）■山地 ♥根、くき、種子など

背中に白いはん点もよう

ホッキョクジリス *Urocitellus parryii* リス科
夏の日中には、砂あびや日光浴をします。9月から翌年の4〜5月まで冬眠します。♠体長21.5〜35cm 尾長7.5〜15cm ◆450〜1125g ♣北アメリカ（カナダ北西部、アラスカ）、アジア北東部 ■ツンドラ、タイガ ♥根、くき

尾の先が黒い

オグロプレーリードッグ *Cynomys ludovicianus* リス科
開けた草原にトンネルを掘り、群れで生活します。♠体長28〜35cm 尾長8〜11cm ◆900〜1400g ♣北アメリカ ■草原 ♥草

▲巣あなの外を見はるオグロプレーリードッグ。敵が近づくと鳴き声でなかまに知らせます。

もっと知りたい！

オグロプレーリードッグのくらし

オグロプレーリードッグは、1頭のおすと3〜4頭のめす、その子どもたちという家族の群れで、草原の地下に掘った巣でくらしています。巣の中には、トンネルとたくさんの部屋があります。巣あなの出入り口に土を盛って「マウンド」をつくり、交代で立って敵やほかの群れを見はります。
子育ては、めすだけで行います。赤ちゃんは、5〜6週間は巣あなの中でお乳を飲んで育ち、その後、地上に出て活動を始めます。

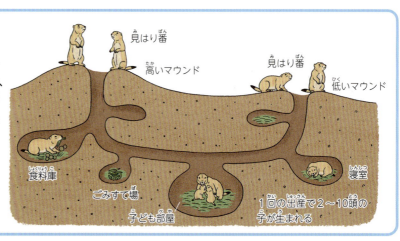
見はり番　高いマウンド　見はり番　低いマウンド　食料庫　ごみすて場　子ども部屋　寝室　1回の出産で2〜10頭の子が生まれる

♠体の大きさ ◆体重 ♣分布 ■生息環境 ♥食べ物

▲巣から顔を出すヨーロッパヤマネ。

ヨーロッパヤマネ
Muscardinus avellanarius
ヤマネ科
小鳥の巣などを使って、球形の巣を地上5m以上の場所につくります。♠体長6〜9cm 尾長5.5〜8cm ◆15〜30g ♣ヨーロッパ、西アジア ■森林 ♥昆虫、木の実など

- するどいかぎ爪
- ふさふさの尾。おそわれると尾を切って逃げる

アフリカヤマネ *Graphiurus murinus* ヤマネ科
森林からサバンナまでいたるところで見られ、人家の屋根裏などにもすみます。♠体長7.5〜10.5cm 尾長6〜9.5cm ◆18〜30g ♣アフリカ ■森林、サバンナ、人家の屋根裏など ♥昆虫、木の実など

- ふさふさの尾。おそわれると尾を切って逃げる

- 背中に黒いすじ

ヤマネ *Glirulus japonicus* ヤマネ科 日本固有種 天然記念物
単独でくらし、日中は木のほらなどで休み、夜に活動します。冬は地中や落ち葉の下などで冬眠します。♠体長6〜8.5cm 尾長4〜6cm ◆20〜30g ♣本州、四国、九州 ■山地の森 ♥昆虫、木の実、果実、鳥の卵など

▲体を丸めて冬眠するヤマネ。冬眠中は体温が0℃近くまで下がります。ふつうの心拍数は1分間に約500回ですが、約50回に減ります。

▲アケビの実を食べるヤマネ。

- 耳のつけねが白い

ヤマビーバー
Aplodontia rufa ヤマビーバー科
地中に複雑なトンネルを掘り、食べ物をためて単独でくらします。ビーバー科(→P.94)のようなダムはつくりません。♠体長30〜41cm 尾長2.5〜4cm ◆1〜1.5kg ♣北アメリカ北西部 ■森林、山地、水辺 ♥くき、根、芽、葉など

▲木に登って葉を食べるヤマビーバー。毒のあるワラビシダもよく食べます。

ニホンリス(P.90) / ムササビ(P.91) / ニホンモモンガ(P.91) / オグロプレーリードッグ / ヤマネ / ヤマビーバー

シベリアシマリスは冬眠中もときどき起きて、巣にためた木の実などを食べます。ヤマネは、体にたくわえた脂肪で冬眠を乗り切ります。

ビーバーのなかま

ビーバー科のヨーロッパビーバーとアメリカビーバーは、水上に巣をつくって家族でくらします。

オルドカンガルーネズミ
Dipodomys ordii ポケットマウス科
暑い日中は巣あなにひそんでいます。夜外に出て、広い範囲をとびまわります。♠体長11〜12cm 尾長10〜16cm ♦50〜96g ♣北アメリカ西部 ■砂漠 ♥種子

長い尾。後ろあしで立つときのささえになる
長い後ろあし

キヌポケットマウス
Perognathus flavus ポケットマウス科
寒い時期は地下の巣あなでくらし、約48時間の休眠をとります。♠体長6cm 尾長5cm ♦5〜10g ♣北アメリカ西部、南西部 ■砂漠、草原 ♥種子

短く丸い耳
ふさのない尾

ヘイチホリネズミ
Geomys bursarius ホリネズミ科
地下にトンネルを掘って単独でくらします。ほおぶくろに食べ物を入れて巣へ運びます。♠体長13.5〜23.5cm 尾長6〜12cm ♦120〜250g ♣北アメリカ中央部 ■草原、農地、公園 ♥根など

紡錘形の体
大きくするどい爪

動物園で見てみよう ものを運ぶビーバー
ビーバーは、子どもや食べ物、巣材などを運ぶとき、口や前足を使います。

ヨーロッパビーバー
Castor fiber ビーバー科
後ろ足に水かきがあり、鼻のあなは水中で閉じることができます。ダムでできた池の中に巣をつくります。♠体長83〜110cm 尾長30〜34cm ♦17〜32kg ♣ヨーロッパ、アジア ■川、湖、池 ♥葉、枝など

水かきのある後ろ足
うろこのある平たい尾

▲アメリカビーバーの左後ろ足。

アメリカビーバー
Castor canadensis ビーバー科
かじって倒した木や石、土を使ってダムをつくります。♠体長63.5〜76cm 尾長23〜25.5cm ♦13.5〜27kg ♣北アメリカ ■川、湖、池 ♥葉、枝など

水かきのある後ろ足
うろこのある平たい尾

ビーバーの巣
ビーバーの巣づくりは、ダムづくりから始まります。川へ運んできた木の枝などを、川底から持ってきた石で固定し、水をせき止めます。そこに巣をつくり、夫婦と子どもからなる家族でくらします。赤ちゃんは一度に1〜6頭生まれ、6週間くらいはお乳だけ飲みます。その後、父親や年長のきょうだいが運んできた木の葉などを食べ始めます。

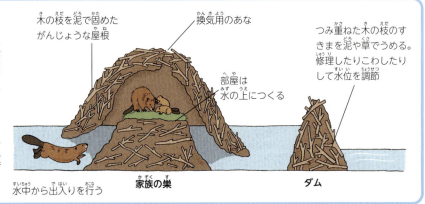
木の枝を泥で固めたがんじょうな屋根
換気用のあな
つみ重ねた木の枝のすきまを泥や草でうめる。修理したりこわしたりして水位を調節
部屋は水の上につくる
水中から出入りを行う
家族の巣　ダム

♠体の大きさ ♦体重 ♣分布 ■生息環境 ♥食べ物

ネズミのなかま ①

このなかまは、齧歯目のなかでもっとも種類が多いグループです。南極大陸をのぞく全大陸の、さまざまな環境にすんでいます。

カンガルーハムスター
Calomyscus bailwardi
カンガルーハムスター科

夏は夜だけ、秋や冬は夜も昼も活動し、岩の間をすばやくはね回ります。♠体長8〜9cm 尾長8〜9cm ◆17〜22g ♣イラン西部 ■乾燥した山地の岩場 ♥種子、芽など

大きな丸い耳／尾の長さは体長と同じくらい

オオミミトビネズミ
Euchoreutes naso トビネズミ科

飛んでいる昆虫の位置を音で感じ、とびはねてとらえて食べます。♠体長9〜10.5cm 尾長14.5〜18cm ◆23〜45g ♣中央アジア（中国、モンゴル）■砂漠 ♥昆虫

長い耳／ふさのある長い尾。はねるときにバランスをとることができる

バルチスタンコミミトビネズミ
Salpingotus michaelis トビネズミ科

世界最小のネズミのひとつ。ピグミージェルボアともよばれます。カンガルーのようにはねて走ります。♠体長3.5cm 尾長7cm ◆4g ♣南西アジア（パキスタン）■砂漠 ♥種子など

小さな耳／後ろ足の指は3本

キタミユビトビネズミ
Dipus sagitta トビネズミ科

昼は地中の巣あなで休み、夜に活動します。危険を感じると、後ろ足で1mも垂直にとび上がります。♠体長10.5〜16cm 尾長14〜19cm ◆70〜85g ♣アジア（イラン〜東アジア）■砂漠、乾燥地、草原 ♥種子、根、昆虫など

3本指の大きな後ろ足／体長より長い尾

トゲヤマネ
Platacanthomys lasiurus トゲヤマネ科 【絶滅危惧種】

木のうろに巣をつくり、夜に樹上で食べ物を探します。背中のまばらなとげは身を守る役に立ちます。♠体長12〜14cm 尾長7.5〜10.5cm ◆34〜81g ♣インド西部 ■砂漠 ♥種子など

先の白い平らなとげがある／先がふさふさした尾

Created by modifying ©2017, Ansil B. R. "47807432" (CC BY 4.0)

タケネズミ
Rhizomys sinensis メクラネズミ科

地下に長いトンネルを掘ってくらします。夜はしばしば地上に現れ、タケに登ったりします。♠体長20〜40cm 尾長5〜6cm ◆1〜3kg ♣アジア東南部（中国南部〜マレー半島、スマトラ島）■竹林、松林 ♥タケの根、タケノコ

長くするどい爪

▶トンネルを掘る大きな前歯。身を守るときに使うこともあります。

キヌポケットマウス　ヨーロッパビーバー　オオミミトビネズミ　キタミユビトビネズミ

ビーバーは危険を感じると尾で水面をたたき、大きな音で家族に知らせたり、敵をおどかしたりします。

ネズミのなかま ②

長い耳
細長い後ろあし

ハイイロキノボリマウス
Dendromus melanotis
アシナガマウス科

長い尾でつかまりながら、草や低木を登ります。草で球形の巣をつくります。♠体長5～8cm、尾長5～10cm ◆6～15g ♣アフリカ（サハラ砂漠以南） ■サバンナ ♥種子、昆虫

オオアシナガマウス
Macrotarsomys ingens アシナガマウス科 絶滅危惧種

砂地に浅い巣あなをつくり、巣に入ると入り口をうめます。カンガルーのようにはねて動きまわります。♠体長11～15cm、尾長18～24cm ◆42～74g ♣マダガスカル ■乾燥した落葉樹林 ♥種子、果実

小さな耳
短い尾

小さな耳

小さな耳

ハタネズミ
Alexandromys montebelli
キヌゲネズミ科 日本固有種

地下にトンネルを掘ってすみます。♠体長9.5～12.5cm 尾長3.5～4.5cm ◆30g ♣本州、佐渡、九州 ■農地、森林、草原、川岸など ♥草、根など

ヤチネズミ
Craseomys andersoni
キヌゲネズミ科 日本固有種

低地から高地にすみ、地域によって体の大きさがちがいます。♠体長8～13cm 尾長4～8cm ◆11～60g ♣本州中部以北、紀伊半島南部 ■日陰の岩場や川辺 ♥草、葉、根、果実など

ムクゲネズミ
Craseomys rex
キヌゲネズミ科 在来種

湿った場所を好み、ササや草で巣をつくります。♠体長10～15cm 尾長4.5～6cm ◆33～78g ♣サハリン、日本（北海道） ■山地、森林、草原 ♥葉、果実、種子など

小さな耳

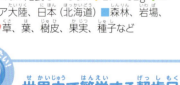
背中の中央が赤茶色

タイリクヤチネズミ
Craseomys rufocanus
キヌゲネズミ科 在来種

ユーラシア大陸に広く見られ、日本では北海道に亜種のエゾヤチネズミがいます。♠体長10～14cm 尾長3～6cm ◆27～52g ♣ユーラシア大陸、日本（北海道） ■森林、岩場、草原 ♥草、葉、樹皮、果実、種子など

スミスネズミ
Craseomys smithii
キヌゲネズミ科 日本固有種

地中にトンネルを掘って巣をつくります。♠体長7.5～11.5cm 尾長3～5.5cm ◆25～35g ♣本州、四国、九州 ■山地の森林 ♥草、葉、根、果実など

ヒメヤチネズミ
Myodes rutilus
キヌゲネズミ科 在来種

冬には小さな群れで共同の巣にすむことがあります。北海道に亜種のミカドネズミがいます。♠体長8.5～12cm 尾長2～5cm ◆14.5～50g ♣ユーラシア大陸中部以北、北アメリカ北部、日本（北海道） ■森林、低木地、草原 ♥葉、果実、菌類、昆虫など

もっと知りたい！ 世界中で繁栄する齧歯目のなかま

齧歯目は、哺乳類でもっとも生息分布を広げることに成功しました。おもな理由は、ほとんどの種で体が小さく、すきまにかくれて敵から逃げられること、食べられるものが多いことなどです。また、たくさんの子どもをうみ、その成長が速く、世代交代がひんぱんに行われるため、分散して新しい環境に短期間で適応すると考えられます。

♠体の大きさ ◆体重 ♣分布 ■生息環境 ♥食べ物

クビワレミング
Dicrostonyx torquatus
キヌゲネズミ科
乾燥した砂地にトンネルを掘ります。♠体長10〜16cm 尾長1〜2cm ◆30〜120g ♣北アメリカ北東部〜シベリア、ヨーロッパ北東部 ■木のないツンドラ地帯 ♥草、種子など

冬は全身が白くなる

ノルウェーレミング
Lemmus lemmus
キヌゲネズミ科
タビネズミともよばれます。岩やコケの下にトンネルを掘り、群れですみます。♠体長7〜15cm 尾長1〜2cm ◆40〜130g ♣ヨーロッパ（スカンジナビア〜白海沿岸）■山地 ♥草、種子など

顔や背中に黒いもよう

マスクラット
Ondatra zibethicus キヌゲネズミ科 外来種
泳ぎが得意で、土手などの巣あなに群れですみます。日本では毛皮を取るために持ちこまれたものが野生化しました。♠体長26〜30cm 尾長20〜25cm ◆700〜1800g ♣北アメリカ（原産）、ユーラシア、日本 ■川、池、沼 ♥水草、甲殻類、魚、貝など

▲川を泳ぐマスクラット。息継ぎなしで水中を100mも泳げます。

水かきのある後ろ足
長く、縦に平たい尾

あしと腹が白い
長い尾

シカシロアシマウス
Peromyscus maniculatus
キヌゲネズミ科
草や葉で球形の巣をつくり、家族ですみます。おもに地上で食べ物を探しますが、木登りも得意です。♠体長7.5〜10cm 尾長4.5〜12cm ◆17〜28g ♣北アメリカ ■草原、森林、山地 ♥種子、果実、穀物、昆虫など

クロハラハムスター
Cricetus cricetus
キヌゲネズミ科 絶滅危惧種
冬は深く長い巣あなを掘り、食べ物をたくわえて冬眠します。♠体長17.5〜32cm 尾長3〜7cm ◆158〜860g ♣ユーラシア北西部 ■草原、農地、都市の緑地 ♥種子、芽、根、昆虫など

黒い腹

トビウサギ
Pedetes capensis トビウサギ科
単独でくらし、日中は地面のあなで休みます。夜活動し、カンガルーのようにとびはねます。♠体長35〜43cm 尾長35〜47cm ◆3〜4kg ♣アフリカ東部、南部 ■サバンナ ♥植物の根、果実、昆虫など

長い耳
短い前あし
長い後ろあし

オオウロコオリス
Anomalurus pelii ウロコオリス科
夜行性で、ムササビのように飛膜を広げて木から木へと滑空して移動します。♠体長40〜46cm 尾長32〜45cm ◆1〜2kg ♣アフリカ西部 ■熱帯林 ♥樹皮、果実、葉、花、昆虫など

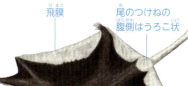
飛膜
尾のつけねの腹側はうろこ状

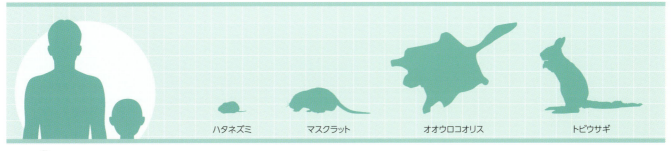
ハタネズミ　マスクラット　オオウロコオリス　トビウサギ

レミングは数年ごとに大発生し、食べ物を求めて大移動します。途中で多くが死んでしまいますが、原因は事故死と考えられています。

ネズミのなかま ③

背中のまん中に黒いすじもよう

体長より少し長い尾

▲アケビのつるを登るヒメネズミ。

セスジネズミ *Apodemus agrarius*
ネズミ科 絶滅危惧種 在来種
昼にすばしこく活動します。日本では、尖閣諸島の魚釣島で3頭だけ見つかっています。🌲体長7.5〜13cm 尾長6.5〜12cm ◆16〜65.5g ♣中央・東ヨーロッパ、中央・東アジア、日本(尖閣諸島) ■草原、耕地、水田、森林 ♥種子、根、果実、穀物、昆虫など

ヒメネズミ *Apodemus argenteus* ネズミ科 日本固有種
木の枝の上や小さな木のほらに巣をつくります。🌲体長7〜10cm 尾長7.5〜11cm ◆10〜20g ♣北海道、本州、四国、九州など ■森林 ♥木の実、種子、根、昆虫など

アカネズミ *Apodemus speciosus* ネズミ科 日本固有種
開けた場所を好みます。🌲体長8.5〜13.5cm 尾長7〜13cm ◆20〜60g ♣本州、四国、九州など ■低地〜山地の草原 ♥木の実、種子、草の根、昆虫

体長と同じか、少し短い尾

ハントウアカネズミ *Apodemus peninsulae*
ネズミ科 在来種
地上や地下に巣をつくり、おもに夕方や夜に活動します。🌲体長8〜12cm 尾長7.5〜8cm ◆19〜27g ♣シベリア、中国東北部、朝鮮半島、日本(北海道) ■草原、森林 ♥種子、昆虫など

ケナガネズミ *Diplothrix legata*
ネズミ科 絶滅危惧種 日本固有種 天然記念物
木登りはとても上手ですが、動きはにぶい大型のネズミです。🌲体長22〜33cm 尾長24〜33cm ◆630g ♣奄美大島、徳之島、沖縄島 ■山地 ♥木の実、葉、根、昆虫など

長さ5〜6cmのかたい毛

尾の先のほうが白い

カヤネズミ *Micromys minutus*
ネズミ科 在来種
日本最小のネズミ。カヤやススキに、鳥の巣のような丸い巣をつくります。🌲体長5.5〜7.5cm 尾長5〜7.5cm ◆5〜7g ♣アジア、ヨーロッパ、日本(本州、四国、九州) ■山地や川原の草原 ♥種子、昆虫など

小さな耳

ドブネズミ *Rattus norvegicus*
ネズミ科 外来種
水が十分にある場所にすんでいます。🌲体長22〜26cm 尾長17.5〜22cm ◆約400g ♣ほぼ世界中(原産地はユーラシア) ■下水道、人家の台所、ごみすて場、地下街など ♥小動物など

ドブネズミより大きな耳

クマネズミ *Rattus rattus*
ネズミ科 外来種
すばしこくて木登りも上手です。🌲体長18〜22cm 尾長18.5〜24cm ◆135〜240g ♣ほぼ世界中(原産地はユーラシア) ■ビルや天井裏など乾燥した場所 ♥果実、種子、木の実、昆虫など

▲巣の中のカヤネズミ。

🌲体の大きさ ◆体重 ♣分布 ■生息環境 ♥食べ物

全身にとげのような毛

オキナワトゲネズミ *Tokudaia muenninki*
ネズミ科 絶滅危惧種 日本固有種 天然記念物
地中にトンネルを掘って巣にします。はねるように移動します。🌲体長14〜17.5cm 尾長11.5〜12cm ◆140g ♣沖縄島 ■シイやタブのしげる森 ♥木の実、葉など

ほぼ全身に長さ2cmのとげのような毛

アマミトゲネズミ *Tokudaia osimensis*
ネズミ科 絶滅危惧種 日本固有種 天然記念物
昼は木のほらで休み、夜に食べ物を探します。ジャンプしてハブの攻撃をよけます。🌲体長10〜16cm 尾長8.5〜13.5cm ◆109〜160g ♣奄美大島 ■シイやタブのしげる森 ♥木の実、昆虫など

▲はねながら食べ物を探すアマミトゲネズミ。

大きな耳

ハツカネズミ *Mus musculus*
ネズミ科 外来種
世界中にすむ小型のネズミで、なんでも食べます。🌲体長6〜9cm 尾長4〜8cm ◆9〜23g ♣ほぼ世界中（原産地はユーラシア）■人家、畑 ♥草、種子、昆虫など

ハツカネズミより尾が長い

オキナワハツカネズミ *Mus caroli*
ネズミ科 在来種
地下にトンネルを掘ってすみ、おもに夜活動します。🌲体長6〜9cm 尾長6〜9.5cm ◆8〜19g ♣中国南部からマレー半島など、日本（沖縄島）■草地、水田、サトウキビ畑など ♥植物、昆虫など

短い尾

コビトハツカネズミ
Mus minutoides ネズミ科
世界最小のネズミのひとつ。🌲体長4〜7cm 尾長3〜6cm ◆3〜12g ♣アフリカ（サハラ以南）■森林、サバンナ、農地 ♥種子、葉、昆虫など

首から背にしまもよう

シマクサマウス
Lemniscomys barbarus ネズミ科
夜行性で、草や木の葉で丸い巣をつくります。🌲体長5〜8cm 尾長約7cm ◆35〜60g ♣アフリカ ■低木林、草原 ♥草、種子など

カイロトゲマウス
Acomys cahirinus ネズミ科
おもに夜行性で、昼は岩のすきまなどで休みます。🌲体長10〜12cm 尾長9〜14cm ◆29〜52g ♣アフリカ北部・東部、中東 ■サバンナ、砂漠、草原など ♥草、昆虫、カタツムリなど

背中にとげのような毛

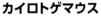

スナネズミ
Meriones unguiculatus ネズミ科
寒暖差が激しい厳しい環境で、巣あなを掘って家族でくらします。砂あびをして毛皮の油を落とします。🌲体長9.5〜18cm 尾長10〜19cm ◆50〜55g ♣モンゴル、中国（新疆ウイグル自治区）■砂地や草原、やぶなどの乾燥地 ♥種子、根など

長い爪

長い尾。後ろ足で立つときのささえになる

まっ白な腹

ウスイロアレチネズミ *Gerbillus floweri* ネズミ科
夜行性で、日中は砂に掘った巣あなで休みます。🌲体長7〜8cm 尾長15〜19cm ◆26〜49g ♣エジプト北西部 ■砂漠、乾燥した荒れ地 ♥木の実、葉、根、昆虫など

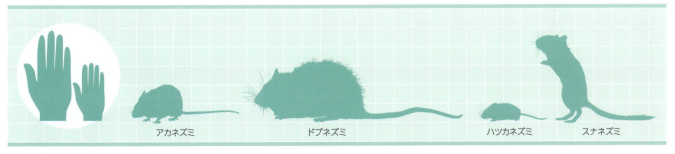

アカネズミ　ドブネズミ　ハツカネズミ　スナネズミ

📝 アカネズミは、ほとんど木に登らずに地上でくらし、地中に掘った巣あなに木の実などをたくわえます。

ヤマアラシのなかま ①

このなかまの多くは、大きな頭とずんぐりした体、細いあしと短い尾が特ちょうです。長いはりで身を守るヤマアラシや、ウサギににたビスカーチャなど、姿や大きさはさまざまです。

背中に数本のはり
細長い尾の先に房状のはり
足の一部に水かき

アフリカフサオヤマアラシ
Atherurus africanus ヤマアラシ科
敵に会うと木に登り、はりのはえた尾をふり回して身を守ります。 ▲体長36〜60cm 尾長10〜26cm ◆2〜3kg
♣アフリカ ■森林、農地 ♥種子、果実、樹皮など

背中と横腹に長くするどいはり

マレーヤマアラシ *Hystrix brachyura* ヤマアラシ科
危険がせまると尾をふるわせ、はりで音を立てて敵をおどします。泳ぎが得意です。 ▲体長40〜60cm 尾長6.5〜11.5cm ◆6.5〜7kg ♣東南アジア（タイ、マレー半島、シンガポールなど）■森林、草原、岩場 ♥種子、くき、果実など

背中と横腹に長さ40〜50cmのかたくするどいはり

▲ヒョウをおどすタテガミヤマアラシ。

タテガミヤマアラシ *Hystrix cristata* ヤマアラシ科
危険を感じるとはりを逆立て、音を鳴らしておどします。敵が逃げないときは長くするどいはりで攻撃します。 ▲体長60〜80cm 尾長10〜17cm ◆10〜24kg ♣アフリカ、イタリア ■サバンナ、森林、草原、岩場 ♥根など

ヤマアラシ科のなかまの分布

インドタテガミヤマアラシ
Hystrix indica
ヤマアラシ科
夜行性で、昼は家族と巣あなですごします。危険を感じると尾をふるわせ、はりを立てて攻撃します。 ▲体長45.5〜80.5cm 尾長6〜7cm ◆8〜27kg ♣西アジア〜南アジア ■草原、森林、岩場、山地など ♥根、茎、球根、果実など

背中と横腹に長さ40〜50cmのかたくするどいはり
茶色い体

▲体の大きさ ◆体重 ♣分布 ■生息環境 ♥食べ物

もっと知りたい！ カナダヤマアラシのはり

カナダヤマアラシのはりの先には、うろこのような返しがあります。ささると抜けにくく、中に食いこんでいきます（→P.123）。

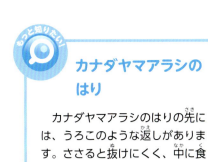

アフリカイワネズミ
Petromus typicus
アフリカイワネズミ科
せまい岩のすきにもぐりこんで敵から逃げます。♠体長13.5〜22.5cm 尾長11.5〜17.5cm ◆88〜285g ♣アンゴラ南西部、ナミビア、南アフリカ西部 ■山地、岩場 ♥葉、くき、果実、花

長くやわらかい毛

返しのついた 長さ2〜10cmのはり

カナダヤマアラシ
Erethizon dorsatum
アメリカヤマアラシ科
長くするどい爪と毛のない大きな足の裏を使って、上手に木に登ります。♠体長50〜85cm 尾長15〜30cm ◆3.5〜7kg ♣北アメリカ ■森林、ツンドラ ♥葉、枝など

アトラスグンディ
Ctenodactylus gundi グンディ科
岩の割れ目などで休みます。水は飲まず、食べた植物から水分をとります。♠体長10〜21cm 尾長3〜5cm ◆175〜180g ♣北アフリカ ■乾燥した岩地 ♥根、草など

やわらかい毛 / とても短いあし

チンチラ
Chinchilla chinchilla
チンチラ科 絶滅危惧種
日中は岩などの間にある巣あなにひそみ、夜活動します。♠体長25〜26cm 尾長13〜15.5cm ◆390〜500g ♣南アメリカ（チリ北部）■山地 ♥草など

大きな耳 / やわらかい毛

ビスカーチャ（ビスカッチャ）
Lagostomus maximus
チンチラ科
地下のトンネルに、1頭のおすがひきいる15〜30頭の群れですみます。♠体長47〜66cm 尾長15〜20cm ◆2〜8kg ♣南アメリカ（パラグアイ、アルゼンチン）■草原、低木林 ♥草、種子など

顔にしまもよう / じょうぶなするどい爪

ヨシネズミ
Thryonomys swinderianus ヨシネズミ科
泳ぎが得意で、危険を感じるとすばやく水に逃げこみます。♠体長63〜77cm 尾長16〜19.5cm ◆3.2〜5kg ♣アフリカ（南アフリカ南西部をのぞくサハラ以南）■湿地帯、川岸、畑 ♥おもにイネ科の草

あらくかたい毛

ハダカデバネズミ
Heterocephalus glaber デバネズミ科
トンネルを掘ってくらしています。体毛は成長してもほとんどありません。♠体長8〜9cm 尾長3〜4.5cm ◆20〜80g ♣アフリカ東部 ■乾燥した土地 ♥根など

土を掘る大きな前歯

もっと知りたい！ ハダカデバネズミは大家族

ハダカデバネズミの群れは、数十頭からときに300頭にもなります。子どもをうむリーダーの女王めす1頭、女王と繁殖をするおす2〜3頭、群れを守る兵おす5〜6頭を中心に、たくさんの役割に分かれた、おすとめすの働きネズミがいます。出産後、女王は授乳だけを行い、そのほかの子どもの世話は働きネズミの役目です。アリやミツバチの社会とよくにています。

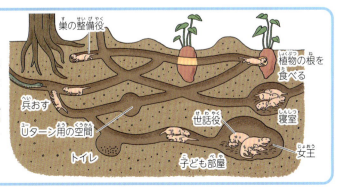

返しのついたはりをもつのは、カナダヤマアラシなど、アメリカヤマアラシ科の北アメリカにすむものだけです。

ヤマアラシのなかま②

齧歯目／アグーチ科・テンジクネズミ科など

パカラナ
Dinomys branickii
パカラナ科　絶滅危惧種

夜行性で、日中はどうくつや巣あなで休みます。食べ物を前足でもち、腰を下ろして食べます。♠体長73～79cm 尾長20cm ◆10～15kg ♣ボリビア、ブラジル、コロンビア、エクアドル、ペルー、ベネズエラ ■山地の森 ♥果実、葉、根など

太い尾

マダラアグーチ　*Dasyprocta punctata*　アグーチ科
泳ぎが上手で、ジャンプも得意です。♠体長49～64cm 尾長1～3cm ◆3～6kg ♣南アメリカ（ブラジル、ガイアナ）■草原、森林 ♥果実、木の実、種子など

ひづめのような爪

パカ　*Cuniculus paca*　パカ科
日中は巣あなで休み、夜に食べ物を探します。泳ぎが上手で、おそわれると水中に逃げます。♠体長60～70cm 尾長1～2.5cm ◆4～10.5kg ♣中央アメリカ、南アメリカ ■森林の水辺近く ♥果実、葉、草など

白い点線もよう。熱帯林で目立ちにくくなるという

マーラ　*Dolichotis patagonum*　テンジクネズミ科
小さなシカににています。とびはねながら走ります。♠体長60.5～73cm 尾長4cm ◆8～9kg ♣南アメリカ（ボリビア、パラグアイ、アルゼンチン）■草原 ♥イネ科の草

長い耳
長いあし

カピバラの分布

カピバラ
Hydrochoerus hydrochaeris
テンジクネズミ科

世界最大のネズミです。水かきがあり、泳ぎが上手です。♠体長106～134cm 尾長0cm ◆35～66kg ♣南アメリカ東部 ■湖や川近くのジャングル ♥葉、草など

水かきのある足

どんな赤ちゃん？　母親以外のお乳も飲む

カピバラの赤ちゃんは、生まれたときから目と耳が開き、歯もはえています。自分のお母さん以外の群れのめすからも、お乳を飲ませてもらいます。

▲川を泳ぐカピバラの家族。

♠体の大きさ　◆体重　♣分布　■生息環境　♥食べ物

絹のようになめらかで長い毛

細長いとげのような毛

小さな耳

デグー *Octodon degus* デグー科
1つの巣あなに、ふつう1頭のおすと2〜3頭のめす、4〜6頭の子どもの家族でくらします。♠体長17〜21cm 尾長8〜14cm ◆170〜260g ♣南アメリカ（チリ）■山地 ♥草

ベネズエラグイラトゲネズミ *Proechimys guairae* アメリカトゲネズミ科
夜行性で、おもに地上でくらします。♠体長21〜24cm 尾長17〜20cm ◆340〜400g ♣ベネズエラ、コロンビア ■熱帯林、農地 ♥おそらく種子、果実など

フラマリオツコツコ *Ctenomys flamarioni* ツコツコ科 絶滅危惧種
砂丘の地下に長いトンネルを掘り、単独でくらします。♠体長25cm 尾長7.5cm ◆平均約333g ♣ブラジル南部沿岸 ■砂丘 ♥イネ科の草とスゲ

チンチラのような長くやわらかい毛

ヌートリア *Myocastor coypus* ヌートリア科 外来種
多くの時間を水中ですごします。日本では移入されたものが野生化しています。♠体長43〜63cm 尾長25.5〜42.5cm ◆5〜17kg ♣南アメリカ、中央アメリカ、日本 ■湖や川 ♥水生植物の葉やくき

▲日本の川で野生化したヌートリア。

円筒形の長い尾

ハイチンチラネズミ *Abrocoma cinerea* チンチラネズミ科
小さな群れでくらし、昼は巣あなや岩の割れ目で休みます。♠体長16〜19.5cm 尾長5〜9.5cm ◆90〜105g ♣ボリビア南部、ペルー南西部、チリ北部、アルゼンチン北西部 ■高原の岩場 ♥種子、葉、果実など

水かきのある後ろ足

デマレフチア *Capromys pilorides* フチア科
ふだんはよちよち歩きですが、木に登ったり、とびはねて敵から逃げたりできます。♠体長30.5〜62.5cm 尾長13〜31.5cm ◆1〜9kg ♣キューバ ■山地、森林、半砂漠、湿地など ♥葉、果実、樹皮、甲殻類、トカゲなど

ヒラバフチア

オオフチア科のなかま *Heptaxodontidae* 絶滅
カリブ海のアンティル諸島にいた大型の齧歯目のなかまで、5種が知られます。約1万年前までに絶滅しましたが、一部は16世紀まで生き残ったともいわれます。♠不明 ◆14〜200kg ♣アンティル諸島 ■熱帯雨林 ♥植物（推定）

大きくするどい爪

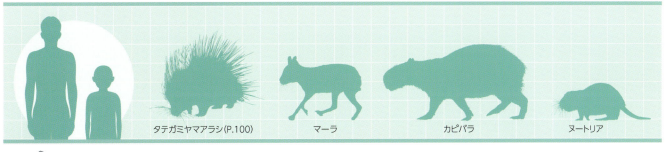
タテガミヤマアラシ（P.100）　マーラ　カピバラ　ヌートリア

📖 オオフチア科の最大種マルバフチアは、体重200kgになったと考えられています。

くらべてみよう
飛膜で滑空する動物

ムササビ（→P.91）
写真協力：群馬県立自然史博物館

タイリクモモンガ（→P.91）
写真協力：ミュージアムパーク茨城県自然博物館

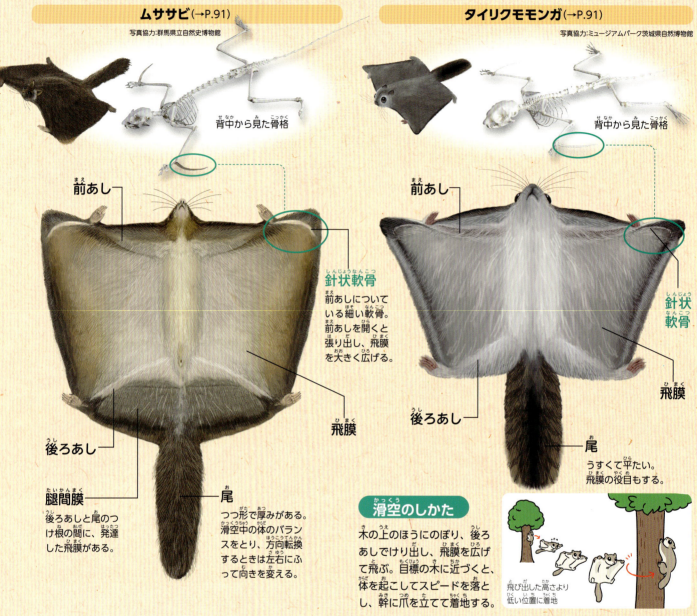

背中から見た骨格

前あし

針状軟骨
前あしについている細い軟骨。前あしを開くと張り出し、飛膜を大きく広げる。

後ろあし

飛膜

腿間膜
後ろあしと尾のつけ根の間に、発達した飛膜がある。

尾
つつ形で厚みがある。滑空中の体のバランスをとり、方向転換するときは左右にふって向きを変える。

尾
うすくて平たい。飛膜の役目もする。

滑空のしかた
木の上のほうにのぼり、後ろあしでけり出し、飛膜を広げて飛ぶ。目標の木に近づくと、体を起こしてスピードを落とし、幹に爪を立てて着地する。

飛び出した高さより低い位置に着地

コウモリの飛膜

コウモリは、腕（前あし）の指の間の飛膜が発達し、翼に進化しました。第2指〜第5指が支柱になり翼をささえます。飛び方は滑空ではなく、鳥のように翼を上下に動かしてはばたきます。

低い位置から上に向かって飛び立つことができる

アブラコウモリ（→P.133）

第2指　第1指　第5指　第4指　第3指

滑空とは、空気の流れを利用して、はばたかずに飛ぶことです。滑空するには、ある程度体が小さく体重が軽いことと、風をたくさん受けられる体の広い面積が必要です。滑空する動物たちは、皮ふでできた飛膜が発達しています。滑空により空を飛び、敵の多い地上をさけて木から木へ移動してくらす動物たちの、飛膜を比べてみましょう。

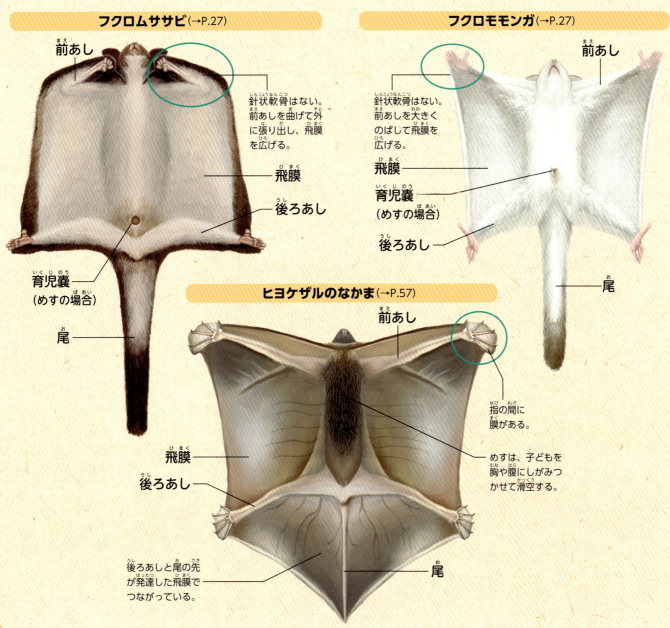

フクロムササビ（→P.27）
- 前あし
- 針状軟骨はない。前あしを曲げて外に張り出し、飛膜を広げる。
- 飛膜
- 後ろあし
- 育児嚢（めすの場合）
- 尾

フクロモモンガ（→P.27）
- 前あし
- 針状軟骨はない。前あしを大きくのばして飛膜を広げる。
- 飛膜
- 育児嚢（めすの場合）
- 後ろあし
- 尾

ヒヨケザルのなかま（→P.57）
- 前あし
- 指の間に膜がある。
- めすは、子どもを胸や腹にしがみつかせて滑空する。
- 飛膜
- 後ろあし
- 後ろあしと尾の先が発達した飛膜でつながっている。
- 尾

滑空の距離くらべ

滑空する動物は、食べ物を求めて、滑空をくりかえしながら木から木へと移動します。風に乗ると、一度の滑空で100m以上飛ぶものもいます。

- エゾモモンガ **50m以上**
- フクロムササビ・フクロモモンガ **90〜100m**
- マレーヒヨケザル **130m**
- ムササビ **160m**

●1回の滑空の最大距離の記録（おおよその数値）
＊エゾモモンガはタイリクモモンガの亜種です。

兎形目 ウサギのなかま

このなかまは、長い耳と大きな後ろあし、短い尾が特ちょうです。長い前歯（切歯）は、齧歯目と同じく、一生のび続け、かたい草や枝をかみ切って食べるのに便利です。

アマミノクロウサギ（→P.109）の親子。子どもは、子育て用の巣あなにかくれています。お母さんはおっぱいをあげるときだけ、やってきます。

骨格を見よう

兎形目のなかまは、上あごの前歯（切歯）の数が4本です。また、腰や後ろあしの骨が発達していて、ジャンプするときに使う筋肉がたくさんついています。

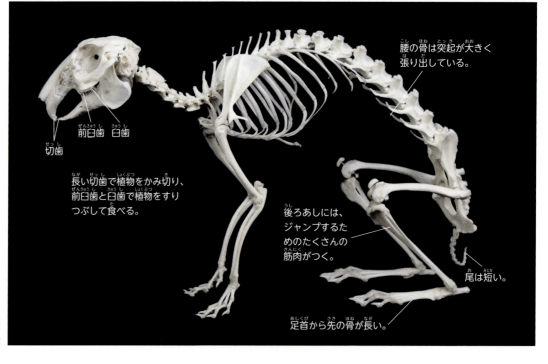

- 切歯
- 前臼歯　臼歯
- 長い切歯で植物をかみ切り、前臼歯と臼歯で植物をすりつぶして食べる。
- 腰の骨は突起が大きく張り出している。
- 後ろあしには、ジャンプするためのたくさんの筋肉がつく。
- 尾は短い。
- 足首から先の骨が長い。

▶アナウサギの全身骨格

写真協力：日本大学生物資源科学部博物館

ウサギのなかま①

ウサギ科は、巣あなをつくらないノウサギのなかまと、巣あなをつくるアナウサギのなかまに、大きく分けられます。

夏毛 / 冬毛 / 長く大きな後ろ足。雪にしずみにくい

カンジキウサギ *Lepus americanus* ウサギ科
針葉樹林に単独ですんでいます。雪の多い地域のものは、冬は体が白くなります。🌲体長41.3〜51.8cm 尾長3cm ◆0.9〜1.8kg ♣北アメリカ北部 ■針葉樹林 ♥小枝、木の葉、草など

短めの耳 / 目のまわりは白い / 雪の多い地域では耳の先以外が白くなる / 夏毛 / 冬毛 / 短い尾

ニホンノウサギ *Lepus brachyurus* ウサギ科 日本固有種
夜行性ですが、早朝と夕方にいちばん活動します。4つの亜種がいます。🌲体長43〜54cm、尾長2〜5.5cm ◆3kg ♣本州、四国、九州、隠岐、佐渡 ■森林、草原 ♥草、木の葉、木の皮など

ニホンノウサギの亜種分布
トウホクノウサギ / サドノウサギ / オキノウサギ / キュウシュウノウサギ

▲冬のエゾユキウサギ。白い体は雪にまぎれて、敵に見つかりにくくなります。

耳の先以外が白くなる / 目のまわりは白い / 夏毛 / 冬毛 / 長く大きな後ろ足。雪にしずみにくい

ユキウサギ *Lepus timidus* ウサギ科 在来種
ニホンノウサギににていますが、やや大型です。北海道にすむ亜種のエゾユキウサギは、最高時速80kmで走ることができます。🌲体長50.5〜57.5cm 尾長2〜5.5cm ◆2.5〜4.1kg ♣アジア、ヨーロッパ北部、日本（北海道）■森林、草原 ♥草、木の葉、木の皮など

🌲体の大きさ ◆体重 ♣分布 ■生息環境 ♥食べ物

ウサギのなかま②

兎形目／ウサギ科

長く大きな耳

◀最長20cmにもなる耳には多くの血管があります。耳に風をあてて走ることで血液が冷え、体温が上がりすぎるのを防ぐことができます。

長く大きな耳

背中の中央に黒いしまもよう

長いあし

▲走るオグロジャックウサギ。じぐざぐに走って敵から逃げます。

オグロジャックウサギ
Lepus californicus ウサギ科
日中は草むらにひそみ、夜に活動します。🌲体長46～63cm 尾長5～11cm ◆4kg ♣北アメリカ北部 ■草原 ♥草など

アンテロープジャックウサギ *Lepus alleni* ウサギ科
最高時速72kmで走ることができます。水の少ない砂漠にすむため、サボテンを食べて水分をとります。🌲体長55～67cm、尾長4.8～7.6cm ◆7.4～5kg ♣メキシコ西海岸、アメリカ（アリゾナ州）■草原、砂漠など ♥草、葉、サボテンなど

丸くて短い耳

ほおから耳にかけて黒いすじもよう

短い耳

かたくてあらい毛

ピグミーウサギ
Brachylagus idahoensis ウサギ科
北アメリカにすむウサギのなかまで、最小の一種です。深く長い巣あなを掘り、単独でくらします。🌲体長23～31cm、尾長1.5～2.4cm ◆246～458g ♣アメリカ西部 ■草原、低木林 ♥おもにヨモギ

ブッシュマンウサギ
Bunolagus monticularis ウサギ科 【絶滅危惧種】
夜行性で、敵に追われると高さ1mのしげみもとびこえて逃げます。1年に1頭しか子をうみません。🌲体長34～47cm、尾長7～10.8cm ◆1.1～5kg ♣南アフリカ（ケープ州）■砂漠の季節河川の低木林 ♥葉、花、草など

アラゲウサギ
Caprolagus hispidus 【絶滅危惧種】
ウサギ科
背の高いカヤなどの草原にすみ、夜にそれらの芽や根などを食べます。🌲体長38～50cm、尾長2.5～3.8cm ◆2～2.5kg ♣インド北部、ネパール、バングラデシュ ■山地、草原 ♥草

もっと知りたい！ 食べる盲腸ふん

ウサギはころころした固いふんのほかに、「盲腸ふん」とよばれるやわらかいふんをします。盲腸ふんには栄養がたっぷり残っているので、もう一度食べます。

盲腸ふん

小さい耳

顔と体にしまもよう

スマトラウサギ *Nesolagus netscheri* ウサギ科
昼はほかの動物が掘ったあなで休み、夜活動します。これまでに数えるほどしか見つかっていません。🌲体長37～42cm、尾長1.7cm ◆推定1～5kg ♣インドネシア（スマトラ島南西部）■山地の森林 ♥くき、葉

▲スマトラ島の国立公園で保護されたスマトラウサギ。この後、森に放されました。

🌲体の大きさ ◆体重 ♣分布 ■生息環境 ♥食べ物

▲巣あなから出るアマミノクロウサギ。夜になると、食べ物を探して森の中をすばやく歩き回ります。

- 丸くて短い耳
- 長くするどい爪

アマミノクロウサギ
Pentalagus furnessi

ウサギ科 絶滅危惧種 日本固有種 特別天然記念物

現在生きているウサギのなかまで、もっとも原始的なウサギです。森に単独ですみ、あなを掘って子育て用の巣にします。🔺体長43〜47cm 尾長3.5cm ◆2kg ♣奄美大島、徳之島 ■森 ♥草、木の葉、木の皮、果実など

▲アマミノクロウサギの母親は2日に1度、子育て用の巣あなを訪れて、子に乳を与えます。巣あなから離れるときは、子がおそわれないように巣あなの入り口をしっかり閉じておきます。

スミスアカウサギ
Pronolagus rupestris

ウサギ科

アカウサギのなかまで最小クラス。夜に岩の近くで草を探して食べます。おそわれると鳴き声を上げて逃げます。🔺体長38〜54cm、尾長5〜11.5cm ◆1.4〜2.1kg ♣アフリカ南部 ■丘の岩場 ♥草など

- ランドアカウサギより少し長い耳
- 小豆色の尾。ランドアカウサギより少し短い
- 小豆色のあし

ランドアカウサギ
Pronolagus randensis ウサギ科

日中は岩かげなどに身をひそめますが、日光浴をすることもあります。危険を感じると大きな鳴き声を上げます。🔺体長42〜50cm、尾長6〜13.5cm ◆1.8〜3kg ♣アフリカ南部 ■丘の岩場 ♥草

- 絹のような毛
- 赤褐色の尾

どんな赤ちゃん？ ノウサギとアナウサギの大きなちがい

ノウサギとアナウサギは、生まれたときの姿にちがいがあります。ノウサギの赤ちゃんは、毛があり目が開き歯もはえています。いっぽうアナウサギの赤ちゃんは、毛がなく目は閉じ歯もはえていません。

ノウサギ — 地面のくぼみで生まれ育つ

アナウサギ — 地下の巣あなで生まれ育つ

アナウサギ
Oryctolagus cuniculus

ウサギ科 絶滅危惧種 外来種

地下に複雑なトンネルを掘って集団でくらしています。カイウサギは、この種を改良したものです。🔺体長38〜50cm 尾長4.5〜7.5cm ◆0.9〜2kg ♣ヨーロッパ、北アフリカ ■草原、森林、農地など ♥草、根、木の皮など

- 短い耳
- 短いあし

ノウサギのなかまは、おすどうしが前あしでたたいたり、後ろあしでけったりして、めすをめぐってたたかいます。

ウサギのなかま ③

▲泳ぐヌマチウサギのなかま。

モリウサギ
Sylvilagus brasiliensis
ウサギ科　絶滅危惧種

夜行性で、ふつう1頭ずつくらします。近年の分類では、ブラジル東部の沿岸林にすむものだけを指します。♠体長38～42cm、尾長2～2.1cm ♦500～950g ♣ブラジル東部 ■森林、草原 ♥葉、草など

短い耳／短いあし

ヌマチウサギ
Sylvilagus aquaticus　ウサギ科

池や沼のまわりにはえる植物を食べます。泳ぎが上手です。♠体長45.2～55.2cm 尾長5cm ♦1.4～2.7kg ♣北アメリカ南部 ■水辺の草原 ♥草、葉、くきなど

目のまわりはくすんだ赤茶色／白い尾

サバクワタオウサギ
Sylvilagus audubonii　ウサギ科

草がまばらにはえる乾燥地帯や砂漠に近い草原にすみます。おもに早朝と夕方に活動します。♠体長33～43cm 尾長4～6cm ♦0.8～1.5kg ♣北アメリカ西部 ■森林、草原、砂漠 ♥草、サボテンなど

先のとがった耳／下側が白いふさふさの尾

トウブワタオウサギ　*Sylvilagus floridanus*　ウサギ科

昼はやぶのあななどで休み、夜に活動します。生まれたばかりの赤ちゃんは、アナウサギと同様に目が見えず、毛もはえていません。♠体長38～46cm 尾長4～6.5cm ♦0.9～1.8kg ♣北アメリカ東部 ■やぶや林など ♥小枝、木の葉、花、草、種子、果実など

下側が白いふさふさの尾

▲サバクワタオウサギは、おすとめすが向かい合ってはねたり、追いかけたりして求愛します。

メキシコウサギ
Romerolagus diazi
ウサギ科　絶滅危惧種

メキシコのチチナウツィン山脈にだけすみます。数種類の鳴き声でコミュニケーションをとります。♠体長27～36cm 尾長1.8～3.1cm ♦400～600g ♣中央アメリカ（メキシコ）■山地の松林 ♥草、木の皮など

小さく丸い耳／短いあし

▶メキシコウサギは地面のあなを草などで補強して、巣あなにします。

♠体の大きさ　♦体重　♣分布　■生息環境　♥食べ物

ナキウサギのなかま

ナキウサギのなかまは、丸くて小さな耳と短いあしが特ちょうで、原始的なウサギの姿を残しています。多くは山の岩場にすみ、鳴き声を使い分けてコミュニケーションをとります。

▲鳴き声を上げるクビワナキウサギ。

アメリカナキウサギ
Ochotona princeps ナキウサギ科
9種類の鳴き声を使い分けて、なわばりを守ったり、敵がきたことをなかまに知らせたりします。
♠体長15.7〜21.6cm ◆110g ♣北アメリカ ■岩の多い草原や森林など ♥草、葉、花など

白いふちのある小さな耳
冬毛は灰色になる

首から肩にかけて明るい灰色の首輪のようなもよう

クビワナキウサギ
Ochotona collaris ナキウサギ科
昼行性で、1日中ほぼ草を食べたり、冬用の保存食を集めてすごします。♠体長17〜19cm ◆117〜200g ♣北アメリカ（アラスカ南東部、カナダ北西部）■山地の岩場、ツンドラ ♥草、葉、花など

白いふちのある小さな耳
冬毛は灰褐色になる

◀草をくわえるエゾナキウサギ。冬にそなえて草などを岩のすきまにたくさんくわえます。

キタナキウサギ *Ochotona hyperborea* ナキウサギ科 在来種
「キチッ」と小鳥のような声で鳴いてなわばりを伝えます。昼夜ともに活動し、冬眠はしません。北海道には亜種のエゾナキウサギがいます。♠体長11.5〜16.3cm、尾長0.5cm ◆115〜164g ♣北東アジア（シベリア、モンゴル、サハリン）、日本（北海道）■低地から高山までの岩場 ♥草、葉、花など

アルタイナキウサギ
Ochotona pallasi ナキウサギ科
いくつもの部屋がある複雑な巣あなを掘ります。特に朝と夕方に活発に動きます。♠体長16〜23cm ◆150〜270g ♣中央アジア、ロシア ■山地、草原 ♥葉、種子、根茎など

夏毛は明るく、冬毛は暗くなる

サルデーニャウサギ
Prolagus sardus サルデーニャウサギ科 絶滅
地中海の小さな島々で複雑なトンネルを掘ってくらしていました。島にやってきた人類に食べられたり、野生化した家畜に狩られたり、もちこまれた伝染病に感染したりして、約2800年前以降に絶滅しました。♠体長22.5cm ◆推定504〜525g ♣地中海（コルシカ島、サルデーニャ島など）

ニホンノウサギ (P.107)　アンテロープジャックウサギ (P.108)　アマミノクロウサギ (P.109)　アナウサギ (P.109)　アメリカナキウサギ

ナキウサギのなかまの多くは、冬にそなえて植物をたくさん集めて、たくわえる習性があります。

真無盲腸目 モグラ、ハリネズミなどのなかま

真無盲腸目の動物は、その名の通り、盲腸がありません。モグラやハリネズミ、トガリネズミなどが含まれます。細長い鼻先や小さな目、短いあしが特ちょうで、おもに昆虫を食べます。多くは夜行性で、地上や地中にすんでいます。

地中のミズラモグラ（→P.117）。シャベルのような前足で、地面の下にトンネルを掘って、くらしています。

真無盲腸目の種数の割合

真無盲腸目の種数 約580種

哺乳類の総種数 約6700種

＊2024年4月時点
（500年以内に絶滅した種を含む）

真無盲腸目の分類

現在、生息している真無盲腸目は4科に分類されています。ハリネズミ科は、かつては独立した目とされていました。

モグラ科 ▶P.116
ホシバナモグラ

ハリネズミ科 ▶P.118
ナミハリネズミ

ソレノドン科 ▶P.118
ハイチソレノドン

トガリネズミ科 ▶P.119
ブラリナトガリネズミ

モグラの子育て

モグラのなかまは、一生のほとんどを地中ですごすため、くらしぶりがよくわかっていない動物です。単独生活をするおすとめすはどのように出合うのか、妊娠期間、1回の出産数、子離れまでの期間など、調査や研究が少しずつ進められています。

アズマモグラ（→P.117）の子ども。毛がはえる前から、大きな前足が発達しています。アズマモグラは、1回の出産で2～6頭の子をうむことがわかっています。

からだを見よう
コウベモグラ

モグラの体は、太い前あし（腕）や大きな前足（手）など、土の中でトンネルを掘ってくらすのに適したつくりになっています。目や耳は退化し、外から見える耳たぶ（耳介）はありません。

▲横から見た頭骨　写真提供:和歌山県立自然博物館

頭骨
細長いあごに切歯（前歯）、犬歯（きば）、前臼歯・臼歯（奥歯）が並ぶ。奥歯もとがっていて、土の中のミミズや昆虫などにしっかりかみついて食べることができる。

肩甲骨
前後に細長い肩甲骨が背中側につく。土の中で肩がじゃまにならず、筋肉が効率よくついて、てこのように小さな力で前あしを動かせると考えられている。

体毛
短い毛が垂直にはえているので、地中で前後どちらへ進んでも、毛がトンネルの壁にひっかからない。

胸椎

頸椎

鼻先
アイマー器官という敏感な感覚器があり、わずかな振動も感じ取ってえものを探す。

犬歯（きば）

前臼歯・臼歯（奥歯）
奥歯も先がとがっている。

鎖骨
とても短い鎖骨に、上腕骨がつながっているので、前あし（腕）をより自由に動かせると考えられている。

尺骨

橈骨

手根骨

中手骨

第5指（小指）

第4指（薬指）

第3指（中指）

第2指（人差し指）

第1指（親指）

上腕骨
幅広く平面的で複雑な形をしていて、腕を動かす強い筋肉がたくさんつく。

胸骨
大きく下につき出し、大きな筋肉がつく。

鎌状骨
第1指（親指）のつけねにかまのような形の骨がある。そのため、前足の面積が広くなり、土をたくさん掘りやすくなっている。

指骨
5本指で、幅広く長い爪がある。左右の前足とも、てのひらが外側を向くようになっている。

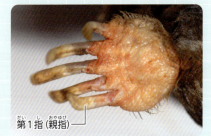
▼コウベモグラの左前足。モグラは、シャベルのように丸くて大きな前足で土を掘り進む。
第1指（親指）

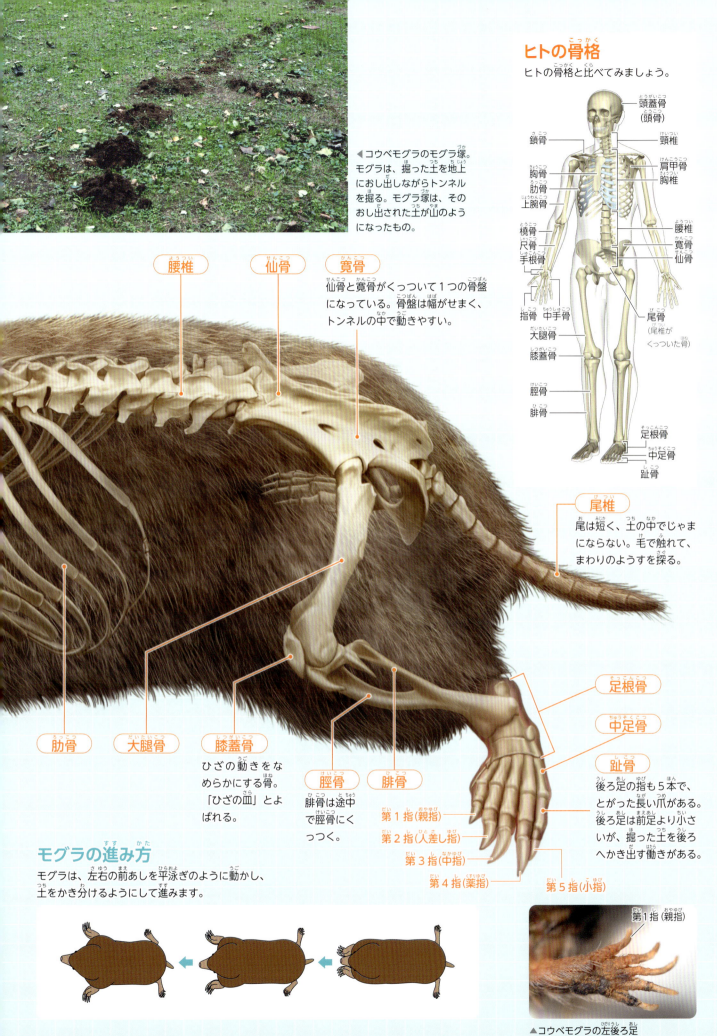

モグラのなかま

モグラのなかまは、地中や、地表の落ち葉の下などで単独でくらします。地中にくらす種は、前足がシャベルのようになっていて、トンネルを掘るのが上手です。

ホシバナモグラ
Condylura cristata モグラ科

泳ぎが上手です。鼻先の突起は、水中でえものが出す電流を感じます。
♠体長18.3〜21.cm 尾長6.5〜8.4cm ◆35〜80g ♣カナダ東南部〜アメリカ合衆国東部 ■沼地や湿地のある森林や草原 ♥昆虫やミミズなど（地中）、水生昆虫や小魚、貝類など（水中）

▲鼻先に22本の肉質の突起が放射状に並び、一部をつねに前に向けています。

モグラヒミズ
Parascalops breweri モグラ科

ヒミズのなかまではありませんが、浅いトンネルでも生活し、地上でもえものを捕まえます。
♠体長13.9〜15.3cm 尾長2.3〜3.6cm ◆約55g ♣カナダ東部〜アメリカ合衆国北東部 ■草原や森林 ♥昆虫やミミズ、ナメクジなど

▲尾はヒミズににて、太く短く、長く粗い毛がはえています。

つき出た鼻先 / 尾のつけねが太い / 太くてがんじょうな足。かたい毛がはえ、泳ぐときに使う

ロシアデスマン *Desmana moschata* モグラ科 絶滅危惧種

モグラ科のなかまで最大。鼻のあなと耳が開け閉めできます。前後の足に水かきがあり、水中生活に適した体のつくりをしています。♠体長18〜21.5cm 尾長17〜22cm ◆300〜500g ♣東ヨーロッパ〜ロシア西部 ■河川、湖や池沼など ♥昆虫や甲殻類、貝類、魚類、両生類など

触毛が発達 / 前足は5本指で、爪が大きい

ピレネーデスマン *Galemys pyrenaicus* モグラ科 絶滅危惧種

鼻のあなと耳が開け閉めできます。前後の足に水かきがあるなど、水中生活に適した体のつくりをしています。♠体長11〜14cm 尾長12〜16cm ◆35〜80g ♣ヨーロッパ（フランス南西部ピレネー地方、スペイン・ポルトガル北部）■山岳地の河川 ♥カワゲラやトビケラの幼虫、昆虫、甲殻類、魚類など

モグラの地下単独生活

モグラは、地下に全長100mほどのトンネルを掘り、繁殖も子育てもすべて地下で行います。巣の出入り口には、モグラ塚とよばれる土の小山ができます。

特有のキノコがはえることがある / モグラ塚 / 出入り口 / ミミズ / 寝室・子ども部屋 / 食料庫 / トイレ / かれ葉や草がしきつめられている ※地下10〜30cmあたりに巣をつくる

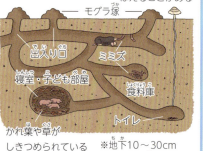

目と耳は退化している。目は日本のモグラとちがって、皮ふにおおわれていない

ヨーロッパモグラ *Talpa europaea* モグラ科

日本のモグラとちがって、内部に巣がある大きな土の山をつくります。
♠体長11〜19.3cm 尾長2.8〜4.2cm ◆60〜130g ♣ヨーロッパ ■林、草原、農地 ♥ミミズや昆虫の幼虫、カタツムリ、トカゲ、カエルなど

♠体の大きさ ◆体重 ♣分布 ■生息環境 ♥食べ物

東西のモグラ
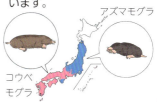
日本では中部地方を境に東はアズマモグラ、西はコウベモグラが代表的です。コウベモグラが東に生息地を広げています。

アズマモグラ
Mogera imaizumii モグラ科 日本固有種
大きな前足で土を掘り、複雑なトンネルの中にすみます。単独性です。♠体長12.1〜15.9cm 尾長1.4〜2.2cm ◆48〜127g ♣本州東部。西日本にも散在 ■森林、草原、農耕地、公園など ♥ミミズや昆虫、多足類など

コウベモグラ
Mogera wogura モグラ科 日本固有種
やわらかい土壌を好みます。大型のモグラですが、小さな島などでは小型化します。♠体長12.5〜18.5cm 尾長1.5〜2.7cm ◆48.5〜175g ♣本州西部、四国、九州と周辺の島々 ■森林、草原、農耕地、公園など ♥ミミズや昆虫、多足類など

エチゴモグラ
Mogera etigo モグラ科 絶滅危惧種 日本固有種
日本最大のモグラ。アズマモグラとの競合などで数が減っています。♠体長16.2〜18.2cm 尾長1.9〜3cm ◆112〜168g ♣越後平野と周囲の山間部 ■水田のあぜなどの農地 ♥ミミズ、ケラなどの昆虫など

サドモグラ
Mogera tokudae モグラ科 日本固有種
エチゴモグラににて、大型で尾が長いモグラです。♠体長14.9〜16.7cm 尾長2.2〜2.8cm ◆84〜135g ♣佐渡島 ■森林、農耕地など ♥ミミズや昆虫、多足類など

▲地中のミズラモグラ

鼻先の毛がない部分が二等辺三角形

鼻鏡は側面を向き、鼻先がつき出る
尾はモグラ（アズマモグラなど）より長い。棍棒状で太く、粗い長毛がはえている

ミズラモグラ
Oreoscaptor mizura モグラ科 日本固有種
小型で尾が長く、原始的な種と考えられています。歯の数が、本州のほかのモグラより2本多く、44本です。♠体長7.7〜10.7cm 尾長2〜2.6cm ◆26.0〜35.5g ♣青森県から広島県 ■山地の森林 ♥ミミズや昆虫、多足類

ヒミズ
Urotrichus talpoides モグラ科 日本固有種
浅い落葉層に複雑なトンネルをつくります。モグラのトンネルを使うこともあります。♠体長8.9〜10.4cm 尾長2.7〜3.8cm ◆14.5〜25.5g ♣本州、四国、九州と周辺の島々 ■低山域の森林 ♥ミミズや昆虫、クモ、多足類、種子など

鼻鏡は側面を向き、鼻先がつき出る
尾はヒミズより長く、細い

ヒメヒミズ
Dymecodon pilirostris モグラ科 日本固有種
小型のヒミズ。地上での動きがすばやく、岩場などあなの掘りにくい場所でくらします。♠体長7〜8.4cm 尾長3.2〜4.4cm ◆8〜14.5g ♣本州、四国、九州 ■高標高地や岩石地帯の森林 ♥ミミズや昆虫、クモ、多足類

モグラとヒミズのちがい
モグラは完全な地下生活に適応し、前足が巨大で土をかきやすい形です。いっぽうヒミズは、地表すぐ下のやわらかい落葉層などにくらし、地表にもよく出てきます。前足はモグラより小さく、尾は長めです。

地下10〜30cm　モグラ　ヒミズ　つもった落ち葉などの層

エチゴモグラは、長い間、サドモグラと同じ種と考えられていました。

ハリネズミ・ソレノドンのなかま

ハリネズミは、背中がはりのようなかたい毛でおおわれ、敵におそわれると、体を丸めて身を守ります。ソレノドンは、毒のあるだ液を出します。

先が白いはり状の毛

するどいはり状の毛

▲ナミハリネズミの赤ちゃん

ヨツユビハリネズミ
Atelerix albiventris　ハリネズミ科

ほかのハリネズミとちがって、後ろ足の指は4本です。ピグミーハリネズミともよばれ、ペット化されています。♠体長約21cm 尾長約2.5cm ♦250〜600g ♣アフリカ ■サバンナ、農耕地 ♥昆虫、カタツムリ、クモなど

ナミハリネズミ
Erinaceus europaeus　ハリネズミ科

足の指はすべて5本です。敵にあうと、ほぼ完全に全身を丸めて、はり状の毛で身を守ります。冬眠します。♠体長23〜32cm 尾長2.3〜3.7cm ♦700〜800g ♣ヨーロッパ ■平地の森林や農耕地など ♥昆虫、ミミズ、果実など

▲体を丸めるナミハリネズミ

オオミミハリネズミ
Hemiechinus auritus　ハリネズミ科

大きな耳

小型のハリネズミで、ペット化されています。足の指はすべて5本です。野生下では短期間の冬眠をします。♠体長14.2〜22.8cm 尾長1.7〜3.5cm ♦250〜600g ♣アジア、北アフリカ ■草原、半砂漠、砂漠地帯 ♥昆虫、ミミズ、カタツムリ、鳥類とその卵など

体毛はふつう白と黒

ジムヌラ
Echinosorex gymnura　ハリネズミ科

ハリネズミのなかまですが、はり状の毛はありません。♠体長26.5〜40cm 尾長20〜29cm ♦870〜1100g ♣東南アジア ■マングローブや湿地林などの森林 ♥ミミズ、昆虫、カニ、果実など

アムールハリネズミ
Erinaceus amurensis　ハリネズミ科　外来種

ナミハリネズミによくにていますが、頭骨の形で区別されます。日本では、ペットとして飼われていたものが野生化しています。♠体長23.9〜26.9cm、尾長3.2〜4.0cm ♦540〜920g ♣ロシア東部、中国、朝鮮半島 ■農地、公園、森林など ♥昆虫などの節足動物

鼻先は毛がない　　尾は長く、ほとんど毛がない

ハイチソレノドン
Solenodon paradoxus　ソレノドン科

顎下腺（だ液腺のひとつ）から毒を出します。♠体長49〜72cm 尾長20〜25cm ♦約800g ♣カリブ海、イスパニョーラ島の一部 ■熱帯多雨林 ♥節足動物、カタツムリやネズミなど

尾は長く、ほとんど毛がない　　つき出た鼻先

キューバソレノドン
Solenodon cubanus　ソレノドン科　絶滅危惧種

だ液腺から毒を出し、ネズミをとらえることがあります。♠体長約25cm 尾長約18〜20cm ♦850g ♣キューバ島 ■山岳地帯の林 ♥昆虫、菌類、果実など

♠体の大きさ ♦体重 ♣分布 ■生息環境 ♥食べ物

トガリネズミのなかま①

とがった細長い鼻をもつなかまです。この鼻を落ち葉や石のすき間にさしこんで、えものを探します。ジネズミのなかまは、歯の先が赤く染まりません。

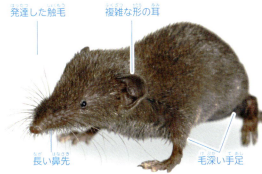
発達した触毛／複雑な形の耳／長い鼻先／毛深い手足

▲ニホンジネズミの歯。歯の先が白いのがわかります。

ニホンジネズミ
Crocidura dsinezumi トガリネズミ科 [日本固有種]
中型のジネズミです。🌱体長6.1〜8.3cm 尾長3.9〜5.4cm ◆5〜12.5g ♣本州、四国、九州など（北海道やいくつかの島に移入）■平地から低山帯の草地や雑木林、農耕地や河川敷など ♥昆虫、クモなど

大きな耳／小さめの手足
Created by modifying ©2009, Kim, Hyun-tae "2804943"(CC BY 4.0)

アジアコジネズミ
Crocidura shantungensis トガリネズミ科 [在来種]
小型のジネズミです。ほかのジネズミより、産仔数が多いようです。🌱体長5.3〜6.9cm 尾長3.4〜4.7cm ◆4〜7g ♣中国東部、朝鮮半島、済州島、日本（対馬）■平地〜低山 ♥昆虫、クモ、ミミズ

耳には毛は少ない／長い尾／小さめの手足

ワタセジネズミ
Crocidura watasei トガリネズミ科 [日本固有種]
小型のジネズミです。かつて、東南アジアに生息するジネズミと同じ種かどうか、議論されていました。🌱体長5.5〜7.4cm 尾長4.7〜6cm ◆4〜6g ♣奄美諸島、沖縄諸島 ■農耕地や河川敷などの草地 ♥昆虫、クモ、トカゲ、ヤモリなど

ニホンジネズミより大きめの前足

オリイジネズミ
Crocidura orii トガリネズミ科 [絶滅危惧種] [日本固有種]
ニホンジネズミより大型です。頭骨や歯にちがいがあり、近年になって独立種とされました。🌱体長6.5〜9cm 尾長4.1〜5.1cm ◆7〜8g ♣奄美大島、加計呂麻島、徳之島 ■山地の原生林 ♥甲虫類

大きく、毛が少ない耳／太い鼻先／尾のつけねが太い
▲ジャコウネズミの赤ちゃん

ジャコウネズミ
Suncus murinus トガリネズミ科 [在来種] [外来種]
体の臭腺（ジャコウ腺）から強いにおいを出します。🌱体長11.6〜15.7cm 尾長6.1〜7.7cm ◆45〜78g ♣インド〜中国南部、南西諸島（トカラ海峡以南）、長崎県と鹿児島県に移入 ■農耕地や人家の床下など ♥昆虫、ミミズ、ピーナッツ、サツマイモなど

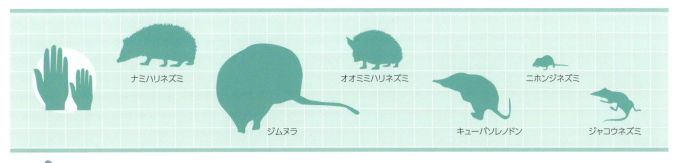
ナミハリネズミ／ジムヌラ／オオミミハリネズミ／キューバソレノドン／ニホンジネズミ／ジャコウネズミ

大アンティル諸島にはソレノドンににたネソフォンテスのなかまがいました。12〜15世紀までいたとされますが、すべて絶滅しています。

トガリネズミのなかま ②

このページのトガリネズミのなかまは、歯の先が赤く染まります。

小さく退化した目

短い尾

短い手足

バイカルトガリネズミ
Sorex caecutiens
トガリネズミ科　在来種

中型のトガリネズミで、おもに地上で活動します。♠体長5.6〜6.8cm 尾長4.7〜5.5cm ◆4.6〜7.5g ♣ユーラシア北部、日本（北海道）■平野〜低山帯の草原や林（北海道）♥昆虫、クモ、ジムカデなど

長い尾（北海道にすむものは特に長い）

ブラリナトガリネズミ　*Blarina brevicauda*　トガリネズミ科
顎下腺（だ液腺のひとつ）から毒を出します。地下生活に適した体のつくりをしていて、トンネルをつくって生活します。♠体長7.5〜10.5cm 尾長1.7〜3cm ◆12〜23g ♣北アメリカ大陸東部 ■森林 ♥昆虫、ミミズ、ネズミなど

トウキョウトガリネズミ（北海道産亜種）

尾は長い毛におおわれている。特に下面が白い。

ヒメトガリネズミ
Sorex gracillimus　トガリネズミ科　在来種

小型のトガリネズミです。♠体長4.7〜6.0cm 尾長4〜5.1cm ◆2.5〜5.3g ♣ロシア、中国、日本（北海道）■高層湿原や高山帯など（北海道）♥昆虫、クモ、多足類など

チビトガリネズミ
Sorex minutissimus　トガリネズミ科　絶滅危惧種　在来種

世界最小の哺乳類のひとつです。身軽で、たくみに草の上を移動します。♠体長4.5〜4.9cm 尾長2.7〜3.1cm ◆1.5〜1.8g ♣ユーラシア北部、日本（北海道）■高層湿原や草原、湿原周辺の草地など（北海道）♥昆虫、クモ、多足類など

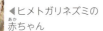
◀ヒメトガリネズミの赤ちゃん

オオアシトガリネズミ
Sorex unguiculatus　トガリネズミ科　在来種

大型のトガリネズミです。北海道にすむトガリネズミの中で、もっとも個体数が多く、地中にトンネルをつくります。♠体長6.4〜8.3cm 尾長4.7〜6cm ◆7.5〜18.0g ♣ロシア、中国、日本（北海道）■森林、草原など ♥昆虫、クモ、多足類、ミミズ

発達した前足

シントウトガリネズミ
Sorex shinto　トガリネズミ科　日本固有種

すむところによって大きさがちがいます。♠体長5.2〜6.6cm 尾長4.5〜5.1cm ◆3.9〜7.8g ♣本州（紀伊半島以北）、四国、佐渡島 ■高山帯を中心にした高標高地 ♥昆虫やクモなど

アズミトガリネズミ
Sorex hosonoi　トガリネズミ科　日本固有種

小型のトガリネズミ。チビトガリネズミににています。♠体長4.6〜6.1cm 尾長4.7〜5.2cm ◆2.6〜5.6g ♣関東〜中部地方 ■低山帯上部、亜高山帯の森林〜高山帯 ♥昆虫やクモなど

名前はネズミ、でもモグラのなかま

トガリネズミとハリネズミは名前が「ネズミ」ですが、齧歯目のネズミとは遠く、モグラに近い動物です。また、モグラのなかまなどは、過去には食虫目という1つのグループでしたが、現在は真無盲腸目、アフリカトガリネズミ目、ハネジネズミ目、登木目に分けられています。動物の分類は、新しい発見や認識によって、以前と変わることがあります。

齧歯目　リス　ネズミ　ビーバー　ヤマアラシ

真無盲腸目　トガリネズミ　モグラ　ハリネズミ　ソレノドン

♠体の大きさ ◆体重 ♣分布 ■生息環境 ♥食べ物

▲水中にもぐるミズトガリネズミ。水中に最長20秒もぐって、えものを探します。かみついて、だ液の毒で弱らせてとらえます。

ミズトガリネズミ *Neomys fodiens* トガリネズミ科
後ろ足には剛毛がはえています。尾の下面にもかたい毛の列があり、泳ぎに役立つと考えられています。♠体長7.2〜10cm 尾長4.7〜8cm ◆15〜19g ♣ヨーロッパ〜シベリア、サハリン ■小川など ♥水生昆虫の幼虫、カエル、魚、甲殻類など

ビロード状の毛
長い尾
大きな後ろ足
小さな目
小さく退化した耳
長い尾

カワネズミ *Chimarrogale platycephalus* トガリネズミ科 日本固有種
大型のトガリネズミで、水中でも活動します。後ろ足に剛毛があり、水をかきます。♠体長9.4〜14.4cm 尾長8.7〜11.3cm ◆27〜55g ♣本州、九州 ■おもに山間地の渓流部 ♥水生昆虫、サワガニ、魚類（小魚など）など

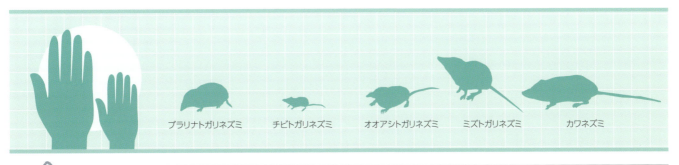

ブラリナトガリネズミ　チビトガリネズミ　オオアシトガリネズミ　ミズトガリネズミ　カワネズミ

カワネズミは、体の大きさと同じくらいの魚をつかまえることがあります。

くらべてみよう
はりで身を守る動物
体を丸めて全身をはりで包む

実物大

丸まったところ

ナミハリネズミ(→P.118)
長さ2〜3cmのはりが、からまり合うように、いろいろな向きにびっしりはえています。本数は約5000本といわれます。危険がせまると、まずはりをさか立てていかくし、それでも敵が引かないと、丸くなってじっとしています。

ハリテンレック(→P.36)
ハリネズミにくらべて細くやわらかいはりが、びっしりはえています。

ハリモグラ(→P.17)
長さ6cmくらいの太いはりがはえています。丸くならずに、あしで土をすばやくかきながら体をしずめ、背面のはりだけ地上に出して、敵が去るのを待つこともあります。

背中の毛が変化し、かたくてするどいはりのようになった動物がいます。はりは、発達した背中の筋肉で、立てたりねかせたりすることができ、やわらかい腹や大事な頭を守ります。また、ささるとぬけやすく、ぬけるとまたはえてきます。グループをこえた動物がはりをもつのも、収れん進化のひとつです。いろいろなはりを見てみましょう。

はりをさか立てる

タテガミヤマアラシ(→P.100)

背中と横腹に、太く長いはりがはえています。敵に出合うと、尻を向けて尾のはりをさか立ててふり、「ジャッジャッ」と音を出していかくします。それでも敵が去らない場合は、尻から突進します。はりがささると、ヤマアラシの体から簡単にぬけて、敵の体の奥深くまで達します。

はりは長いものでは50cmくらいある。

カナダヤマアラシ(→P.101)

タテガミヤマアラシより細く短いはりをさか立て、敵に尻から突進します。はりがささると、はりの先にあるうろこ状の返しが開き、肉にがっちり引っかかります。はりはヤマアラシの体からはすぐぬけますが、敵の体からはなかなかぬけません。

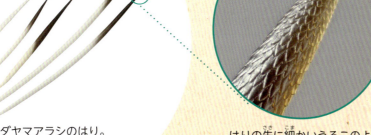

実物大

カナダヤマアラシのはり。2〜10cmくらいのはりがはえている。

ささる前 → **敵の体にささると…**

はりの先に細かいうろこのような返しがたくさんある。

返しが開いて肉に引っかかるため、はりがぬけにくい。

翼手目

翼手目 コウモリのなかま

翼手目の動物は、その名の通り、前あし（腕）が変化した翼をもっています。鳥のように羽ばたいて飛ぶことができる唯一の哺乳類です。ふだんは後ろあしを岩や木の枝にひっかけ、上下さかさまでくらしています。

翼手目の種数の割合

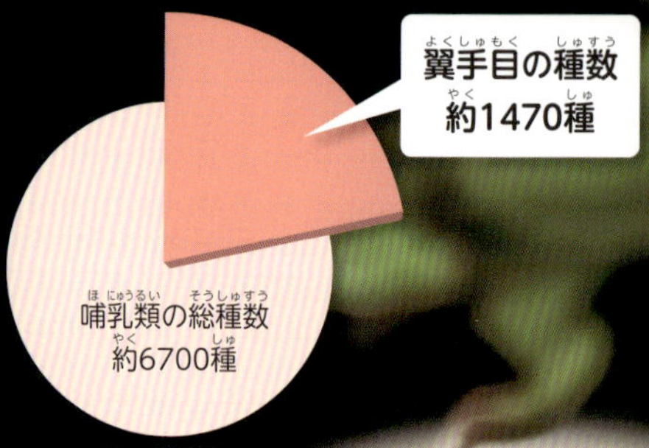

翼手目の種数
約1470種

哺乳類の総種数
約6700種

＊2024年4月時点
（500年以内に絶滅した種を含む）

クビワオオコウモリ（→P.134）の親子。子育ても、上下さかさまの姿勢で行います。子どもは頭を下にして、お母さんと同じ向きでおっぱいを飲みます。

翼手目の分類

以前は、翼手目はオオコウモリのなかまと小型コウモリのなかまに分かれていましたが、遺伝子の研究が進み、古い時代に「ヤンゴコウモリのなかま」と「インプテロコウモリのなかま」に大きく分かれたことがわかってきました。

ヒナコウモリ科 ▶P.128
アブラコウモリ

ヤンゴコウモリのなかま

ヘラコウモリ科 ▶P.130
シロヘラコウモリ

クチビルコウモリ科 ▶P.130
パーネルケナシコウモリ

ウオクイコウモリ科 ▶P.130
ウオクイコウモリ

ツメナシコウモリ科 ▶P.131
マルミミツメナシコウモリ

スイツキコウモリ科 ▶P.131
スピッススイツキコウモリ

アシナガコウモリ科 ▶P.131
メキシコオオアシナガコウモリ

オヒキコウモリ科 ▶P.131
オヒキコウモリ

ユビナガコウモリ科 ▶P.131
ユビナガコウモリ

サシオコウモリ科 ▶P.132
クロヒゲツームコウモリ

ミゾコウモリ科 ▶P.132
ドブソンミゾコウモリ

サラモチコウモリ科 ▶P.132
サラモチコウモリ

ツギホコウモリ科 ▶P.132
ツギホコウモリ

インプテロコウモリのなかま

キクガシラコウモリ科 ▶P.133
ニホンキクガシラコウモリ

カグラコウモリ科 ▶P.133
カグラコウモリ

アラコウモリ科 ▶P.133
オーストラリアオオアラコウモリ

オナガコウモリ科 ▶P.133
コオナガコウモリ

ブタバナコウモリ科 ▶P.133
キティブタバナコウモリ

オオコウモリ科 ▶P.134
クビワオオコウモリ

からだを見よう
アブラコウモリ

コウモリの体は、長い腕（前あし）と長い指で大きな飛膜をささえ、羽ばたいて空を飛べるつくりになっています。

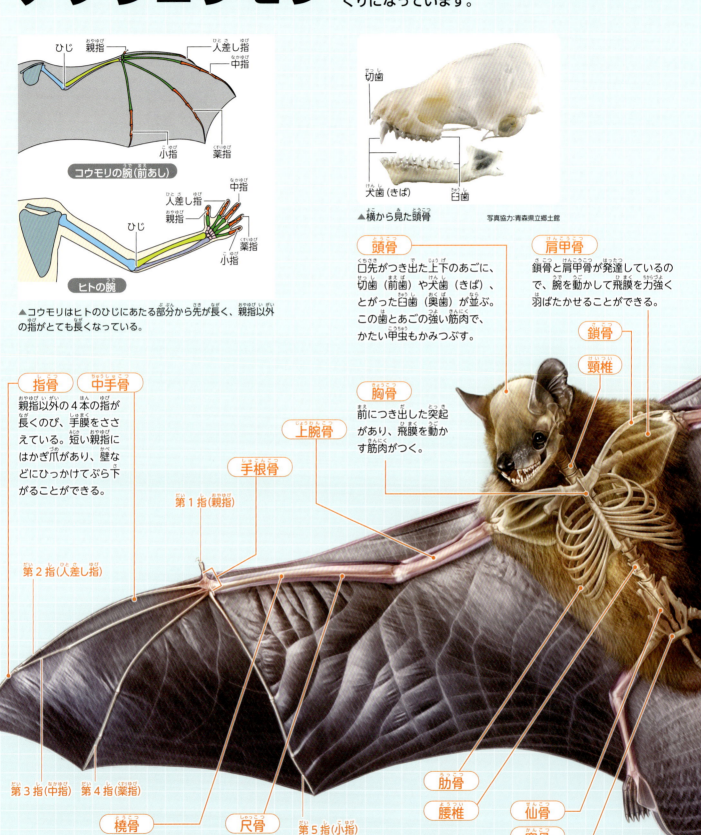

▲ コウモリはヒトのひじにあたる部分から先が長く、親指以外の指がとても長くなっている。

▲ 横から見た頭骨　写真協力：青森県立郷土館

頭骨
口先がつき出た上下のあごに、切歯（前歯）や犬歯（きば）、とがった臼歯（奥歯）が並ぶ。この歯とあごの強い筋肉で、かたい甲虫もかみつぶす。

肩甲骨
鎖骨と肩甲骨が発達しているので、腕を動かして飛膜を力強く羽ばたかせることができる。

胸骨
前につき出した突起があり、飛膜を動かす筋肉がつく。

指骨・中手骨
親指以外の4本の指が長くのび、手膜をささえている。短い親指にはかぎ爪があり、壁などにひっかけてぶら下がることができる。

橈骨
橈骨は上腕骨より長い。尺骨はほぼ退化し、腕の骨を軽くしている。

寛骨
小さく細長い。下半身はとても貧弱で、体は軽くなるが、歩くのは苦手。

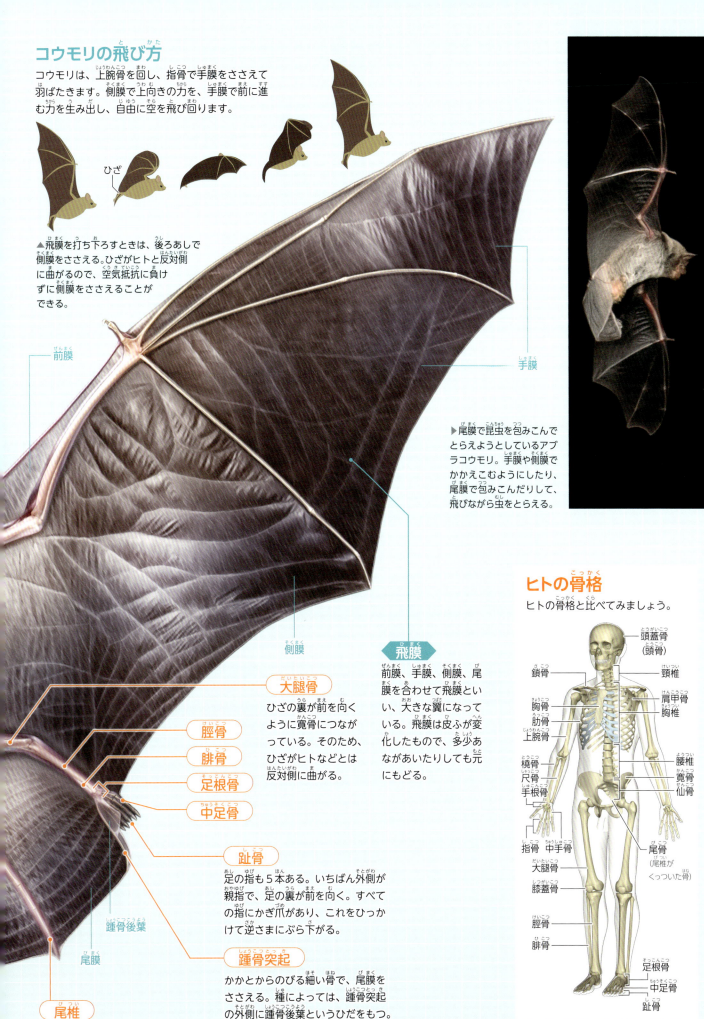

コウモリのなかま ① ヤンゴコウモリのなかま

ヤンゴコウモリのなかまは、エコーロケーションを使って、えものや障害物を見つけます。

▲雪の中で冬眠するコテングコウモリ。

ヒメホオヒゲコウモリ
Myotis ikonnikovi ヒナコウモリ科 在来種
ホオヒゲコウモリのなかまは、ほおに長い毛がはえているので、この名前がつけられました。🌱頭胴長3.9〜5.5cm 尾長3.3〜4.5cm ◆4〜8g ♣ロシア、中国の一部、日本（北海道、本州、四国）■どうくつ、建物など ♥昆虫

コテングコウモリ
Murina ussuriensis ヒナコウモリ科 在来種
巻いた枯葉の中や雪の中なども、ねぐらにすることがあります。🌱頭胴長3.8〜5cm 尾長2.8〜3.4cm ◆4〜9g ♣ロシア極東、東アジア、日本（北海道〜九州）■どうくつ、木のうろなど ♥昆虫、クモ

ドーベントンコウモリ *Myotis petax* ヒナコウモリ科 在来種
流れのゆるやかな水面の川を好み、昆虫をつかまえます。🌱頭胴長4.5〜5.8cm 尾長2.7〜4.2cm ◆6〜10g ♣ロシア、東アジア、日本（北海道）■木のうろなど ♥昆虫

モモジロコウモリ *Myotis macrodactylus* ヒナコウモリ科 在来種
水面をかすめるように飛びながら、足や尾膜で昆虫をつかまえます。🌱頭胴長4〜6.3cm 尾長2.9〜4.9cm ◆5〜11g ♣シベリア東部、朝鮮半島、日本（北海道〜九州）■どうくつ ♥昆虫

カグヤコウモリ
Myotis longicaudatus ヒナコウモリ科 在来種
根曲がり竹の林で発見されたので、かぐや姫にちなんだ名前がつけられました。🌱頭胴長4.6〜5.7cm 尾長3.3〜4.5cm ◆6〜11g ♣ロシア、東アジア、日本（北海道、本州中部北部）■どうくつ、木のうろなど ♥昆虫

もっと知りたい！ コウモリのエコーロケーション

ヤンゴコウモリのなかまと、一部のインプテロコウモリのなかまは、超音波を出してその反響音（エコー）を聞いて暗やみを飛び回り、昆虫をとらえます。これをエコーロケーションといいます（→P.232）。超音波は口から出すものが多く、鼻から出すもの、口と鼻の両方から出すものもいます。

ニホンキクガシラコウモリ、カグラコウモリなどは鼻から出す

←バットディテクター
超音波を人の耳でも聞こえる音に変換して、コウモリを探す機械

テングコウモリ
Murina hilgendorfi ヒナコウモリ科 在来種
鼻がつき出ているので、天狗の名がつきました。🌱頭胴長4.6〜7cm 尾長3.2〜4.7cm ◆8〜20g ♣ロシア南部、カザフスタン東部、東アジア、日本（北海道〜九州）■どうくつ、草や木の葉 ♥昆虫

🌱体の大きさ（頭胴長…鼻先から尾のつけねまで）◆体重 ♣分布 ■生息環境（ねぐら）♥食べ物

長い耳。鼻の上で両耳がつながっている

つやのある茶色

ニホンウサギコウモリ
Plecotus sacrimontis ヒナコウモリ科 日本固有種

大きな耳で、昆虫が出すかすかな音を聞いて、つかまえます。耳は折りたたむことができます。♠頭胴長4.2〜6.3cm 尾長3.7〜5.8cm ◆5〜11g ♣日本全国（沖縄をのぞく）■どうくつ、建物 ♥昆虫

ヤマコウモリ
Nyctalus aviator ヒナコウモリ科 絶滅危惧種 在来種

比較的低い声を出すので、聞こえる人もいます。冬眠の前後には、昼間もえものをとりに飛ぶこともあります。♠頭胴長7.9〜10.8cm 尾長4.5〜6.7cm ◆31〜59g ♣中国東部〜朝鮮半島、日本（西日本では少ない）■木のうろなど ♥おもに昆虫

▲飛ぶヤマコウモリ。

黒褐色

クロオオアブラコウモリ
Hypsugo alaschanicus ヒナコウモリ科 在来種

近年、日本国内でも札幌市周辺で繁殖していることが確認されました。♠頭胴長4.1〜5.9cm 尾長3〜4.3cm ◆6〜11g ♣ロシア南部、東アジア、日本（北海道、青森、対馬）■建物 ♥昆虫

ヒナコウモリ
Vespertilio sinensis ヒナコウモリ科 在来種

季節移動をすると考えられています。数百km離れた場所で見つかることがあります。♠頭胴長5.9〜8cm 尾長3.4〜5cm ◆14〜30g ♣ロシア南部、東アジア、日本 ■建物のすきま、木のうろ、岩の割れ目など ♥昆虫

夏は茶色っぽくなる

灰褐色

アブラコウモリ
Pipistrellus abramus ヒナコウモリ科 在来種

本州や四国、九州で身近に見られます。翼の色が油紙ににているため名づけられた、という説が有力です。♠頭胴長3.7〜6cm 尾長2.9〜4.8cm ◆5〜11g ♣ロシア南部、東アジア、東南アジア、日本（北海道南部から南）■建物 ♥昆虫

▲飛ぶアブラコウモリ。

クビワコウモリ
Eptesicus japonensis ヒナコウモリ科 絶滅危惧種 日本固有種

今までに見つかっている繁殖場所は、長野県の乗鞍高原だけです。♠頭胴長5.4〜6.8cm 尾長3.5〜4.3cm ◆8〜13g ♣日本（本州中部）■建物 ♥昆虫

▲クビワコウモリの顔。首のまわりの色が明るい。

カグヤコウモリ　ヤマコウモリ　ニホンウサギコウモリ　アブラコウモリ

日本にすむ昆虫食のコウモリの多くは、えものの少ない冬は、気温と同じくらいまで体温を下げて冬眠します。

コウモリのなかま② ヤンゴコウモリのなかま

ナミチスイコウモリ
Desmodus rotundus ヘラコウモリ科
地上をはねて家畜などに近づき、するどい歯で傷をつけて、にじみ出る血をなめます。▲頭胴長6.8～9.3cm ◆25～40g ♣中央アメリカ～南アメリカ ■どうくつ、木のうろなど ♥大型哺乳類の血液など

カエルクイコウモリ
Trachops cirrhosus ヘラコウモリ科
おすのカエルがめすをよぶ声を聞いて捕まえます。鳴き声で、食べられるカエルかどうかを区別します。▲頭胴長7.2～9.5cm 尾長1～2cm ◆28～45g ♣中央アメリカ～南アメリカ ■どうくつ、木のうろ ♥昆虫、カエル、爬虫類、コウモリ、小型哺乳類

▲カエルにおそいかかるカエルクイコウモリ。

口のまわりにいぼのような突起がある
鼻の上にとがったへら状のひだがつき出している

シロヘラコウモリ
Ectophylla alba ヘラコウモリ科
バナナなどの葉をかんで、テント状のねぐらをつくります。▲頭胴長3.7～4.7cm ◆5～6g ♣中央アメリカ ■ヘリコニアやバナナなどの葉の中 ♥野生のイチジクのなかま

ピータークチビルコウモリ
Mormoops megalophylla クチビルコウモリ科
英語では「ゆうれいのような顔のコウモリ」という意味の名前です。▲頭胴長5.6～7.3cm 尾長1.8～3.1cm ◆11～22g ♣アメリカ合衆国南部～南アメリカ北部 ■どうくつ ♥昆虫

つぶれたような顔。目は耳たぶでかくれる

ウオクイコウモリ
Noctilio leporinus ウオクイコウモリ科
名前の通り、魚を食べるコウモリです。水面の波紋などを手がかりに、魚のいる場所を探します。▲頭胴長8.2～10cm 尾長2.3～2.8cm ◆50～90g ♣メキシコ南部～南アメリカ北部 ■木のうろ ♥魚、昆虫も食べる

魚をひっかける長い足と爪

▲飛ぶパーネルケナシコウモリ。

パーネルケナシコウモリ
Pteronotus parnellii クチビルコウモリ科
口のまわりに短い剛毛があるので、英語では「ひげのあるコウモリ」という意味の名前です。▲頭胴長5.9cm 尾長1.8～2.2cm ◆10.5～16g ♣キューバ、ジャマイカ ■どうくつ ♥昆虫

口のまわりに短い剛毛

▲体の大きさ（頭胴長…鼻先から尾のつけねまで）◆体重 ♣分布 ■生息環境（ねぐら）♥食べ物

手首とかかとにある吸盤で葉の内側にくっつく

マルミミツメナシコウモリ
Amorphochilus schnablii ツメナシコウモリ科 絶滅危惧種

ツメナシコウモリのなかまは、親指は爪だけが翼の膜から飛び出ているので、親指がないように見えます。♠頭胴長3.9〜4.7cm 尾長2.7〜3.4cm ◆3〜10g ♣ペルー、エクアドル、チリ ■どうくつ ♥ガのなかま

親指がないように見える

スピックススイツキコウモリ
Thyroptera tricolor スイツキコウモリ科

巻いた葉をねぐらとして使います。中では、外にいるなかまの声や物音がよく聞こえます。♠頭胴長4.2〜4.9cm 尾長2.5〜3cm ◆3.4〜5.1g ♣中央アメリカ〜南アメリカ北部 ■ヘリコニアやバナナなど葉の中 ♥昆虫

体長と同じくらいの長い尾

じょうご形の耳

額が広く見える

▶口を開けて超音波を出しながら飛ぶユビナガコウモリ。

ユビナガコウモリ
Miniopterus fuliginosus ユビナガコウモリ科 在来種

ねぐらでは密集して、冬には数万頭になることもあります。♠頭胴長4.9〜7cm 尾長5.1〜6.5cm ◆10〜18g ♣中央アジア、南アジア、東南アジア、ロシアの一部、日本（本州〜屋久島） ■どうくつ ♥昆虫

メキシコオオアシナガコウモリ
Natalus mexicanus アシナガコウモリ科

長い尾と長い両あしの間にある膜が大きいのが特ちょうです。体と同じくらいの大きさがあります。♠頭胴長3.8〜4.3cm 尾長4.7〜5.5cm ◆3.5〜8g ♣メキシコ〜中央アメリカ ■どうくつ ♥不明

丸く大きな耳が顔の前のほうにつき出る

オヒキコウモリ
Tadarida insignis オヒキコウモリ科 絶滅危惧種 在来種

翼が細長く、高速で長距離を飛べます。♠頭胴長8.4〜9.4cm 尾長4.8〜5.6cm ◆27〜45g ♣東アジア、日本（北海道〜九州） ■海岸の断崖の割れ目など ♥昆虫

カエルクイコウモリ　ピータークチビルコウモリ　ユビナガコウモリ　メキシコオオアシナガコウモリ

ナミチスイコウモリのだ液には、血を固まりにくくする酵素が含まれているため、食事中に血が固まってしまうことはありません。

コウモリのなかま③ ヤンゴコウモリのなかま

クロヒゲツームコウモリ
Taphozous melanopogon
サシオコウモリ科

日本では、沖縄島で2021年に初めて1頭発見されました。
♠頭胴長6.7～8.6cm 尾長1.19～2.6cm ♦21～26g ♣南アジア、東アジア ■どうくつ ♥昆虫

のどに黒いひげのようなもよう

ドブソンミゾコウモリ
Nycteris macrotis ミゾコウモリ科

幅の広い大きな翼で、方向転換が得意です。森の中で、えものをつかまえるのに向いています。
♠頭胴長6～7cm 尾長4.5～6.5cm ♦15～18g ♣アフリカ ■どうくつ、木のうろ ♥昆虫

顔よりも長い耳
顔のまん中にたてのみぞ

▲飛ぶドブソンミゾコウモリ。

手首と足首に吸盤状のパッド

サラモチコウモリ
Myzopoda aurita サラモチコウモリ科

タビビトノキなどの巻いた葉に、吸盤状の器官で張りつきます。♠頭胴長約5.7cm 尾長4.4～5cm ♦9～9.5g ♣マダガスカル東海岸 ■タビビトノキなどの葉の中 ♥昆虫、クモ

短くて太いあし

ツギホコウモリ
Mystacina tuberculata ツギホコウモリ科　絶滅危惧種

地上を歩くのが得意なコウモリです。地上で昆虫をとったり、花の蜜をなめたりします。♠頭胴長6～8cm 尾長1.66～1.86cm ♦10～22g ♣ニュージーランド ■木のうろ ♥昆虫、花の蜜、花粉

動物園で見てみよう　コウモリの排泄

おしっこやふんをするとき、オオコウモリ科のなかまは、翼の親指でぶら下がってお尻を下にします。それ以外のコウモリは、体を回して横向きですることが多いようです。

どんな赤ちゃん？　にせのおっぱいをくわえる

ニホンキクガシラコウモリ（→P.133）のめすは、後ろあしでぶら下がったまま出産します。そして、下腹にあるおっぱいにた突起を赤ちゃんにくわえさせ、頭を上にしてしっかりしがみつかせます。この状態で空も飛びます。赤ちゃんはお乳を飲むときには、180度回転しながらお母さんの胸のほうに移動して、おっぱいをくわえます。

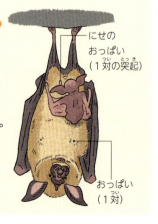
にせのおっぱい（1対の突起）
おっぱい（1対）

♠体の大きさ（頭胴長…鼻先から尾のつけねまで）♦体重 ♣分布 ■生息環境（ねぐら）♥食べ物

インプテロコウモリのなかま

インプテロコウモリのなかまには、エコーロケーションを使うものと使わないものがいます。このページのコウモリはエコーロケーションを使います。

ニホンキクガシラコウモリ
Rhinolophus nippon キクガシラコウモリ科 **在来種**
鼻から声を出します。鼻のまわりのひだは、声の強さや方向を調節する役割をしています。♠頭胴長5.5〜8.2cm 尾長2.8〜4.5cm ♦16〜35g ♣インド北部〜日本各地 ■どうくつ ♥昆虫

▲ニホンキクガシラコウモリは、上手に方向転換しながら飛びます。

菊の花のような形のひだ

四角っぽいひだ

カグラコウモリ
Hipposideros turpis カグラコウモリ科 **日本固有種**
鼻から声を出します。鼻のまわりのひだが独特の形をしています。これも声の強さや方向を調節する役割です。♠頭胴長6.8〜8.9cm 尾長4〜5.2cm ♦20〜34g ♣日本（八重山諸島）■どうくつ ♥昆虫

大きな耳

尾はない　大きな耳

とても長い尾

オーストラリアオオアラコウモリ
Macroderma gigas アラコウモリ科 **絶滅危惧種**
オオコウモリをのぞくと、最大級のコウモリです。肉食で、えものが出す音を聞いて狩りをします。♠頭胴長10〜13cm ♦130〜170g ♣オーストラリア北部 ■どうくつ ♥小型の脊椎動物、大型の無脊椎動物

コアラコウモリ
Megaderma spasma アラコウモリ科
えものをつかまえるときは、目で探すほか、えものが出す音を聞いて狩りをします。♠頭胴長5.4〜8.1cm ♦23〜28g ♣東南アジア、南アジア ■どうくつ ♥昆虫、小型の脊椎動物

コオナガコウモリ
Rhinopoma hardwickii オナガコウモリ科
コウモリのなかまではめずらしく、はばたきと滑空を交互にくり返す「波状飛行」をします。♠頭胴長5.3〜6.5cm 尾長5.4〜7.8cm ♦6.5〜12g ♣イラク、イランの一部、インド、パキスタン ■人工物、どうくつ ♥昆虫

ブタのような鼻

キティブタバナコウモリ
Craseonycteris thonglongyai ブタバナコウモリ科
最小のコウモリです。哺乳類の中でも、チビトガリネズミ（→P.120）と並んで世界最小です。♠頭胴長2.8〜3.4cm ♦2〜3.2g ♣タイとミャンマーの一部 ■どうくつ ♥昆虫

キティブタバナコウモリ
カグラコウモリ
ニホンキクガシラコウモリ

📖 コウモリの多くは1回に1頭の子をうみますが、アブラコウモリやヒナコウモリなどは1回に複数の子をうみます。

コウモリのなかま④　インプテロコウモリのなかま

翼手目／オオコウモリ科

このページのなかまは、一部の種をのぞき、エコーロケーションではなく視覚をたよりに飛行する大型のインプテロコウモリです。

インドオオコウモリ
Pteropus medius
オオコウモリ科

ジャワオオコウモリなどと並んで、世界最大のコウモリのひとつです。🔺頭胴長22〜24.7cm ◆1000〜1200g ♣南アジア、ミャンマー ■森林の高い木 ♥果実

キツネのような顔

ジャワオオコウモリ
Pteropus vampyrus
オオコウモリ科　絶滅危惧種

ねぐらには数万頭が集まることがあります。採食のために一晩で50km近く移動することもあります。🔺頭胴長22.5〜29cm ◆700〜1400g ♣東南アジア ■森林の高い木 ♥果実、花の蜜、花粉、葉

翼を広げると大きなものでは180cmにもなる

オガサワラオオコウモリ
Pteropus pselaphon　オオコウモリ科
絶滅危惧種　日本固有種　天然記念物

冬には集団でねぐらをつくり、複数の個体が密着して、ボール状になって休息します。🔺頭胴長19.3〜25cm ◆363〜616g ♣日本（小笠原諸島）■樹上 ♥果実、花の蜜

黒い毛皮に白い毛が少しまざる

▲ぶら下がっておしっこをするオガサワラオオコウモリ。

クビワオオコウモリ
Pteropus dasymallus　オオコウモリ科　在来種

翼を広げると80cmほどになり、カラスくらいの大きさです。夜は街路樹や庭の木にも来ます。🔺頭胴長17.5〜23cm ◆318〜662g ♣フィリピン北部〜日本（南西諸島）■高い木の樹冠部など ♥果実、花の蜜、葉

首のまわりの色が明るい

▲飛ぶクビワオオコウモリ。

日本のクビワオオコウモリ

日本にいるクビワオオコウモリは、生息する島によって、4亜種に分かれています。

エラブオオコウモリ
オリイオオコウモリ
ダイトウオオコウモリ
ヤエヤマオオコウモリ

エラブオオコウモリ
絶滅危惧種　天然記念物

オリイオオコウモリ

ダイトウオオコウモリ
絶滅危惧種　天然記念物

ヤエヤマオオコウモリ

🔺体の大きさ（頭胴長…鼻先から尾のつけねまで）　◆体重　♣分布　■生息環境（ねぐら）　♥食べ物

首のまわりは黄色〜黄金色

足首まで毛におおわれている

子ども

ハイガシラオオコウモリ
Pteropus poliocephalus

オオコウモリ科 絶滅危惧種

南限のオオコウモリです。寒さには強いですが、近年の熱波の影響で大量死が起きています。♠頭胴長22〜28cm ♦410〜1300g ♣オーストラリア南東部の沿岸 ■森林・都市部の緑地 ♥果実、花の蜜、花粉

▲飛ぶハイガシラオオコウモリ。

マリアナオオコウモリ
Pteropus mariannus

オオコウモリ科 絶滅危惧種

かつては食用として乱獲されてきました。絶滅が心配されています。♠頭胴長19.5〜25cm ♦270〜577g ♣グアム、北マリアナ諸島 ■森林 ♥果実

おす　おすよりずっと体が小さい　めす

ウマのような顔

ウマヅラコウモリ
Hypsignathus monstrosus オオコウモリ科

おすは、川にそって数十頭が並び、のどをふくらませて「ケン、ケン」という大きな声を出してめすに求愛します。♠頭胴長16.0〜29.7cm（おす）16.5〜25.5cm（めす）♦291〜419g（おす）207〜302g（めす）♣アフリカ中西部 ■森林の大木 ♥果実

ルーセットオオコウモリのなかまは眼が大きい

デマレルーセットオオコウモリ
Rousettus leschenaultii オオコウモリ科

暗いどうくつの中を飛び回るために、クリック音でエコーロケーションをします。♠頭胴長8〜12.5cm 尾長1.3〜1.75cm ♦40〜92.5g ♣南アジア、東南アジア、東アジアの一部 ■どうくつ ♥果実、花の蜜、花粉、葉

🔍 もっと知りたい！ オオコウモリのエコーロケーション

ルーセットオオコウモリのなかまは、オオコウモリで唯一、超音波のクリック音（舌打ちのような音）を出して、エコーロケーション（→P.232）を行います。

チッチッ（クリック音）

シタナガフルーツコウモリ
Macroglossus minimus

オオコウモリ科

世界最小のオオコウモリ。花の奥の蜜をなめるために舌が長く、口先もとがっています。♠頭胴長4.9〜7.7cm ♦8〜25g ♣東南アジア、メラネシア、オーストラリア北部 ■木の大きな葉の下、木のうろなど ♥果実、花の蜜

口先がとがっている

▲花の蜜をなめるシタナガフルーツコウモリ。

ジャワオオコウモリ　クビワオオコウモリ　ハイガシラオオコウモリ　シタナガフルーツコウモリ

ウマヅラコウモリのおすの顔は、大きな声を出すために大きくふくれたと考えられています。

鱗甲目 センザンコウのなかま

センザンコウの分布

センザンコウのなかまは、毛が変化したかたいうろこ（鱗）で体がおおわれています。口に歯はなく、長い舌でアリやシロアリを食べます。

尾は体長より短い

前足の指は5本で、特にまん中3本のかぎ爪が発達

オオセンザンコウ
Smutsia gigantea センザンコウ科　絶滅危惧種
いちばん大きくて重いセンザンコウです。♠体長67～81cm 尾長58～68cm ◆20～30kg ♣アフリカ（セネガル、ウガンダ、コンゴ）■森林、サバンナ ♥アリ、シロアリ

サバンナセンザンコウ
Smutsia temminckii
センザンコウ科　絶滅危惧種
地中のあなを休み場にします。♠体長40～55cm 尾長40～52cm ◆7～18kg ♣アフリカ東部～南部 ■草原、森林 ♥アリ、シロアリ

口先はオオセンザンコウより短い

尾の先の下はうろこがなく、木に登るときのすべり止めになる

▲丸まってライオンから身を守るセンザンコウのなかま。

5本の長いかぎ爪

ミミセンザンコウ
Manis pentadactyla
センザンコウ科　絶滅危惧種
夜行性でにおいを頼りにえものを探します。木登りや泳ぎが上手です。♠体長40～58cm 尾長25～38cm ◆7～9kg ♣アジア（インド、ネパール、ミャンマー、中国南部）■草原、森林 ♥アリ、シロアリ

▲体を丸めたミミセンザンコウ

うろこの間から細い毛が出る

もっと知りたい！ センザンコウの収れん

センザンコウは、アリやシロアリの巣を前足でこわし、細長い舌でなめ取って食べます。アリやシロアリを食べるそのほかの哺乳類は、センザンコウとは遠いグループですが、収れん進化の結果、よくにた特ちょうをもっています。

マレーセンザンコウ
単孔目 ハリモグラ（→P.17）
フクロネコ目 フクロアリクイ（→P.20）
管歯目 ツチブタ（→P.38）
有毛目 オオアリクイ（→P.55）

マレーセンザンコウ
Manis javanica
センザンコウ科　絶滅危惧種
おもに地上で活動しますが、木登りも上手で、木の上で休むこともあります。♠体長40～65cm 尾長35～58cm ◆約8kg ♣東南アジア ■熱帯林 ♥アリ、シロアリ

▲体を丸めたマレーセンザンコウ

♠体の大きさ ◆体重 ♣分布 ■生息環境 ♥食べ物

▲尾を巻きつけて、木にぶら下がるマレーセンザンコウ。

キノボリセンザンコウ
Phataginus tricuspis センザンコウ科 絶滅危惧種

日中は木のほらで休み、夜になるとアリ塚をこわしてシロアリを食べます。♠体長25〜43cm 尾長35〜62cm ◆1.8〜2.4kg ♣アフリカ（セネガル、ケニア、アンゴラ）■熱帯林 ♥アリ、シロアリ

長い尾を枝に巻きつけながら木に登る

体長の2倍くらい長い尾。尾の骨の数は哺乳類最多の46〜47個

うろこは肩から尾へ行くほど大きくなる

インドセンザンコウ
Manis crassicaudata センザンコウ科 絶滅危惧種

夜行性で、前足の爪でアリ塚をこわし、ねばねばした舌でシロアリをとらえて食べます。木に登ることもあります。♠体長51〜75cm 尾長33〜47cm ◆10〜16kg ♣南アジア ■森林、草原 ♥アリ、シロアリ

オナガセンザンコウ
Phataginus tetradactyla センザンコウ科 絶滅危惧種

単独ですみ、昼間おもに木の上で活動します。♠体長25〜43cm 尾長35〜62cm ◆2.2〜3.3kg ♣アフリカ中部 ■森林 ♥アリ、シロアリ

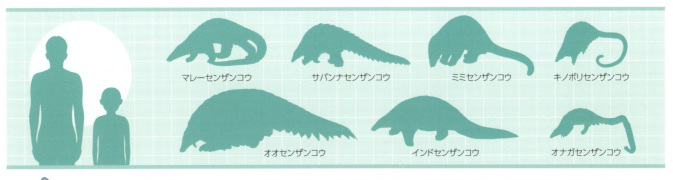

マレーセンザンコウ / サバンナセンザンコウ / ミミセンザンコウ / キノボリセンザンコウ / オオセンザンコウ / インドセンザンコウ / オナガセンザンコウ

✎ ミミセンザンコウなどアジアにすむセンザンコウは、うろことうろこの間に毛がはえています。

食肉目 | ネコ、イヌ、クマ、アザラシなどのなかま

食肉目は、百獣の王ライオンをはじめ、多くはほかの生き物を食べる肉食動物のグループです。しなやかな体や大きな犬歯、するどい爪をもち、えものをとらえます。葉や果実などの植物を食べる雑食の動物も、食肉目に含まれます。

食肉目の種数の割合

食肉目の種数 約310種

哺乳類の総種数 約6700種

＊2024年4月時点
（500年以内に絶滅した種を含む）

▲ライオン（→P.140）の親子。ライオンは1～3頭のおすと、血のつながっためすが集まって群れをつくります。おすも、この群れの中で子育てを手伝います。

食肉目の分類

食肉目は15科に分類されています。「ネコのなかま」と「イヌのなかま」に大きく分けられます。ネコのなかまは、ほぼ肉食ですが、イヌのなかまには雑食のものもいます。

ネコのなかま

ネコ科 ▶P.140
ライオン

ジャコウネコ科 ▶P.150
アフリカジャコウネコ

マダガスカルマングース科 ▶P.151
フォッサ

キノボリジャコウネコ科 ▶P.151
キノボリジャコウネコ

マングース科 ▶P.152
ミーアキャット

ハイエナ科 ▶P.153
ブチハイエナ

イヌのなかま

イヌ科 ▶P.154
オオカミ

クマ科 ▶P.158
ホッキョクグマ

イタチ科 ▶P.164
ニホンイタチ

スカンク科 ▶P.167
シマスカンク

アライグマ科 ▶P.168
アライグマ

レッサーパンダ科 ▶P.169
レッサーパンダ

アシカ科 ▶P.170
カリフォルニアアシカ

セイウチ科 ▶P.171
セイウチ

アザラシ科 ▶P.172
ゴマフアザラシ

骨格を見よう

食肉目のなかまは、上あごと下あごに長い犬歯が2本ずつあります。また、両目が体の正面を向いています。ものが立体的に見えるので、えものとの距離をはかることができます。

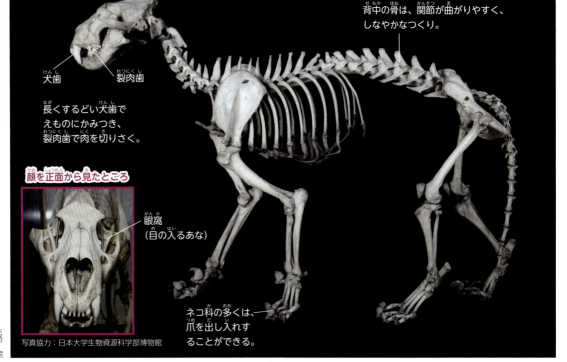

背中の骨は、関節が曲がりやすく、しなやかなつくり。

犬歯　裂肉歯
長くするどい犬歯でえものにかみつき、裂肉歯で肉を切りさく。

顔を正面から見たところ
眼窩（目の入るあな）

ネコ科の多くは、爪を出し入れすることができる。

▶ライオンの全身骨格
写真協力：国立科学博物館
写真協力：日本大学生物資源科学部博物館

食肉目／ネコ科

ネコのなかま ①

ネコのなかまは肉食で、おもに単独で行動します。丸顔で鼻先は短く、大きな口と目、するどい歯と出し入れできる爪をもっています。

おすにはたてがみがある

おす

尾の先は黒い

ライオンの分布

とびだす！AR ライオン

ライオン
Panthera leo

ネコ科　絶滅危惧種

ほかのネコ科の動物とちがって、群れをつくります。めすどうしが協力して、狩りをします。🔺体長158〜250cm　尾長61〜100cm　◆122〜225kg　♣アフリカ（サハラ砂漠以南）、インド　■砂漠、半砂漠、疎林、低木林、やぶなど　♥哺乳類（大型〜小型）、鳥、魚など

めすにはたてがみがない

めす

▲亜種のインドライオン。アフリカにすむライオンより小さく、たてがみが短いのが特ちょうです。インド北西部のギル国立公園だけにすんでいます。（写真提供：よこはま動物園ズーラシア）

どんな赤ちゃん？　はん点もようの赤ちゃん

ライオンのめすは、群れからはなれて1〜5頭の赤ちゃんをうみます。赤ちゃんは体じゅうに、はん点もようがあります。赤ちゃんはお母さんのお乳で育ち、目が開いて体がある ていど大きくなったら、親子で群れにもどります。群れに入ってからは、赤ちゃんは自分のお母さん以外のめすからも、お乳を飲ませてもらいます。

▲ライオンは、するどい犬歯でえものにかみつき、裂肉歯で肉を引きさきます（→P.139）。かむ力は平均300kg、最大600kgと考えられています。

🔺体の大きさ　◆体重　♣分布　■生息環境　♥食べ物

▲ライオンの群れによる狩りのようす。えもののお尻を1頭がおさえて動きを止め、別のなかまが首にかみついて息の根を止めます。若いライオンたちは、後ろでおとなの狩りを見て学習します。

◀おすは成長して、たたかいの準備をととのえると、群れのリーダーに対決を挑みます。群れをめぐるたたかいはとても激しく、命を落とすこともあります。

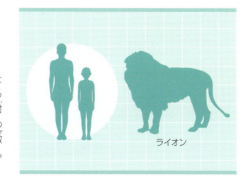

ライオン

おすのたてがみの成長

ライオンのおすのたてがみは、1歳ごろからはえ始めます。首、あご、顔、頭と上がっていって、2歳くらいで短いたてがみが、ほぼはえそろいます。

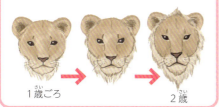

1歳ごろ → → 2歳

ライオンの群れ「プライド」

ライオンは1～3頭のおすと、血がつながった10数頭のめすとその子どもで、「プライド」とよばれる群れをつくってくらします。狩りと子育ては、基本的にめすが協力して行います。おすはえものを最初に食べるかわりに、天敵やほかのおすから群れを守ります。また、子どものおすは、4歳までに群れを出ます。

1頭は群れのリーダー。ほかのおすは兄弟であることが多い

めすは同じ群れで一生くらす

ライオンのおすのたてがみには首を守り、体を大きく見せる働きがあります。色が濃くて大きいほど、めすにもてると考えられています。

ネコのなかま ②

食肉目／ネコ科

トラの分布

ベンガルトラ　アムールトラ　スマトラトラ

黄色い体に、黒いしまもよう

ジャンプ力にすぐれた長い後ろあし

トラ *Panthera tigris* ネコ科 〈絶滅危惧種〉

単独で狩りをします。ガウル（→P.210）など、自分よりはるかに大きいえものをしとめることもあります。♠体長146〜290cm 尾長72〜109cm ◆75〜325kg ♣ロシア沿海州〜朝鮮半島北部、中国南東部（野生絶滅）、中国南部〜東南アジア、スマトラ島、インド ■森林、河川や湖の周辺、やぶ、ヨシ原 ♥哺乳類（シカ、イノシシなど）、鳥、爬虫類、魚など

トラの亜種

トラは、すむ地域によっていくつかの亜種に分けられます。寒い北の地域にすむものほど、体が大きくなり、体温が下がりにくくなっています。（→P.236）

アムールトラ（写真提供：アドベンチャーワールド）

ベンガルトラ（写真提供：鹿児島市平川動物公園）

スマトラトラ（写真提供：よこはま動物園ズーラシア）

▲えものをねらうトラ。黄色と黒のしまもようは、しげみなどの中で体を目立ちにくくします。

▲トラをはじめ、ネコ科のなかまには、耳の裏に「虎耳状斑」という白いもようがあるものがいます。（→P.144）

どんな赤ちゃん？ お母さんがくわえて運ぶ

トラのめすは、巣あなをつくって出産します。赤ちゃんは体重1kgくらいで、目は開いていません。お母さんが狩りに出かけると、赤ちゃんは巣あなで待っていて、帰ってきたらお乳をもらいます。巣を移動するときなどは、お母さんがくわえて運びます。8週間くらいたつと、赤ちゃんもお母さんについて歩くようになります。

赤ちゃんの首をやさしくくわえる

▲ベンガルトラのなかには、ごくまれに体の色が白く、しまの色がうすいものが生まれ、ホワイトタイガーとよばれます。（写真提供：アドベンチャーワールド）

♠体の大きさ ◆体重 ♣分布 ■生息環境 ♥食べ物

▲サンバー（→P.198）をおそうベンガルトラ。トラは、できるだけえものの近くまでしのびより、いきおいよく飛び出して、するどい犬歯と爪でしとめます。

▲水あびするスマトラトラ。ネコのなかまの多くは水が苦手ですが、トラは泳ぎが上手で、水中のえものをつかまえたりします。暑い地方のトラは、水に入って体を冷やします。

▲トラは木などにおしっこをかけて、なわばりをしめしたり、異性にアピールしたりします。

もっと知りたい！ トラとチーターの爪

トラの爪は、ふだんはしまってあり、木登りや狩りなど、必要なときに出します。これは、大事な爪を守るためのしくみです。いっぽう、チーター（→P.145）の爪は、つねに出ています。このためすばやく走り出せますが、爪先がすり減って丸くなります。えものをひっかけるのに役立つのは、「狼爪」とよばれる親指のなごりで、多くの動物にあります。

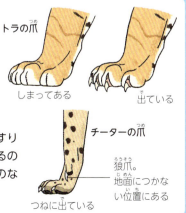

トラの爪
しまってある／出ている

チーターの爪
狼爪。地面につかない位置にある
つねに出ている

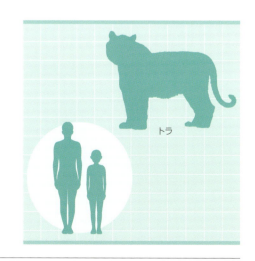

トラ

トラは、えものを探して1晩に10〜20kmも歩き回ります。しかし、狩りの成功率は低く、10〜20回に1度くらいしか成功しません。

ネコのなかま③

食肉目／ネコ科

黄褐色に黒い梅の花のようなもよう

▲ヒョウは、木の上からえものをねらいます。体のもようは、木の葉の中で目立ちにくくする働きがあります。

ヒョウ Panthera pardus ネコ科 絶滅危惧種
体がしなやかで、ジャンプや木登りが得意です。一部の地域では、突然変異により体色がまっ黒なクロヒョウがいます。♠体長92〜190cm 尾長64〜99cm ◆21〜71kg ♣アフリカ、アジア南部・東部、ジャワ島 ■森林、サバンナ、岩場など ♥哺乳類（レイヨウ、シカ、サルなど）、鳥など

▲クロヒョウの黒い毛には、ふつうのヒョウと同じはん点もようがあります。（写真提供：鹿児島市平川動物公園）

雲形のもようがあるので、ウンピョウ（雲豹）とよばれる

ウンピョウ Neofelis nebulosa ネコ科 絶滅危惧種
犬歯がとても大きいのが特ちょうです。台湾では絶滅したと考えられています。♠体長68〜107cm 尾長61〜84cm ◆11〜23kg ♣インド北東部、中国南部、東南アジア ■熱帯常緑林などの森林 ♥哺乳類、鳥、爬虫類など

体全体にふさふさした毛　太い尾

ジャガー Panthera onca ネコ科
えものをとるために、木の上から飛び降りておそいかかったり、水の中で待ちぶせしたりします。♠体長116〜170cm 尾長44〜80cm ◆37〜121kg ♣北アメリカ南部、中央・南アメリカ ■さまざまなタイプの森林 ♥哺乳類（ネズミ、オジロジカ、ペッカリーなど）、爬虫類、魚など

ヒョウににているが、もようが大きく、中に黒い点がある

足の裏も毛でおおわれ、雪の上でも寒さを防ぎ歩きやすい

ユキヒョウ Panthera uncia ネコ科 絶滅危惧種
夏は標高2700〜6000mの花畑や岩場にすみますが、冬は標高1800m以下の森林に移動します。♠体長86〜125cm 尾長80〜105cm ◆21〜55kg ♣中央アジア（アルタイ山脈、天山山脈、ヒマラヤ山脈、ヒンドゥークシュ山脈、パミール高原） ■人里から離れた険しい山地の岩場、高山草原、森林 ♥哺乳類、鳥

もっと知りたい！　木を利用するヒョウ

ヒョウは、しとめたえものをくわえて木の上に引き上げます。こうしてほかの動物に横取りされないようにして、ゆっくりと木の上で食べます。

動物園で見てみよう　耳の裏のもよう

ネコ科の動物には、耳の裏側に「虎耳状斑」とよばれる、白や黒のもようのあるものがいます。子どもがお母さんの後をついていくときや、なかまどうしの目じるしになると考えられています。

ライオン（→P.140）	 トラ（→P.142）	ヒョウ（→P.144）
ジャガー（→P.144）	チーター（→P.145）	サーバル（→P.145）
オセロット（→P.147）	ツシマヤマネコ（→P.148）	オオヤマネコ（→P.149）

♠体の大きさ　◆体重　♣分布　■生息環境　♥食べ物

▲インパラ（→P.216）を追うチーター。チーターはスパイクのような爪で地面をけり、尾でバランスをとりながら高速で走ります。全速力で長くは走れないので、えものにゆっくり近づいてから、一気に加速して追いかけます。

チーター
Acinonyx jubatus ネコ科 絶滅危惧種

小さい頭／スマートな体／長いあし／ほかのネコ科のなかまとちがって、おとなは爪をひっこめられない

時速110kmで走ることができる、陸上でいちばん速い動物です。🌱体長110〜145cm 尾長63〜76cm ◆36〜65kg ♣アフリカ（サハラ以南、北西部、東部）、イラン北部 ■半砂漠からまばらな森林や、開けた背丈のあまり高くない草原 ♥哺乳類（ガゼルやインパラ、ウサギなど）、鳥

▲キングチーター。チーターからまれに突然変異で生まれ、もようがはん点ではなく、つながっています。（写真提供：アドベンチャーワールド）

ピューマ（クーガー、アメリカライオン）
Puma concolor ネコ科

前あしは後ろあしより短い

分布が広く、すむ地域によって、体の大きさがちがいます。🌱体長86〜155cm 尾長60〜97cm ◆36〜100kg ♣北アメリカ中部・西部〜中央・南アメリカ ■森林など ♥おもに哺乳類

ジャガランディ
Herpailurus yagouaroundi ネコ科

もようはない

茶色と灰色の2種類の毛色があります。同じ親からちがう色の子どもが生まれることがあります。🌱体長49〜83cm 尾長27〜59cm ◆3〜7.6kg ♣北アメリカ南部〜南アメリカ（アルゼンチン北部）■森林、サバンナなど ♥哺乳類、鳥など

サーバル
Leptailurus serval ネコ科

丸くて大きな耳

3m以上の高さまでジャンプして、飛んでいる鳥をとらえることができます。🌱体長59〜92cm 尾長20〜38cm ◆7〜13.5kg ♣アフリカ（モロッコ、サハラ砂漠以南）■草原、サバンナ ♥哺乳類、鳥、爬虫類

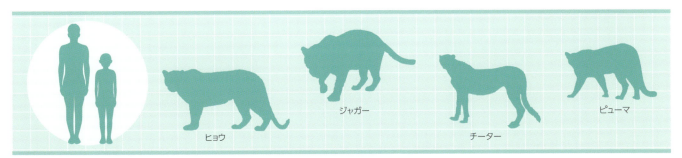

ヒョウ　ジャガー　チーター　ピューマ

📖 チーターの赤ちゃんは、生後3か月ごろまでたてがみがあり、爪をひっこめることもできます。

ネコのなかま ④

▲スナネコの親子。

ジャングルキャット *Felis chaus* ネコ科
夜行性ですが、早朝や夕方にも活動します。おもに地上で狩りをします。
🌱体長61〜85cm 尾長20〜31cm ◆3〜12kg ♣アフリカ（エジプト）〜アジア南東部、スリランカ ■草むらやぶ、川辺のアシのしげみ ♥哺乳類、鳥など

スナネコ *Felis margarita* ネコ科
夜に活動します。日中は暑さをさけて、あなにかくれています。🌱体長39〜52cm 尾長23〜31cm ◆1.3〜3.4kg ♣アフリカ北部（アルジェリア、エジプト）、西アジア（アラビア半島、イスラエル、イランなど）、中央アジア（カザフスタン、ウズベキスタンなど）、パキスタン ■砂漠 ♥小型哺乳類、鳥、爬虫類、昆虫

クロアシネコ *Felis nigripes* ネコ科 <絶滅危惧種>
ひっそりと単独でくらしています。なわばりをもち、夜に活動します。聴覚がとてもすぐれています。🌱体長36〜52cm 尾長12〜20cm ◆1〜2.4kg ♣アフリカ南部 ■乾燥した草原やサバンナ ♥小型哺乳類、鳥、爬虫類、両生類、昆虫など

マヌルネコ *Otocolobus manul* ネコ科
走るのはあまり速くありません。音を立てずにゆっくり忍びよったり、待ちぶせたりして、狩りをします。🌱体長46〜65cm 尾長21〜31cm ◆2.5〜4.5kg ♣中央アジア、ネパール ■岩場の多い草原、乾燥した草原、半砂漠 ♥哺乳類など

▲岩山を登るマヌルネコ。岩の割れ目などを巣にしています。

ヨーロッパヤマネコ *Felis silvestris* ネコ科
早朝や夕方によく活動します。亜種のリビアヤマネコは、イエネコの祖先と考えられています。🌱体長40〜74cm 尾長22〜37cm ◆2〜7kg ♣ユーラシア中部・西部〜アフリカ ■森林、草原、岩場、半砂漠 ♥哺乳類、鳥、爬虫類など

▲ウサギをつかまえたヨーロッパヤマネコ。

🌱体の大きさ ◆体重 ♣分布 ■生息環境 ♥食べ物

長い耳。先にかざり毛がはえている

体は金色がかった茶色

アジアゴールデンキャット　*Catopuma temminckii*　ネコ科
おもに地上でマメジカ（→P.196）やキジ類、トカゲなどをとらえます。♠体長66～105cm 尾長43～57cm ◆8～15kg ♣中国南部、東南アジア、スマトラ島 ■森林（熱帯雨林、亜熱帯の常緑広葉樹林、乾燥した落葉広葉樹林）♥哺乳類、鳥、爬虫類など

カラカル　*Caracal caracal*　ネコ科
夜に活動します。走るのが速く、ジャンプも得意で、小動物や鳥などをとらえます。♠体長61～106cm 尾長18～34cm ◆6～22kg ♣アジア西部（インド西部～アラビア半島、トルコ）、アフリカ ■乾燥した森林、サバンナ、草原 ♥哺乳類、鳥など

体色は赤茶色や灰色などさまざま

アフリカゴールデンキャット　*Caracal aurata*　ネコ科
【絶滅危惧種】
夜行性です。木登りが上手で、多くの時間を木の上ですごしています。♠体長61～102cm 尾長16～46cm ◆5.3～16kg ♣アフリカ中西部 ■森林 ♥小型哺乳類など

短くてなめらかな体毛　派手なまだらもよう

オセロット　*Leopardus pardalis*　ネコ科
日中はしげみや木のうろ、岩の割れ目などで休んでいます。木登りと泳ぎが得意です。♠体長73～100cm 尾長25～41cm ◆6.6～15.5kg ♣北アメリカ南部～南アメリカ（アルゼンチン北部）■森林（熱帯雨林、マングローブ林、広葉樹林など）♥哺乳類、鳥、爬虫類など

足首の関節を180度回転させることができる

マーゲイ　*Leopardus wiedii*　ネコ科
オセロットににていますが、オセロットより小型です。すばやく木に登ったり、ジャンプしたりします。♠体長43～79cm 尾長30～52cm ◆2.3～4.9kg ♣北アメリカ南部～南アメリカ（アルゼンチン北部）■森林 ♥哺乳類、鳥など

スナネコ　マヌルネコ　カラカル　オセロット

カラカルは、高さ3mもジャンプして、飛び立つ鳥をとらえることができます。

ネコのなかま ⑤

ベンガルヤマネコ
Prionailurus bengalensis

ネコ科 【在来種】

夜行性で、木登りや泳ぎが上手です。♠体長35〜60cm 尾長15〜40cm ◆3〜5kg ♣インド、ヒマラヤ、極東ロシア、中国東部、朝鮮半島、東南アジア、海南島、台湾、日本（対馬、西表島）■海岸から3000m級の高地までの森林、低木林、農耕地 ♥哺乳類、鳥、爬虫類、両生類など

（北にすむものほど体が大きい）

【絶滅危惧種】【特別天然記念物】
（黒っぽい体）（耳の先は丸い）

写真提供：環境省西表野生生物保護センター

▲ベンガルヤマネコの亜種イリオモテヤマネコ。沖縄県の西表島にだけすみ、1965年に発見されました。西表島にはえものになる小型哺乳類が少ないため、さまざまな生き物をつかまえて食べます。ほかのベンガルヤマネコとは生態などが異なることから、独立種とされることもあります。

写真提供：環境省対馬野生生物保護センター

【絶滅危惧種】【天然記念物】

▲ベンガルヤマネコの亜種ツシマヤマネコ。長崎県の対馬にだけすんでいます。

（頭にさび色の4本のもよう）

サビイロネコ
Prionailurus rubiginosus ネコ科

くわしい生態はわかっていません。おもに夜行性です。♠体長35〜48cm 尾長15〜30cm ◆1.1〜1.6kg ♣南アジア（ネパール、インド、スリランカ）■落葉広葉樹林、低木林、草原 ♥鳥、小型哺乳類、昆虫など

▲平らな頭に小さな耳がついています。

（大きくするどい歯）
（足の一部に水かき）

マライヤマネコ *Prionailurus planiceps* ネコ科 【絶滅危惧種】

夜行性です。水辺が好きで、魚をとるのが上手です。♠体長44〜52cm 尾長13〜17cm ◆1.5〜2.5kg ♣東南アジア（マレー半島、スマトラ島、ボルネオ島）■森林、農園 ♥魚、哺乳類、カエル、カニなど

（足に小さな水かきがある）

スナドリネコ *Prionailurus viverrinus* ネコ科 【絶滅危惧種】

泳ぎが上手です。「すなどり（魚やエビをとること）」の名の通り、前足で魚をすくい上げてとらえます。♠体長57〜115cm 尾長24〜40cm ◆5〜16kg ♣南アジア（インド、スリランカ）〜東南アジア ■水辺の森林、沿岸湿地など ♥魚、哺乳類、鳥、昆虫など

◀魚をとらえたスナドリネコ。水中から水鳥をおそうこともあります。

♠体の大きさ ◆体重 ♣分布 ■生息環境 ♥食べ物

マーブルキャット
Pardofelis marmorata ネコ科

くわしい生態はわかっていません。森林にすみ、木の上で活動することが多いようです。🔺体長45〜62cm 尾長36〜55cm ◆2〜5kg ♣ヒマラヤ〜東南アジア（スマトラ島、ボルネオ島）■熱帯林 ♥リス、ネズミ、鳥、トカゲ、カエルなど

もようがウンピョウ（→P.144）ににているが、体は小さい

短い尾

かざり毛のある耳

オオヤマネコ *Lynx lynx* ネコ科

大型のヤマネコです。ノロ（→P.199）やシャモア（→P.215）などをとらえます。🔺体長76〜148cm 尾長11〜25cm ◆12〜29kg ♣西ヨーロッパ〜アジア（シベリア、インド北部、中国、朝鮮半島）■森林（針葉樹林、落葉広葉樹林）♥哺乳類（おもに偶蹄目のなかま）、鳥

スペインオオヤマネコ *Lynx pardinus* ネコ科 〔絶滅危惧種〕

かつては絶滅の危機にありましたが、保護活動によって数が増えつつあります。🔺体長85〜110cm 尾長12〜13cm ◆9〜13kg ♣ヨーロッパ（スペイン、ポルトガル）■森林、低木地、開けた牧草地 ♥哺乳類（おもにアナウサギ）、鳥など

深い毛におおわれた長いあし

短い尾

ボブキャット
Lynx rufus ネコ科

カナダオオヤマネコがいて、雪が多いところには、あまりすんでいません。🔺体長65〜105cm 尾長9〜20cm ◆4〜18kg ♣北アメリカ（カナダ〜メキシコ）■森林、草原、半砂漠 ♥哺乳類

カナダオオヤマネコ *Lynx canadensis* ネコ科

おもに地上で狩りをします。深い毛におおわれた長いあしで、雪の中も動き回ることができます。🔺体長76〜107cm 尾長5〜13cm ◆5〜17kg ♣北アメリカ（アラスカ、カナダ、アメリカ合衆国北部）■森林 ♥哺乳類（おもにカンジキウサギ）、鳥など

イリオモテヤマネコ　サビイロネコ　ボブキャット　オオヤマネコ

📖 西表島では、イリオモテヤマネコは「ヤマピカリャー」（山で光るものの意味）、「ヤママヤー」（ヤマネコの意味）などとよばれてきました。

ジャコウネコ・マングースのなかま ①

このなかまの多くは、原始的な食肉目の姿を残し、細長い体に短いあしが特ちょうです。
ジャコウネコはおもに木の上で、マングースは地上でくらします。

体にそってはん点が並ぶ

アフリカジャコウネコ
Civettictis civetta ジャコウネコ科
食肉目ではめずらしく、めすがおすよりもやや大きい体です。♠体長67〜84cm 尾長34〜47cm ◆7〜20kg ♣アフリカ（サハラより北、ソマリア、南アフリカ・ボツワナの一部をのぞく）■森林、河川の周辺、農園、人家の近く ♥小型哺乳類、鳥、昆虫、果実など

コジャコウネコ
Viverricula indica ジャコウネコ科
木にも登りますが、ほとんど地上でくらしています。♠体長48〜68cm 尾長30〜43cm ◆2〜4kg ♣南アジア、東南アジア、中国南部、台湾 ■森林、低木林、草原、河川の周辺、農園、人家の近く ♥小型哺乳類、鳥、昆虫、果実など

尾に6〜9個の黒い輪がある

逆立った背すじの毛

体にそってはん点が並ぶ

ヨーロッパジェネット *Genetta genetta* ジャコウネコ科
単独で生活します。おもに夜に活動して、地上でえものをつかまえます。♠体長43〜55cm 尾長33〜52cm ◆1.4〜2.6kg ♣ヨーロッパ西部、アラビア半島、パレスチナ、アフリカ ■森林、草原、岩場など ♥ネズミなどの小型哺乳類、小鳥、昆虫、果実など

▲ウサギをとらえたヨーロッパジェネット。えものをねらうときは、体を低くして、尾を後ろにまっすぐのばしながら近づきます。

キノガーレ
Cynogale bennettii
ジャコウネコ科　絶滅危惧種
くわしい生態はわかっていません。木登りもしますが、足の指に水かきがあって泳ぎが上手です。♠体長58〜68cm 尾長12〜20cm ◆3〜5kg ♣東南アジア（マレー半島、スマトラ島、ボルネオ島）■低地の渓流や湿地の近くの森林 ♥魚、カエル、カニなど

足の指に水かきがある

オビリンサン *Prionodon linsang* ジャコウネコ科
ネコ科の動物のように、爪を完全にひっこめることができます。「オビリンサン科」として分類されることも多い動物です。♠体長38〜45cm 尾長33〜38cm ◆590〜800g ♣東南アジア（タイ南部〜マレー半島、スマトラ島、ボルネオ島、ジャワ島など）■森林 ♥哺乳類、鳥、爬虫類、両生類など

♠体の大きさ ◆体重 ♣分布 ■生息環境 ♥食べ物

パームシベット
Paradoxurus hermaphroditus

ジャコウネコ科

夜に単独で行動します。地面や木の枝に、ためふんをします。🌱体長42〜71cm 尾長33〜66cm ♦2〜5kg ♣南アジア（インド、スリランカ、ネパールなど）〜中国南部、東南アジア ■森林、農園、人家周辺 ♥小型哺乳類、鳥、昆虫、果実など

濃淡のもようのある顔

黒い体

ビントロング　*Arctictis binturong*

ジャコウネコ科　絶滅危惧種

おもに木の上で活動します。🌱体長61〜97cm 尾長50〜84cm ♦9〜20kg ♣南アジア北東部（ネパール、インド北東部）、中国南部、東南アジア、パラワン島、スマトラ島、ジャワ島、ボルネオ島などの島しょ ■森林 ♥小型哺乳類、鳥、昆虫、果実など

ハクビシン
Paguma larvata

ジャコウネコ科　外来種

夜行性です。夜に畑や果樹園などへ食べ物を探しに出てきます。🌱体長51〜87cm 尾長42〜64cm ♦3〜5kg ♣南アジア（ヒマラヤ）〜中国、台湾、東南アジア、日本（導入） ■森林、農村や都市の周辺 ♥小型哺乳類、鳥、昆虫、果実など

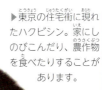

鼻に白い筋がある

▶東京の住宅街に現れたハクビシン。家にしのびこんだり、農作物を食べたりすることがあります。

体長より長い尾

キノボリジャコウネコ
Nandinia binotata

キノボリジャコウネコ科

木の上でくらし、ふつう単独で活動します。🌱体長37〜63cm 尾長34〜76cm ♦1.2〜3kg ♣アフリカ中部 ■熱帯林 ♥小型哺乳類、鳥、昆虫、果実など

ワオマングース
Galidia elegans　マダガスカルマングース科

木登りが上手です。🌱体長30〜38cm 尾長23〜30cm ♦650〜1000g ♣アフリカ（マダガスカル） ■森林（おもに熱帯雨林） ♥小動物、鳥、卵、魚、果物など

名前の通り、尾に輪のようなもようがある

フォッサ
Cryptoprocta ferox　マダガスカルマングース科　絶滅危惧種

マダガスカルに生息する、いちばん大きな肉食動物です。体つきからネコ科に分類されたこともあります。🌱体長70〜80cm 尾長65〜70cm ♦5.5〜8.6kg ♣アフリカ（マダガスカル） ■森林 ♥小動物、鳥、卵など

ネコ科の動物ににた、丸い耳と短い鼻先

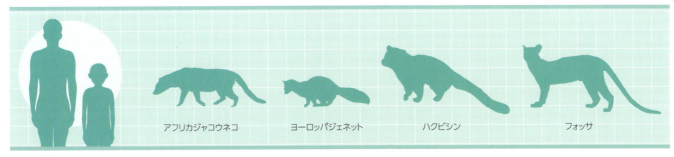

アフリカジャコウネコ　ヨーロッパジェネット　ハクビシン　フォッサ

📖 ビントロングは、ジャコウネコのなかまで唯一、尾をものに巻きつけてつかむことができます。

ジャコウネコ・マングースのなかま ②

食肉目／マングース科・ハイエナ科

コビトマングース
Helogale parvula マングース科

乾燥地帯で、群れでくらしています。日中に活動します。♠体長16～23cm 尾長14～19cm ◆210～340g ♣アフリカ東部～中南部 ■サバンナ、乾燥したしげみ、森林 ♥昆虫（甲虫の幼虫、シロアリなど）、小型哺乳類、トカゲ、鳥など

茶色に赤や黒の毛がまだらにまじる

エジプトマングース
Herpestes ichneumon マングース科

おもに日中行動します。夜は自分で掘ったあなや岩の割れ目、木のほらなどで休みます。♠体長50～61cm 尾長44～61cm ◆2.2～4.1kg ♣アフリカ、西アジア、南ヨーロッパ ■開けた水辺 ♥ネズミ、鳥の卵、昆虫、果実など

尾の先は黒いふさ状

黒～褐色に黄白色の毛がまじる

▶シママングース
Mungos mungo マングース科

家族やなかまと、6～30頭の群れをつくってくらします。群れは50頭にもなることがあります。♠体長30～40cm 尾長18～31cm ◆900～1900g ♣アフリカ（サハラより南。コンゴと南西アフリカをのぞく） ■サバンナ、森林 ♥昆虫、ネズミ、鳥の卵、果実など

背中にしまもよう

フイリマングース
Urva auropunctata マングース科 外来種

日本では、毒ヘビのハブを退治する目的で沖縄島と奄美大島に導入されたものが、野生化しています。♠体長25～37cm 尾長19～29cm ◆300～660g ♣西アジア（イラク、イランなど）～東南アジア、中国南部、日本（導入） ■森林、やぶ、開けた場所 ♥昆虫、鳥、爬虫類など

▲シママングースの群れ。

首に白いすじ
足に小さな水かき

カニクイマングース
Urva urva マングース科

昼間、地上で活動します。単独で生活しています。♠体長44～56cm 尾長27～34cm ◆3～4kg ♣南アジア北東部～東南アジア、中国南部、台湾 ■森林、やぶ、農園 ♥昆虫、カニ、ネズミ、爬虫類、両生類など

大きな目

ミーアキャット
Suricata suricatta マングース科

おもに昼間活動します。朝は、まっすぐに立ち上がって、日光浴をします。♠体長25～31cm 尾長19～24cm ◆620～970g ♣アフリカ南部 ■乾燥したサバンナ、開けた草原、林 ♥昆虫、クモ、サソリ、ムカデ、爬虫類など

ミーアキャット
フイリマングース

もっと知りたい！ ミーアキャットの巣と子育て

ミーアキャットは、血のつながった数頭のめすと子どもたち、数頭のおすで群れになり、地下の巣あなでくらします。群れのリーダーはめすです。出産をするのはリーダーだけですが、赤ちゃんが生まれると、ほかのめすもお乳が出るようになり、交代でお乳を飲ませます。おすも遊び相手をしたり、食べ物を運んだりします。狩りの方法なども、おとなが全員で教育します。

見はり
世話役
ベビーシッター
産室
リーダー（母）

サソリの狩り方のレッスン

①死んだサソリをあたえる
②毒ばりをかみ切った、生きたサソリをあたえる
③生きたサソリをそのままあたえる

♠体の大きさ ◆体重 ♣分布 ■生息環境 ♥食べ物

ハイエナのなかま

ハイエナのなかまは、昆虫を食べるアードウルフ以外は、強力なあごの力で、えものの骨もくだきます。

ハイエナの分布

大きな耳
こげ茶〜黒のはん紋

▲死肉を食べるブチハイエナ。

ブチハイエナ *Crocuta crocuta* ハイエナ科
死肉をあさると考えられていましたが、自分でえものをとらえることが多いようです。🌲体長125〜160cm 尾長22〜27cm ◆45〜86kg ♣アフリカのサハラより南の地域（赤道付近の熱帯雨林をのぞく）■サバンナ、半砂漠、沼地、森林など ♥哺乳類、鳥、卵など

大きな耳
たてがみが長い

カッショクハイエナ
Hyaena brunnea
ハイエナ科
動物の死がいを多く食べます。水の少ない乾季にはメロンなどを食べて、水分補給をします。🌲体長110〜136cm 尾長18〜27cm ◆28〜48kg ♣アフリカ南部 ■砂漠、サバンナ、開けたやぶ ♥哺乳類、鳥、卵、昆虫、果実など

後ろあしが短い

大きな耳

シマハイエナ
Hyaena hyaena
ハイエナ科
死肉をあさって歩き回ります。じょうぶなあごと歯で、ほかの動物が食べ残したかたい骨もかみくだきます。🌲体長100〜115cm 尾長30〜40cm ◆26〜41kg ♣アフリカ（東部・西部・北部）、アジア（中東〜インド）■サバンナ、開けた森林など ♥哺乳類、鳥、卵、昆虫、果実など

胴体とあしに、しまもよう
後ろあしが短い

大きな耳
危険を感じたりするとたてがみを逆立てる

後ろあしが短い

アードウルフ *Proteles cristata* ハイエナ科
おもに夜に行動します。あごの力が弱く、歯も小さいハイエナです。🌲体長55〜80cm 尾長20〜30cm ◆8〜14kg ♣アフリカ北東部（タンザニア〜スーダン）と南部（アンゴラ、ナミビア、ザンビア、南アフリカ）■草原、やぶ、サバンナ ♥シロアリ、アリ、甲虫

どんな赤ちゃん？ まっ黒な体で、すぐ歩き出す

ブチハイエナのめすは、「クラン」とよばれる群れをつくり、なかまのめすとともに巣あなで子育てをします。生まれたての赤ちゃんは黒い体です。目が開き歯もはえていて、すぐに歩き出します。お母さんに巣あなの外に連れ出され、栄養のある濃いお乳を、時間をかけて飲みます。

母親は自分の子どもだけ育てる

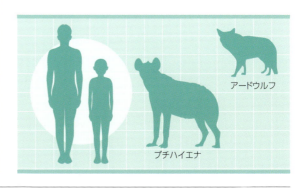
アードウルフ
ブチハイエナ

奄美大島のフイリマングースは2024年中に根絶宣言が出る予定で、沖縄島北部でも2026年度までの根絶をめざして駆除が進んでいます。

イヌのなかま ①

イヌのなかまは、開けた草原などで、長時間えものを追いかけてつかまえます。おもに肉食ですが、果実なども食べる雑食性のものもいます。

オオカミ *Canis lupus* イヌ科
イヌ科最大の動物です。おす、めすのペアと、その家族で構成される5～12頭の群れで行動します。えものは、おもにシカのなかまです。🔺体長87～130cm 尾長32～56cm
◆18～80kg ♣ユーラシア（ヨーロッパ・中近東～東アジア）、北アメリカ（アラスカ、カナダ）
■高地、草原、森林、砂漠、ツンドラなど ♥哺乳類（大型～小型）

オオカミの分布

体は灰色から茶、黒、白など

▲シカを食べるオオカミの群れ。

背中が黒い

体は金色からうす黄色

キンイロジャッカル *Canis aureus* イヌ科
さまざまな環境に家族ですんでいます。🔺体長74～84cm 尾長20～24cm
◆6.5～9.8kg ♣アフリカ北部・北東部、ヨーロッパ南東部～東南アジア ■砂漠、サバンナ、森林、畑、人家周辺など ♥哺乳類、鳥、爬虫類、果実など

セグロジャッカル *Canis mesomelas* イヌ科
両親が協力して、子どもを育てます。🔺体長65～90cm 尾長26～40cm ◆5.9～12kg ♣アフリカ東部・南部 ■砂漠、草原、サバンナ ♥小型・中型哺乳類、爬虫類、鳥、鳥の卵、昆虫など

どんな赤ちゃん？ 1か月で肉を食べ始める

オオカミのめすは、出産が近づくと巣あなを掘り、食べ物を運んできて地面にうめます。丸顔の子イヌのような赤ちゃんは、濃いお乳をのんで早く成長します。1か月くらいたつと、お母さんや群れのなかまにはきもどしてもらった、やわらかい肉を食べ始めます。

もっと知りたい！ オオカミの群れの力関係

オオカミは、夫婦と子どもたちの群れ「パック」でくらします。おすとめすそれぞれに順位があり、おすのトップは父親、めすのトップは母親です。しぐさや表情で相手との力関係をあきらかにすることで、群れのまとまりを保ちます。

「こわいです」　「わたし、こんなに弱いんです」

順位が上のものが下のものをいかく　「なかよくしてください」

▲体の大きさ　◆体重　♣分布　■生息環境　♥食べ物

尾の半分から先が黒い

かたくてあらい毛

アビシニアジャッカル *Canis simensis* イヌ科 絶滅危惧種
生息地の開発や、もちこまれたイヌからの狂犬病に感染したことで、数が減っています。♠体長84〜101cm 尾長27〜40cm ♦11〜19kg ♣アフリカ(エチオピア) ■標高3000〜4500mの森や草地 ♥哺乳類、鳥など

カニクイイヌ *Cerdocyon thous* イヌ科
名前の通りカニを食べますが、地域や季節によって、食べるものがちがいます。♠体長57〜78cm 尾長22〜41cm ♦4.5〜8.5kg ♣南アメリカ北東部 ■森林、サバンナ、湿地など ♥小動物、カニ、果実など

コヨーテ *Canis latrans* イヌ科
大型のえものをねらうときは、おすとめすのペアやなかまと組んで、リレー式に追いかけます。♠体長74〜94cm 尾長26〜36cm ♦7〜20kg ♣北アメリカ〜中央アメリカ ■草原、森林、砂漠など ♥哺乳類、鳥、爬虫類など

短くて太い鼻先
黒い尾
尾の先が黒い

ドール *Cuon alpinus* イヌ科 絶滅危惧種
家族で構成される5〜10頭ほどの群れでくらします。♠体長88〜136cm 尾長32〜50cm ♦10〜20kg ♣中国、南アジア、東南アジア ■森林、低木林、草原 ♥哺乳類、鳥、昆虫など

大きな三角形の耳
首から肩にかけて、黒いたてがみのような長い毛
長いあし

タテガミオオカミ *Chrysocyon brachyurus* イヌ科
さまざまな方法でえものをとらえます。忍び寄ったり、鳥などにはジャンプしておそいかかったりします。♠体長95〜115cm 尾長28〜49cm ♦20〜26kg ♣南アメリカ中部 ■草地、低木林、サバンナ、湿地 ♥哺乳類、鳥、爬虫類、果実など

黒、黄土色、白の不規則なもよう
足の指は4本

リカオン *Lycaon pictus* イヌ科 絶滅危惧種
4〜9頭ほどの群れでくらします。♠体長85〜141cm 尾長31〜42cm ♦18〜35kg ♣アフリカ中部・東部・南部(森林をのぞく) ■サバンナ、低木林、草原、砂漠 ♥哺乳類、鳥、爬虫類など

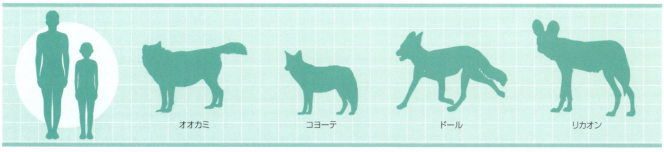
オオカミ　コヨーテ　ドール　リカオン

リカオンは、なかまと協力して時速50kmで長時間えものを追い続け、相手がつかれたところをしとめます。

イヌのなかま ②

尾はふさふさして、先が白い

アカギツネ Vulpes vulpes イヌ科 [在来種]
さまざまな環境に、おすとめすのペアでくらしています。日本には、亜種のホンドギツネとキタキツネがすんでいます。♠体長45〜90cm 尾長28〜49cm ◆3〜14kg ♣アジア、ヨーロッパ、北アフリカ、北アメリカ、日本 ■ツンドラ、砂漠、草原、森林、都市 ♥哺乳類、鳥、昆虫、果実など

▲ジャンプするアカギツネ。キツネのなかまは、1mほどとび上がって真上からネズミをとらえます。

▲北海道にすむ亜種キタキツネ。本州以南にすむ亜種ホンドギツネより大きく、耳の裏や足の黒いもようが目立ちます。

ほかのキツネとくらべて、鼻先や耳が短く、頭が丸い

夏毛

冬毛

ホッキョクギツネ
Vulpes lagopus イヌ科
季節によって毛の色が変わります。夏毛は青灰色で、冬毛はまっ白になります。♠体長41〜68cm 尾長25〜43cm ◆1.4〜9.4kg ♣ヨーロッパ、アジアと北アメリカの北極圏 ■ツンドラ、海岸 ♥哺乳類、鳥など

▲シカを食べるホッキョクギツネ。鳥や小動物を狩るほか、動物の死体も見つけて食べます。

耳は大きく、7cm以上

大きな耳。わずかな音も聞き分けられる

▶フェネックの大きな耳には、体の熱を逃がす働きもあります。

キットギツネ Vulpes macrotis イヌ科
北アメリカにすむキツネでは最小。アメリカアナグマやプレーリードッグのあなを利用することもあります。♠体長45〜54cm 尾長25〜34cm ◆1.6〜2.7kg ♣北アメリカ（アメリカ合衆国西部〜メキシコ北部の砂漠地帯）■砂漠、低木林、草地 ♥哺乳類、鳥、爬虫類、昆虫など

フェネック Vulpes zerda イヌ科
砂漠に掘ったあなにひそみ、昼間の暑さや夜の寒さをさけています。♠体長33〜40cm 尾長13〜25cm ◆800〜1900g ♣アフリカ北部 ■砂漠 ♥哺乳類、鳥、爬虫類、昆虫など

♠体の大きさ ◆体重 ♣分布 ■生息環境 ♥食べ物

オオミミギツネ
Otocyon megalotis
イヌ科

おす1頭とめす1〜3頭、子ども1〜3頭の家族でくらします。♠体長46〜61cm 尾長23〜34cm ◆3.2〜5.4kg ♣アフリカ南部・東部 ■草原、サバンナなど ♥昆虫（シロアリ、甲虫など）、果実など

大きな耳。小さな音を聞き分け、体の熱を逃がす役目もある

ハイイロギツネ *Urocyon cinereoargenteus* イヌ科

同じようなえものをねらう、コヨーテやボブキャットとのあらそいを避けながら狩りをすると考えられています。♠体長54〜66cm 尾長28〜44cm ◆3〜7kg ♣北アメリカ（カナダ南部）〜南アメリカ北部（コロンビア、ベネズエラ） ■森林、低木林、都市の周辺 ♥哺乳類、鳥、昆虫、木の実、果実など

1本1本の毛が白、灰、黒の3色になっているので、まだらに見える

クルペオギツネ *Lycalopex culpaeus* イヌ科

草原や砂漠などに小さな群れですみます。しげみや岩あなに巣をつくります。♠体長52〜120cm 尾長30〜51cm ◆4〜13kg ♣南アメリカ（アンデス山脈） ■草原、砂漠 ♥哺乳類（ウサギ、ネズミなど）、鳥、果実など

先の黒いふさふさの尾

目のまわりが黒い

ホンドタヌキ

タヌキ
Nyctereutes procyonoides イヌ科 在来種

おすとめすのペアか、数頭の家族でくらします。やぶの中や、アナグマの巣あななどを、すみかにします。日本には、亜種のホンドタヌキとエゾタヌキがすんでいます。♠体長49〜71cm 尾長15〜23cm ◆3〜13kg ♣日本（北海道、本州、四国、九州）、ロシア沿海州、中国、朝鮮半島、ベトナム ■森林、里山、都市周辺 ♥小動物、木の実、果実など

ヤブイヌ
Speothos venaticus イヌ科

泳ぎが上手です。2〜12頭の群れでくらします。やぶをくぐりぬけるのに、都合のよい体型です。♠体長57〜75cm 尾長12〜15cm ◆5〜8kg ♣中央アメリカ・南アメリカ北部 ■森林、サバンナ ♥哺乳類、爬虫類、鳥など

ずんぐりした体
短いあし

▶北海道にすむ亜種エゾタヌキ。北にすむものほど体が大きくなります。

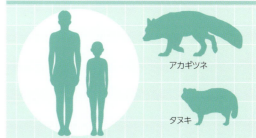

もっと知りたい！ キツネとタヌキのちがい

キツネとタヌキは、くらし方や習性にちがいがあります。
①食べ物のとり方、②ふん、③足跡を見てみましょう。

キツネ

①ジャンプして狩る

②あちらこちらにする

③前足と後ろ足が重なって一直線になる
後ろ足 前足

タヌキ

①地面を歩き回ってとる

②決まった場所にする

③前足と後ろ足が重ならずにずれる
前足 後ろ足

アカギツネ

タヌキ

ヤブイヌのおすは片足を上げておしっこをしますが、めすは両足を上げ、逆立ちしておしっこをします。

クマのなかま ①

食肉目／クマ科

クマのなかまの多くは、がっしりした体に、太くて短いあしをもちます。ホッキョクグマ以外は肉よりも、おもに果実や木の実など植物を食べます。

小さい耳　首が長い

ホッキョクグマの分布

とびだす！AR ホッキョクグマ

ホッキョクグマ
Ursus maritimus
クマ科　絶滅危惧種

地上最大の肉食動物です。浮いた氷を利用して、かくれながらアザラシなどをおそいます。泳ぎが上手です。🌲体長180〜250cm　尾長7〜13cm　◆150〜800kg　♣北極海沿岸、ロシア、ノルウェー、グリーンランド、アラスカ、カナダの流氷のある地域　■流氷の上、沿岸　♥哺乳類、鳥、魚など

▲ホッキョクグマの毛（左）とその電子顕微鏡写真（右）。毛は白く見えますが、実際は透明で、毛の下の黒い皮ふは太陽光をよく吸収します。毛の中心にあながあいてるので、熱を逃がしにくく、水にうきやすくなります。

▲ホッキョクグマの足の裏には毛がはえています。爪はヒグマなどとちがって大きくカーブしておらず、スパイクのようになって氷の上をすべらずに歩けます。

どんな赤ちゃん？「ささ鳴き」でお乳をねだる

ホッキョクグマのめすは、冬眠中に雪を掘ってつくった巣あなで出産します。赤ちゃんは、「クククククク」と連続した鳴き声を速く大きく出しながら、お乳を飲みます。これは「ささ鳴き」とよばれ、お乳をねだるときや、リラックスしているときなどに出します。体重が10kgを超えるころ、巣あなから出てきます。

▲おすは若いころからじゃれあって、けんかのしかたを練習します。おとなになると、めすをめぐってはげしくあらそいます。

▲ワモンアザラシをとらえたホッキョクグマ。狩りができるのは、海が凍っている秋から冬の間だけです。それ以外の期間は、食べるものがほとんどなくなります。

▲ホッキョクグマは、氷のふちやあなのそばでじっと待ちぶせし、アザラシが呼吸するために海面に上がってきたところをおそいます。ホッキョクグマの母は、2年半〜3年半ほど子どもとくらし、アザラシの居場所や狩りのしかたを子どもに教えます。

▲ホッキョクグマは泳ぎが得意で、氷から氷へと冷たい海を何時間も泳いでわたります。水深約14m、3分以上ももぐった記録があります。

地球温暖化で氷がとけやすくなり、狩りの期間が短くなって餓死したり、食べ物を求めて町に現れたりするホッキョクグマが増えています。

食肉目／クマ科

クマのなかま②

長くて するどい爪

▲ヒグマは、川をのぼってくるサケやマスをまちぶせし、急流をジャンプしたところをかみついたり、前足の爪でひっかけたりしてとらえます。

ヒグマ Ursus arctos　クマ科　在来種
もっとも広い範囲に分布するクマです。すんでいる地域によっていくつかの亜種に分かれます。日本には北海道にエゾヒグマがいます。🌲体長150〜280cm 尾長6〜21cm ◆100〜780kg ♣北アメリカ北西部、ヨーロッパ北部・西部・南東部、中東、ロシア・中国北東部、中央アジア・中国西部・ヒマラヤ、日本（北海道）■森林、草地、ツンドラ、砂漠など ♥哺乳類、魚、果実など

ヒグマの亜種

ヒグマは、亜種によって、体の大きさや毛色、食べ物がちがいます。最大の亜種は、アラスカにすむコディアックヒグマです。

エゾヒグマ

コディアックヒグマ

ハイイログマ（グリズリー）

額から鼻先がまっすぐのびる

アメリカクロクマ Ursus americanus　クマ科
体色は黒が多いですが、茶色の個体もいます。🌲体長120〜190cm 尾長12cm以下 ◆60〜225kg（おす）、40〜150kg（めす） ♣北アメリカ（アラスカ、カナダ、アメリカ合衆国、メキシコ北部）■森林など ♥昆虫、果実、木の実など

 もっと知りたい！

クマの冬眠

クマのなかまは、冬眠をする最大の哺乳類です。秋に栄養価の高い木の実を大量に食べて脂肪をたくわえ、岩あなや地面のあなにこもります。冬眠中は、おしっこもふんもしません。おしっこは膀胱で再吸収され、肛門には粘土質の「とめふん」で栓をします。春のめざめと同時に、とめふんを出して活動を始めます。妊娠しているめすは、冬眠中に出産し子育てをします。

ミズナラのどんぐりを食べるツキノワグマ

ハイマツの実を食べるエゾヒグマ

どんぐりや果実、草の葉や茎など植物を中心に、昆虫や魚、哺乳類などの動物も食べる

赤ちゃんは春までに、自力で歩けるほど成長

ツキノワグマの冬眠

🌲体の大きさ ◆体重 ♣分布 ■生息環境 ♥食べ物

日本のクマの分布

エゾヒグマ
ツキノワグマ

出典:「平成30年度中大型哺乳類分布調査業務 調査報告書 クマ類(ヒグマ・ツキノワグマ)・カモシカ」(環境省生物多様性センター)

ツキノワグマ(ヒマラヤグマ、アジアクロクマ)
Ursus thibetanus クマ科 絶滅危惧種 在来種

アジア東部に広く分布し、地域によって大きさや毛色はさまざまです。
♠体長110〜190cm 尾長12cm以下 ◆35〜200kg ♣イラン、パキスタン、ヒマラヤ、中国南部・北東部、東南アジア、朝鮮半島、台湾、日本(本州、四国) ■森林、高山草原 ♥昆虫、果実、木の実など

多くの個体に、胸に白い三日月(月の輪)のもようがある

▲後ろあしで立ち上がったツキノワグマ。

メガネグマ
Tremarctos ornatus クマ科 絶滅危惧種

おもに昼間活動します。季節や地域によって活動時間がちがいます。♠体長110〜220cm 尾長7〜10cm ◆100〜175kg(おす)、60〜80kg(めす) ♣南アメリカ北西部(ベネズエラ、コロンビア、エクアドル、ペルー、ボリビア、アルゼンチン) ■森林、低木林、草地 ♥哺乳類、昆虫、果実、木の葉など

目のまわりに、めがねのような白いもようがある

マレーグマ
Helarctos malayanus クマ科 絶滅危惧種

木に登って果実をとったり、長い舌をのばしてハチなどの昆虫をなめとったりします。♠体長100〜150cm 尾長3〜7cm ◆30〜80kg ♣東南アジア ■森林、低木林 ♥昆虫(シロアリ、ハチなど)、ハチミツ、果実など

胸にもようがある

ナマケグマ
Melursus ursinus クマ科 絶滅危惧種

シロアリの巣を爪でこわし、土をふきとばしてから、くちびると舌でシロアリを吸いこみます。♠体長140〜190cm 尾長8〜17cm ◆70〜145kg(おす)、50〜95kg(めす) ♣南アジア ■森林、サバンナ、低木林、草地 ♥昆虫(シロアリ、アリ)、果実など

たてがみのように長い肩の毛
長い足の爪

▲シロアリの巣をこわすナマケグマ。

ヒグマ　ツキノワグマ　アメリカクロクマ　マレーグマ

ツキノワグマは木登りが上手で、木の上で果実を枝ごとたぐりよせて食べます。食べた後には、その枝が重なった「クマ棚」ができます。

クマのなかま ③

目のまわり、耳、肩、あしが黒い

ジャイアントパンダの分布

とびだす！ AR ジャイアントパンダ

ジャイアントパンダ
Ailuropoda melanoleuca クマ科 絶滅危惧種

単独で生活しています。タケを食べるのに、1日の約半分の時間を使っています。♠体長120〜180cm 尾長10〜16cm ♦70〜160kg ♣中国（四川、陝西、甘粛）■標高1200〜4100mの竹林 ♥タケ、タケノコ、小動物など

▶ジャイアントパンダの尾やおしりは、黒ではなく白です。

▲はっきりした白黒もようは、山の中で体を目立たなくする働きがあるといわれます。

▲ジャイアントパンダは木登りが得意で、とくに子どもは危険をさけるために木に登ります。しかし、降りるのは苦手で、木から落ちることもあります。

どんな赤ちゃん？ 小さい体、大きい鳴き声

ジャイアントパンダの赤ちゃんは、毛がうすく目も開いていない、未熟な状態で生まれます。体重100gほどの小さな体で、「ギャーッ！」と大声で鳴いて、お母さんにお乳をねだります。お母さんは、赤ちゃんをそっとくわえて胸にのせ、前あしでだいてお乳を飲ませます。

♠体の大きさ ♦体重 ♣分布 ■生息環境 ♥食べ物

▲ジャイアントパンダはおもにタケを食べますが、もともと肉食なので上手に消化できません。そのため、十分な栄養をとるには1日に十数kgものタケを食べる必要があります。

◀ジャイアントパンダは、大きな奥歯（臼歯）と強いあごで、かたいタケをかみくだきます。また、ほかのクマと同じように、上下のあごにするどい犬歯があり、昆虫やネズミなどを食べることもあります。

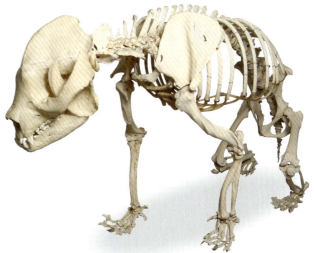

恩賜上野動物園蔵

▲ジャイアントパンダの全身骨格。タケをかみくだく大きな筋肉がつくため、ほお骨が左右に大きく出ています。また、前あしは、後ろあしよりも太くて長くなっています。

もっと知りたい

タケをしっかりにぎれるひみつ

ジャイアントパンダの前足には、爪のはえた5本の指のほかに、第6、第7の指ともよばれる骨の突起があります。2本の突起とも、タケをうまくにぎるために発達したと考えられ、研究の結果、突起を利用してタケをはさむしくみが明らかになりました。

ジャイアントパンダの右前足

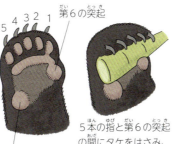

5 4 3 2 1　第6の突起
第7の突起
5本の指と第6の突起の間にタケをはさみ、第7の突起でささえる

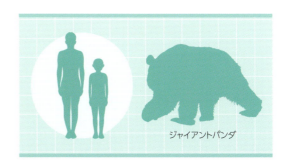

ジャイアントパンダ

現在、「パンダ」というとジャイアントパンダをさすことが多いですが、もともとはレッサーパンダを、単に「パンダ」とよんでいました。

163

イタチ・スカンクのなかま ①

このなかまの多くは、長い胴と短いあしをもち、肛門の近くから強いにおいを出します。森や砂漠、川や海など、さまざまな環境で見られます。

▲オオカワウソは、川をすばやく自在に泳ぎ、小型のワニをおそうこともあります。

オオカワウソ
Pteronura brasiliensis
イタチ科　絶滅危惧種
4〜8頭の家族で生活しています。🌲体長86〜140cm 尾長33〜100cm ◆22〜34kg ♣南アメリカ北部〜中部 ■森の中の流れがゆるやかな河川、沼地 ♥魚、カニなど

→幅広くて、平らな尾
→前後の足に水かきがある

カナダカワウソ *Lontra canadensis* イタチ科
海水でも淡水でも生活できます。🌲体長58〜73cm 尾長32〜47cm ◆7.3〜9.4kg ♣北アメリカ ■湖、河川、貯水池など ♥ネズミ、カエル、魚、ザリガニなど

→前後の足に水かきがある

コツメカワウソ
Aonyx cinereus イタチ科　絶滅危惧種
12頭くらいの家族で生活しています。指先がとても器用です。🌲体長36〜47cm 尾長23〜28cm ◆2.4〜3.8kg ♣南アジア、中国南部、東南アジア ■湖、河川、海岸の湿地、水田など ♥魚、カニなど

→指先に小さい爪がある

→哺乳類でいちばん毛の量が多い。約8億本ある
→水かきのあるひれのような後ろ足

ユーラシアカワウソ *Lutra lutra* イタチ科
泳ぎも水にもぐるのも上手です。🌲体長50〜90cm 尾長33〜50cm ◆3〜14kg ♣ヨーロッパ、アジア、アフリカ北西部 ■湖、河川、渓流、海岸の湿地など ♥魚、エビ、カエルなど

→前後の足に水かきがある

ラッコ *Enhydra lutris* イタチ科　絶滅危惧種　在来種
気に入った石を道具にして、つかまえたカニやウニをお腹の上で割って食べます。🌲体長76〜120cm 尾長25〜37cm ◆14〜45kg ♣北太平洋沿岸（アメリカ・カナダの東海岸、アラスカ、アリューシャン列島、カムチャツカ、千島列島、北海道）■岩の多いコンブなどのしげる海岸ぞい ♥カニ、貝、ウニなど

どんな赤ちゃん？ さかさまになってお乳を飲む

ラッコのめすは、海にうかんだまま、赤ちゃんを腹の上にのせて育てます。おっぱいが下腹にあるため、赤ちゃんはさかさまになってお乳を飲みます。お乳を飲んでいる間、お母さんは赤ちゃんのおしりをなめてふんをさせたり、毛づくろいをしたりします。

赤ちゃんは、お乳を飲むとき以外は、頭をお母さんと同じ向きにしている

▲ラッコは、ほとんど陸に上がらずに海でくらします。びっしりはえた体毛の間に空気をたくさん入れることで、冷たい海の寒さを防ぎ、海面に浮かぶことができます。

🌲体の大きさ ◆体重 ♣分布 ■生息環境 ♥食べ物

ミンク（アメリカミンク）
Neovison vison
イタチ科　外来種
夜行性で、泳ぎが上手です。♠体長30〜43cm 尾長15〜20cm ◆450〜1800g ♣北アメリカ、ヨーロッパ（導入）、日本（北海道や本州の一部で野生化）■水路、川、湖などの周辺 ♥小型哺乳類、魚、カエル、ザリガニなど

あごに白いもよう / 足の一部に水かき

フィッシャー
Pekania pennanti　イタチ科
地上で活動しますが、木登りも上手です。日中は木のうろなどで休みます。♠体長45〜65cm 尾長30〜50cm ◆2〜5.5kg ♣北アメリカ中部・北部 ■森林 ♥哺乳類（ウサギやヤマアラシなど）、鳥、果実など

長いあしと尾

イイズナ
Mustela nivalis　イタチ科　在来種
世界最小の肉食動物です。平野から森林、畑などにもすんでいます。♠体長11.4〜26cm 尾長7〜9cm ◆25〜250g ♣北アフリカ〜ユーラシア大陸北部、北アメリカ北部、中国南西部〜東南アジア北部、台湾、日本（北海道、本州の東北地方北部）■おおよそ標高4000m以下の森林、草原、農地など ♥ネズミ、小鳥、カエル、トカゲ、昆虫など

夏毛 / 背中が茶色で腹は白い / 冬毛 / 全身が白い

ニホンイタチ
Mustela itatsi　イタチ科　日本固有種
おすの体重は、めすの3倍ほどあります。♠体長16〜39cm 尾長7〜16cm ◆110〜650g ♣日本（本州、四国、九州）■低地や山間部の水辺、里山 ♥ネズミ、鳥、トカゲ、カエル、魚、昆虫など

シベリアイタチより小さく、尾が短い

シベリアイタチ（チョウセンイタチ）
Mustela sibirica　イタチ科　絶滅危惧種　外来種
日本（本州、四国、九州）では、毛皮目的に輸入したものや船の積荷にまぎれこんだものが逃げ出し、野生化しています。♠体長25〜39cm 尾長13〜21cm ◆360〜820g ♣シベリア〜中国北東部・朝鮮半島、ヒマラヤ〜中国南東部、台湾、日本（対馬）■森林、人家や畑の周辺 ♥ネズミ、鳥、魚、昆虫、果実など

ニホンイタチより大きい

オコジョ
Mustela erminea
イタチ科　在来種
日本には亜種のホンドオコジョとエゾオコジョがすんでいます。♠体長19〜34cm 尾長4〜12cm ◆56〜365g ♣ユーラシア大陸北部、北アメリカ北部、グリーンランド、日本（北海道、本州北部〜日本アルプス）■おおよそ標高3000m以下の森林、ツンドラ、水辺、農地など ♥小動物、昆虫など

夏毛 / 冬毛 / 冬には、尾の先以外の毛が白くなる

▲北海道にすむ亜種エゾオコジョ（冬毛）。本州にすむホンドオコジョより大型です。

ヨーロッパケナガイタチ
Mustela putorius　イタチ科
ペットのフェレットは、2000年以上前にこの種を飼いならしたものと考えられています。♠体長20.5〜46cm 尾長7〜19cm ◆400〜1710g おすのほうが大きい ♣ヨーロッパ、モロッコ ■森林、牧草地、農地など ♥小型哺乳類、小鳥、カエル、魚、昆虫など

うす黄色から黒の長い毛の下にクリーム色の毛

もっと知りたい！ フェレットの毛色やもよう
ペットのフェレットは、人間の手で改良が行われてきました。現在は、色ももようも、10パターンずつくらいあります。

セーブル / セーブルミット / プラチナ / バタースコッチ

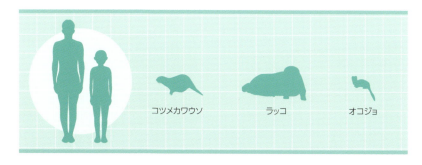
コツメカワウソ / ラッコ / オコジョ

ラッコは、わきの下の皮ふのたるみをポケットのように使い、そこに気に入った石や、貝などの食べ物を入れて持ち運びます。

イタチ・スカンクのなかま②

タイラ *Eira barbara* イタチ科
のどに白いひし形もよう
おもに早朝と夕方に活動します。♠体長56〜71cm 尾長37〜46cm ◆2.7〜7kg ♣北アメリカ（メキシコ）〜南アメリカ中部（アルゼンチン北部、トリニダード島）■森林、農地 ♥哺乳類、果実など

キエリテン *Martes flavigula* イタチ科
のどが黄色い
すばやく木に登ることができます。木の上で生活していますが、狩りをするときは地上に下ります。♠体長45〜65cm 尾長37〜45cm ◆1.3〜3kg ♣ヒマラヤ、東南アジア、東アジア（中国南部・北東部、朝鮮半島、台湾）■森林 ♥哺乳類、鳥、果実など

クズリ *Gulo gulo* イタチ科
クマのようにがっしりとした体つき
ふつう1日に30km以上移動します。走るのが速く、泳いだり、木に登ったりするのも得意です。♠体長65〜105cm 尾長21〜26cm ◆7〜28kg ♣ヨーロッパ北部〜アジア北部、北アメリカ北部 ■森林、ツンドラ ♥哺乳類など

クロテン *Martes zibellina* イタチ科 在来種
名前とちがって、体がまっ黒な個体は少ない
すばしこく、木登りも得意です。♠体長38〜56cm 尾長11〜19cm ◆700〜1800g ♣ロシア、中国北東部、モンゴル北部、北朝鮮、日本（北海道）■森林 ♥小動物、鳥、昆虫、果実など

顔が白い　体は黄色　冬毛　顔が黒い　夏毛

ニホンテン *Martes melampus* イタチ科 在来種
木の上でよく活動しています。秋には果実を多く食べます。♠体長41〜49cm 尾長17〜23cm ◆800〜1900g ♣北海道（導入）、本州、四国、九州、対馬、朝鮮半島 ■森林 ♥小動物、鳥、昆虫、果実など

◀長崎県対馬にだけすむニホンテンの亜種ツシマテン。（写真提供：福岡市動物園）天然記念物

背中に白いすじ

シナイタチアナグマ *Melogale moschata* イタチ科
天敵におそわれると、肛門からくさいにおいを出します。木に登るのが得意です。
♠体長30〜40cm 尾長10〜15cm ◆800〜1600g ♣中国南部〜ベトナム・ラオス北部、インド北東部、ミャンマー、台湾 ■森林、草地、農地 ♥小動物、鳥、卵、果実など

♠体の大きさ ◆体重 ♣分布 ■生息環境 ♥食べ物

ぶ厚くて、かたい背中

ラーテル（ミツアナグマ）
Mellivora capensis イタチ科

世界一こわいもの知らずといわれています。ライオンやハイエナなど、自分よりも大きな動物におそわれても反撃します。♠体長73〜96cm 尾長14〜23cm ◆6.2〜13.6kg ♣アフリカ（サハラ以南、西部）、アジア（アラビア半島〜ヒマラヤ南部のインド）■森林、草原、サバンナ、砂漠など ♥小動物、鳥の卵、カエル、魚、昆虫、木の実など

鼻から肩にかけて白いすじがある

顔は白っぽく、目のまわりは黒い

体は茶色

ニホンアナグマ
Meles anakuma
イタチ科 日本固有種

冬になると活動がにぶり、あなの中ですごすようになります。♠体長52〜68cm 尾長12〜18cm ◆5.2〜13.8kg ♣日本（本州、四国、九州）■山地、里山 ♥小動物、鳥の卵、昆虫、ミミズ、果実など

アメリカアナグマ　*Taxidea taxus*　イタチ科

あちこちにあなを掘るので、ウシやウマの放牧地ではきらわれています。♠体長42〜72cm 尾長10〜16cm ◆4〜12kg ♣北アメリカ（カナダ南部〜メキシコ中部）■森林、低木林、草地 ♥小型哺乳類、鳥の卵、昆虫など

体は白と黒のまだらもよう

トウブマダラスカンク　*Spilogale putorius*
スカンク科 絶滅危惧種

くさい液をとばすときは、さか立ちをするのが特ちょうです。♠体長19〜33cm 尾長8〜28cm ◆207〜885g ♣アメリカ合衆国東部 ■森林の周辺や草地など ♥ネズミ、鳥の卵、昆虫、果実など

▲さか立ちしておどすトウブマダラスカンク。

スカンクアナグマ
Mydaus javanensis　スカンク科

ずんぐりした体つきはアナグマににていますが、スカンクのなかまです。危険を感じるとくさい液をとばします。♠体長37〜52cm 尾長3.4〜7.5cm ◆1.4〜3.6kg ♣東南アジア（ジャワ島、スマトラ島、ボルネオ島などの島）■森林とその周辺 ♥昆虫、卵、腐肉など

黒地に白い毛

シマスカンク　*Mephitis mephitis*　スカンク科

敵におそわれると、お尻からとてもくさい液をとばします。♠体長17〜40cm 尾長15〜47cm ◆600〜4100g おすのほうが大きい ♣北アメリカ（カナダ南部〜メキシコ北部）■森林、農地、市街地 ♥ネズミ、鳥の卵、昆虫、果実など

▲お尻を向けておどすシマスカンク。

もっと知りたい！ スカンクのにおい攻撃

スカンクのなかまは、おどしても去らない敵の顔に向け、肛門の両わきにある臭腺から、くさい液を飛ばします。液が目に入ると、一時的に目が見えなくなります。

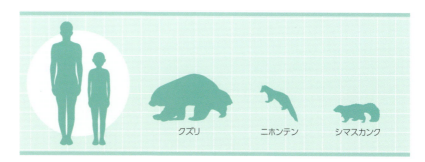

クズリ　ニホンテン　シマスカンク

ラーテルは、あな掘りが得意で、前足の長い爪で地中のネズミなどを掘りだして食べます。泳ぎや木登りも得意です。

アライグマ・レッサーパンダのなかま

このなかまの多くは、しまもようのある長い尾をもち、木登りが上手です。
現在、レッサーパンダ科はレッサーパンダ1種だけです。

フサオオリンゴ
Bassaricyon gabbii
アライグマ科
木の上でくらします。夜行性です。
🌲体長35～49cm 尾長40～53cm
♦1～1.6kg ♣中央アメリカ南部 ■標高2000m以下の森林
❤果実、小動物など

シロバナハナグマ
Nasua narica アライグマ科
木登りが上手です。体長43～68cm 尾長42～68cm ♦3.5～5.6kg
♣北アメリカ南部（アメリカ合衆国アリゾナ州南東部）～南アメリカ北部（コロンビア）、コスメル島（メキシコ）■おもに森林
❤果実、昆虫など

カコミスル
Bassariscus astutus アライグマ科
岩場をすばやくよじ登るのが上手です。尾にしまがあることから、アメリカではリングテイルとよばれます。
🌲体長30～37cm 尾長31～44cm
♦870～1100g ♣北アメリカ（アメリカ合衆国南西部、メキシコ）■岩石地帯、砂漠など ❤小動物、果実など

キンカジュー
Potos flavus アライグマ科
ほとんど木の上で生活しています。長い舌で花の蜜をなめます。🌲体長42～76cm 尾長39～57cm ♦1.4～4.5kg ♣北アメリカ（メキシコ南部）～南アメリカ（ブラジル中央部）■熱帯林 ❤果実、花の蜜、昆虫など

アライグマ
Procyon lotor アライグマ科 **外来種**
夜に食べ物を探します。日本ではペットとして飼われていたものが逃げ出したりして、野生化しています。🌲体長44～62cm 尾長19～36cm ♦2.7～10.4kg ♣北アメリカ（カナダ南部）～中央アメリカ ■水辺の森林やしげみ ❤小動物、魚、貝、果実、昆虫など

カニクイアライグマ
Procyon cancrivorus アライグマ科
生活場所や活動時間はアライグマとにています。🌲体長54～76cm 尾長25～38cm ♦3.1～7.7kg ♣中央アメリカ（コスタリカ、パナマ）～南アメリカ（アルゼンチン北部）■沼、川、海岸などの水辺 ❤魚、カニ、ザリガニ、貝、昆虫など

🔍 もっと知りたい！ 動物の顔くらべ

アライグマ、ハクビシン、タヌキ、ニホンアナグマは、町でも見られることがあります。共通の祖先であるミアキスの黒っぽい顔を受けつぎ、顔に黒っぽいもようがあると考えられています。

ミアキス

- **アライグマ** 目のまわりと鼻筋が黒い
- **ハクビシン**（→P.151）鼻に白い筋がある
- **タヌキ**（→P.157）目のまわりが黒い
- **ニホンアナグマ**（→P.167）顔は白っぽく、目のまわりが黒い

🌲体の大きさ ♦体重 ♣分布 ■生息環境 ❤食べ物

▲レッサーパンダは、日中は木の上で休み、夕方や早朝に動き回って食べ物を探します。手首にはパンダと同じような突起があり、タケやササなどを上手につかむことができます。

しまもようのある尾

あしが黒い

レッサーパンダ *Ailurus fulgens* レッサーパンダ科 絶滅危惧種
単独で生活しています。木登りが上手です。 ▲体長51〜73cm 尾長28〜49cm ◆3〜6kg ♣中央アジア ■標高1500〜4800mのタケのある森林 ♥小動物、タケ、タケノコ、果実など

▲レッサーパンダの親子。野生では木のうろなどで出産し、1年ほどいっしょにすごします。おすは子育てには参加しません。

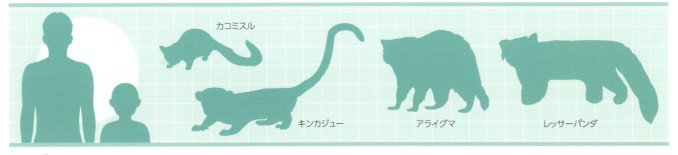

カコミスル　キンカジュー　アライグマ　レッサーパンダ

📖 レッサーパンダは、生息地や体の色などのちがいから、シセンレッサーパンダとネパールレッサーパンダの2亜種に分けられます。

アシカ・セイウチのなかま

このなかまは、ひれのようなあしをもっています。アシカ科のなかまは前あしで、セイウチは後ろあしで泳ぎます。強いおすを中心に、数十頭のめすと子どもがいる群れ（ハーレム）をつくります。

ミナミアメリカオットセイ　*Arctocephalus australis*　アシカ科
オタリアやヒョウアザラシ、シャチなどが天敵です。♠全長150～200cm（おす）、120～150cm（めす）◆120～200kg（おす）、40～50kg（めす）♣南アメリカ南部の沿岸　■大陸棚と大陸斜面、岩の多い海岸　♥魚、イカなど

ミナミアフリカオットセイ　*Arctocephalus pusillus*　アシカ科
オーストラリアにすむものは、アフリカ南部にすむものより、体が少し大きいです。♠全長200～230cm（おす）、120～170cm（めす）◆190～360kg（おす）、36～120kg（めす）♣アフリカ南部、オーストラリア南東部、タスマニア沿岸　■海岸近くから大陸棚、岩場、砂浜　♥魚、イカなど

ナンキョクオットセイ
Arctocephalus gazella　アシカ科
海でくらしていますが、春の終わりから夏に上陸して、繁殖活動を行います。♠全長170～200cm（おす）、115～140cm（めす）◆90～200kg（おす）、20～50kg（めす）♣南極大陸の周辺海域　■海面、岩場、砂浜　♥魚、イカ、オキアミなど

ガラパゴスオットセイ
Arctocephalus galapagoensis　アシカ科　絶滅危惧種
岩場でくらし、回遊はしません。おもに夜に、海岸から近い海で26mくらいもぐって、食べ物をとります。♠全長150～160cm（おす）、110～130cm（めす）◆60～68kg（おす）、21～33kg（めす）♣太平洋東部のガラパゴス諸島　■海岸、岩場　♥魚、イカなど

キタオットセイ
Callorhinus ursinus　アシカ科　絶滅危惧種　在来種
6～8月の繁殖期以外は、海を回遊してすごしています。♠全長180～210cm（おす）、130～150cm（めす）◆180～270kg（おす）、40～60kg（めす）♣北太平洋、日本海、オホーツク海　■海岸近くから大陸棚、岩場、砂浜　♥魚、イカなど

海でくらす肉食哺乳類の進化

アシカ、セイウチ、アザラシのなかまは、共通の祖先をもつ海生の肉食哺乳類です。北極圏で陸上生活をしていた祖先が、海へ生活の場を移して現在の姿になったと考えられています。海でのくらしに合わせ、ひれ状のあしを獲得し、流線形の体に進化しました。また、主食の魚は丸のみするため、味覚は退化しました。完全な水中生活ではなく、肺で呼吸し、出産や授乳は陸で行う

▲キタオットセイのハーレム。体の大きいもの（↓）がおすです。

♠体の大きさ　◆体重　♣分布　■生息環境　♥食べ物

鼻先の長い大きな頭

めす

オーストラリアアシカ　*Neophoca cinerea*　アシカ科　絶滅危惧種

繁殖期が不規則です。母親は17〜18か月おきに子どもをうみます。♠全長 250cm（おす）、130〜180cm（めす）◆200〜300kg（おす）、61〜105kg（めす）♣オーストラリア（南西部と西部の沿岸）■大陸棚やサンゴ礁、砂浜など ♥魚、イカなど

おすにはたてがみがある

めす

ニュージーランドアシカ　*Phocarctos hookeri*　アシカ科　絶滅危惧種

水深600mほどの海底にもぐって、えものをとらえます。♠全長 230〜270cm（おす）、180〜200cm（めす）◆320〜450kg（おす）、90〜165kg（めす）♣ニュージーランド周辺海域 ■海岸、砂浜 ♥魚、イカ、タコ、カニなど

おすにはたてがみがある

めす

オタリア　*Otaria byronia*　アシカ科

繁殖期になると、おすは10頭ほどのめすを集めてハーレムをつくります。♠全長 260cm（おす）、200cm（めす）◆300〜350kg（おす）、150kg（めす）♣南アメリカ（ブラジル南部からペルー沿岸）■おもに沿岸 ♥魚、イカなど

おすは額がとがる

めす

カリフォルニアアシカ　*Zalophus californianus*　アシカ科

写真提供：鳥羽水族館

クジラと一緒に泳いでいることがあります。♠全長240cm（おす）、200cm（めす）◆400kg（おす）、110kg（めす）♣アラスカからメキシコ北西部までの沿岸 ■海岸から外洋、岩場、砂浜 ♥魚、イカ、タコ、カニなど

おすにはたてがみがある

黄金の体毛

トド　*Eumetopias jubatus*　アシカ科　在来種

アシカ科で最大です。♠全長 330cm（おす）、250cm（めす）◆1000kg（おす）、273kg（めす）♣北太平洋、日本（北海道沿岸）■海岸近くから大陸棚、岩場、砂浜 ♥魚、イカなど

1mにもなる巨大なきばは、上あごの犬歯が発達したもの

セイウチ　*Odobenus rosmarus*　セイウチ科　絶滅危惧種

海底にもぐり、くちびるのひげでえものを探して、力強く吸いこみます。♠全長 315cm（おす）、260cm（めす）◆1500kg（おす）、1000kg（めす）♣カナダ東部、アラスカ西部、グリーンランド、ユーラシア大陸北部の北極海 ■大陸棚の上の流氷域、海岸の岩場 ♥貝など

動物園で見てみよう

ぬれた毛、かわいた毛

アシカやアザラシの体には、毛がびっしりはえています。ぬれていると皮ふのように見えますが、陸に上がってかわくと、毛なみがわかります。

ぬれている　　かわいている

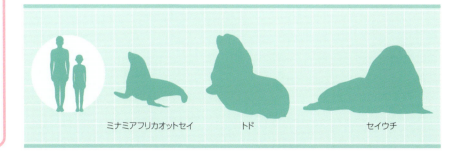

ミナミアフリカオットセイ　　トド　　セイウチ

セイウチは、貝などを食べるとき、おす同士やホッキョクグマなどとたたかうとき、氷上に上がるときなどに長いきばを使います。

アザラシのなかま ①

アザラシ科のなかまも、ひれのようなあしをもちますが、後ろあしを使って泳ぎます。陸上では、はって前進します。

おとなの背中は濃い茶色、お腹はうすい茶色または黄色

ハワイモンクアザラシ
Neomonachus schauinslandi アザラシ科 　絶滅危惧種

あたたかい海にすむ、めずらしいアザラシです。♠全長210cm（おす）、240cm（めす）◆140〜180kg（おす）、180〜270kg（めす）♣ハワイ諸島北西部 ■（繁殖期）サンゴ礁の島 ♥魚、カニ、タコなど

おすの体色は黒、めすは灰色

白い輪のようなもようがあることから名前がついた

チチュウカイモンクアザラシ
Monachus monachus アザラシ科 　絶滅危惧種

絶滅の危機にあります。野生では数百頭しか残っていません。♠全長230〜280cm ◆240〜300kg ♣地中海、東大西洋 ■人里から離れたかくれ場所のある海岸、急ながけの下のどうくつ ♥魚、タコ、エビなど

ワモンアザラシ *Pusa hispida* アザラシ科 　在来種

ほかのアザラシにくらべて歯が小さく、小さな生き物を食べます。氷の上で白い毛の子どもをうみます。♠全長110〜160cm ◆50〜90kg ♣北極海、ラブラドル海、バルト海、ラドガ湖、サイマー湖、ベーリング海、オホーツク海 ■海氷の周辺 ♥魚、小型のエビ、カニなど

「竪琴」のようなV字型の黒いもようがあることから名前がついた

大きな目

タテゴトアザラシ *Pagophilus groenlandicus* アザラシ科

一生のほとんどを海で生活します。氷の上で白い毛の子どもをうみます。♠全長168〜190cm ◆120〜135kg ♣北大西洋の亜北極圏、北極海 ■（冬から春）流氷の上（夏から秋）海中 ♥魚、オキアミなど

バイカルアザラシ *Pusa sibirica* アザラシ科

アザラシのなかまでは、唯一、淡水の湖にすみます。♠全長130〜145cm（おす）、120〜130cm（めす）◆50〜90kg ♣ロシアのバイカル湖 ■（秋から春）湖に張った氷の上や下（夏）湖の中の島の岸 ♥魚、ヨコエビなど

動物園で見てみよう　アシカとアザラシのちがい

前あしと後ろあしが、ひれのように進化した哺乳類のグループのうち、陸上生活にもっとも適応したのはアシカ、水中生活にもっとも適応したのはアザラシです。2種の体を比べてみましょう。

カリフォルニアアシカ（→P.171）：耳介（耳たぶ）がある／とがった鼻先／後ろあしが前に曲がる／前あしが大きい

ゴマフアザラシ（→P.173）：丸い鼻先／耳はあなだけ／後ろあしは曲がらない／前あしは小さい

▲バイカル湖の岩で休むバイカルアザラシの群れ。

▲ゴマフアザラシは、水深300mまでもぐることができます。同じ海域に別種のアザラシがいるときは、深いところの魚やイカなどをとらえて食べます。

あながあいた昔のお金（銭）のようなもようがあることから名前がついた

ゴマフアザラシの分布

ゼニガタアザラシ *Phoca vitulina* アザラシ科 在来種
岩場で黒い毛の子どもをうみます。♠全長140〜190cm（おす）、120〜170cm（めす）◆100〜140kg（おす）、80〜120kg（めす）♣北太平洋の沿岸（北海道東部、千島列島、アリューシャン列島、アラスカ〜メキシコ北西部）、北大西洋の沿岸 ■海岸や島の近くの浅い海など ♥魚、イカ、タコなど

黒いまだらもよう

ゴマフアザラシ *Phoca largha* アザラシ科 在来種
氷の上で白い毛の子どもをうみます。♠全長161〜176cm（おす）、151〜169cm（めす）◆85〜110kg（おす）、65〜115kg（めす）♣ベーリング海、チュクチ海〜ボーフォート海、オホーツク海、日本海、黄海、渤海 ■（冬から春）流氷の上（夏から秋）海中や海岸 ♥魚、イカ、タコなど

どんな赤ちゃん？ 舌の先が2つに割れている

ゴマフアザラシのめすは、流氷の上で出産し子育てをします。生まれたての赤ちゃんは、白い毛におおわれています。2つに割れた舌先を、くぼんだおっぱいにあて、口でおしながらお乳を飲みます。2〜4週間たち、おとなの毛にはえかわるころ乳離れをします。

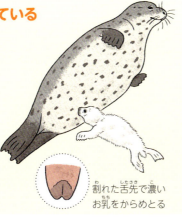

割れた舌先で濃いお乳をからめとる

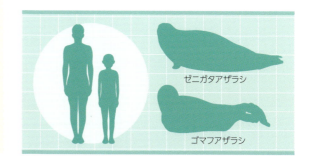

ゼニガタアザラシ
ゴマフアザラシ

ゴマフアザラシは、冬から春は流氷に乗って海上を移動します。日本では、北海道の東部沿岸を回遊する姿が見られます。

173

アザラシのなかま ②

キタゾウアザラシ
Mirounga angustirostris アザラシ科

12～2月の繁殖期には、おすは数頭～数十頭のめすをしたがえます。♠全長350～400cm（おす）、215～300cm（めす）◆1800～2500kg（おす）、300～600kg（めす）♣北太平洋の東部（アリューシャン列島～メキシコ・バハカリフォルニア）■（繁殖期）大陸沿岸の島の海岸 ♥魚、イカ、タコなど

長く、大きな鼻 / おす / めす

▶ミナミゾウアザラシ *Mirounga leonina* アザラシ科
おとなのおすは、鼻をふくらませ大きな音をたてて、ほかのおすをおどします。♠全長450～500cm（おす）、300～350cm（めす）◆1500～3000kg（おす）、600～800kg（めす）♣南極周辺 ■（繁殖期・脱皮期）南極周辺の島の海岸 ♥魚、イカなど

長く、大きな鼻 / おす / めす

▶カニクイアザラシ *Lobodon carcinophaga* アザラシ科
カニクイの名がついていますが、おもにオキアミを食べます。もっとも数が多いアザラシで、約2500万頭いると考えられています。♠全長231cm（おす）、236cm（めす）◆199kg（おす）、207kg（めす）♣南極周辺 ■流氷の上 ♥魚、オキアミなど

細めの体型

動物園で見てみよう
開いたり閉じたりするひげ

アザラシの口や鼻のまわり、目の上などには、太く長いひげがはえています。これは「洞毛（感覚毛）」とよばれ、水流を感じ取るセンサーです。泳ぎながら洞毛を開いたり閉じたりして、えものの位置を正確につきとめ、追いかけてとらえます。

洞毛を閉じる / 洞毛を開く

▶カニクイアザラシは、赤い口がカニを食べたように見えることから、名前がついたといわれます。

▲カニクイアザラシの群れ。数千頭の大群になることもあります。

幅の広い大きな鼻

ズキンアザラシ *Cystophora cristata* アザラシ科 〈絶滅危惧種〉
おすは、相手をいかくするときに、鼻を大きくふくらませます。♠全長250〜270cm（おす）、200〜220cm（めす） ♦300kg（おす）、200kg（めす） ♣大西洋北部 ■水深の深い場所、流氷の上 ♥魚、カニ、イカなど

▲ズキンアザラシのおす同士のけんか。鼻を赤い風船のようにふくらませます。めすにアピールするときにも、ふくらませます。

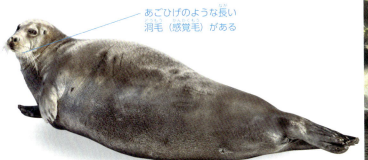

あごひげのような長い洞毛（感覚毛）がある

体のもようが、馬に乗るときの「鞍」に見えることから名前がついた

アゴヒゲアザラシ *Erignathus barbatus* アザラシ科 〈在来種〉
洞毛（感覚毛）は、海底の食べ物を探すのに役立ちます。流氷の上で、白い毛の子どもをうみます。♠全長210〜250cm ♦250〜450kg ♣北極海、ラブラドル海、ベーリング海、オホーツク海 ■大陸棚の上の浅い海、小さな流氷の上 ♥海底の魚、カニ、エビ、貝など

クラカケアザラシ *Histriophoca fasciata* アザラシ科 〈在来種〉
単独で生活していると考えられています。めすや子どもは、体のもようが目立ちません。♠全長150〜175cm ♦70〜110kg ♣北極海、日本（北海道近海） ■（冬）海氷の周辺（夏）外海 ♥イカ、プランクトンなど

するどいきばのある大きな口

体にくらべて頭が小さい

▲南極の氷の下を泳ぐウェッデルアザラシの親子。

ヒョウアザラシ *Hydrurga leptonyx* アザラシ科
群れをつくらず、単独で生活します。♠全長250〜320cm（おす）、241〜338cm（めす） ♦200〜455kg（おす）、225〜590kg（めす） ♣南極周辺の流氷域や島 ■おもに海氷の上 ♥ほかのアザラシ、アシカ、ペンギン、魚、オキアミなど

ウェッデルアザラシ *Leptonychotes weddellii* アザラシ科
水深700mほどの海底に長くもぐって、えものをとらえます。♠全長280〜290cm（おす）、300〜330cm（めす） ♦400〜600kg ♣南極周辺 ■海氷の上 ♥魚など

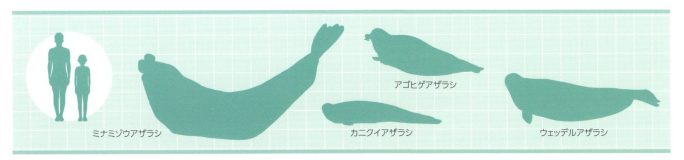

ミナミゾウアザラシ　アゴヒゲアザラシ　カニクイアザラシ　ウェッデルアザラシ

📖 ゾウアザラシは、体の大きさのほかに、鼻が大きく、ゾウの鼻ににていることから名前がつきました。

奇蹄目 | ウマ、バク、サイのなかま

奇蹄目の動物は、その名の通り、足の指が1本または3本の奇数で、大きなひづめ（蹄）でおおわれています。大昔は非常に繁栄し、たくさんの種がいましたが、現在はウマ、バク、サイだけが残っています。

奇蹄目の種数の割合

奇蹄目の種数 約20種

哺乳類の総種数 約6700種

＊2024年4月時点
（500年以内に絶滅した種を含む）

シロサイ（→P.185）の親子。生まれたばかりの子どもには、まだ角がありません。生まれてから2か月ぐらいすると、前の角からはえてきます。

奇蹄目の分類

奇蹄目は3科に分類されています。植物をかみ切る切歯と、すりつぶすのに便利な臼歯をもっています。

ウマ科 ▶P.180
グレビーシマウマ

バク科 ▶P.183
アメリカバク

サイ科 ▶P.184
シロサイ

足のつくり

奇蹄目のなかまの足は、第3指が大きく発達しています。

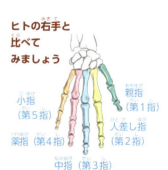
ヒトの右手と比べてみましょう
小指（第5指）　親指（第1指）
薬指（第4指）　人差し指（第2指）
中指（第3指）

シマウマの右前足

バクの右前足

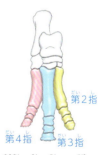
サイの右前足

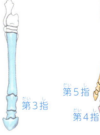
第3指

前足も後ろ足も、指は1本です。祖先種は指が5本ありましたが、草原を速く走るのに適応し、中心の第3指だけが大きく発達しました。

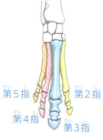
第5指　第2指
第4指　第3指

前足の指は4本、後ろ足の指は3本です。前足の第5指は小さく、やわらかい地面を歩くときに使われているだけです。第3指で体をささえています。

第2指
第4指　第3指

前足も後ろ足も、指は3本です。第3指が大きく発達し、第2指と第4指でバランスを取っています。

＊220ページも見てみましょう。

からだを見よう
グレビーシマウマ

シマウマの体は、くらしている草原で速く走れるつくりになっています。

▲正面から見た頭蓋骨
写真協力：神奈川県立生命の星・地球博物館

頭蓋骨
縦長の頭の上部左右に眼窩（目の入るあな）がある。目が顔の横にあるので、見えるはんいが広く、敵をはやく見つけることができる。

シマウマの視野
正面を向いたまま、真後ろ以外はほぼ見えます。瞳の形も横長になっています。

両目で見えるはんい

切歯（前歯）

犬歯（きば）
おすには、上下のあごに1対の犬歯がある。

前臼歯・後臼歯（奥歯）

下顎骨
上下のあごに切歯と前臼歯・後臼歯がある。切歯で草をかみきり、それを前臼歯・後臼歯でよくすりつぶして食べる。

▼真上から見た下顎骨
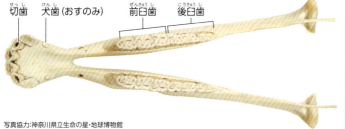
切歯　犬歯（おすのみ）　前臼歯　後臼歯
写真協力：神奈川県立生命の星・地球博物館

頸椎
ほかの哺乳類と同じ7つの骨がある。

肩甲骨
前あしを動かす大きな筋肉がまわりにつく。

胸骨

上腕骨

尺骨

橈骨
橈骨と尺骨は、前後でくっついて1つの骨になっている。あしを前後に動かすことに特化しているので、速く走ることができる。

手根骨

中手骨
後ろあしの中足骨と同じつくり。

指骨
後ろ足の趾骨と同じつくり。

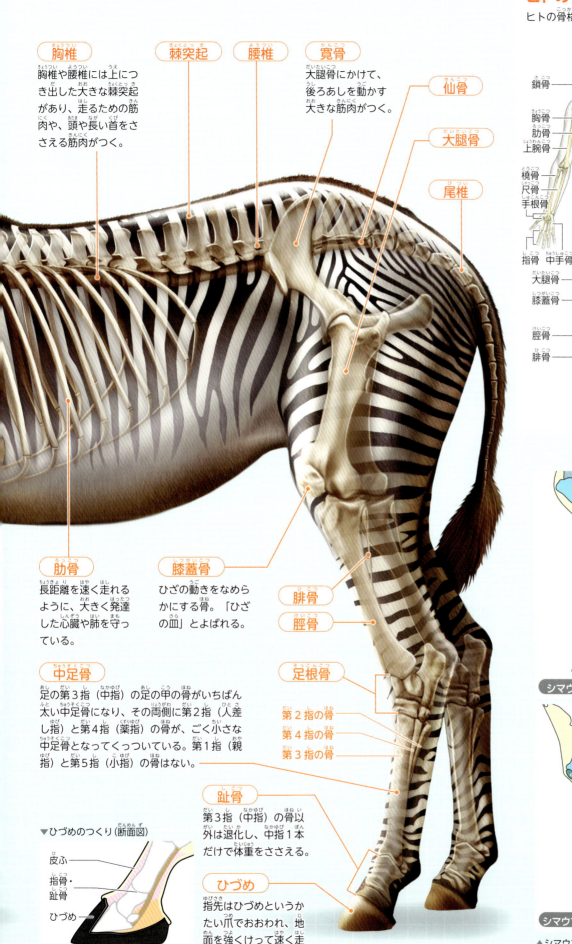
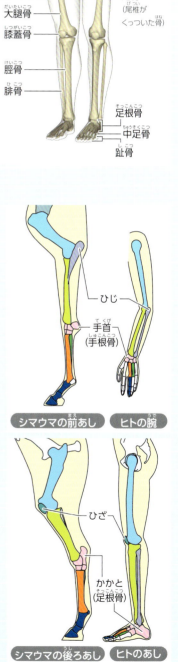

ヒトの骨格

ヒトの骨格と比べてみましょう。

胸椎
胸椎や腰椎には上につき出した大きな棘突起があり、走るための筋肉や、頭や長い首をささえる筋肉がつく。

棘突起

腰椎

寛骨
大腿骨にかけて、後ろあしを動かす大きな筋肉がつく。

仙骨

大腿骨

尾椎

肋骨
長距離を速く走れるように、大きく発達した心臓や肺を守っている。

膝蓋骨
ひざの動きをなめらかにする骨。「ひざの皿」とよばれる。

腓骨

脛骨

中足骨
足の第3指（中指）の足の甲の骨がいちばん太い中足骨になり、その両側に第2指（人差し指）と第4指（薬指）の骨が、ごく小さな中足骨となってくっついている。第1指（親指）と第5指（小指）の骨はない。

足根骨

第2指の骨
第4指の骨
第3指の骨

趾骨
第3指（中指）の骨以外は退化し、中指1本だけで体重をささえる。

ひづめ
指先はひづめというかたい爪でおおわれ、地面を強くけって速く走ることができる。

▼ひづめのつくり（断面図）
- 皮ふ
- 指骨・趾骨
- ひづめ

頭蓋骨（頭骨）
鎖骨
頸椎
胸骨
肩甲骨
肋骨
胸椎
上腕骨
橈骨
尺骨
腰椎
寛骨
仙骨
手根骨
指骨　中手骨
尾骨（尾椎がくっついた骨）
大腿骨
膝蓋骨
脛骨
腓骨
足根骨
中足骨
趾骨

ひじ
手首（手根骨）
シマウマの前あし　**ヒトの腕**

ひざ
かかと（足根骨）
シマウマの後ろあし　**ヒトのあし**

▲シマウマは、ヒトのひじやひざ、手首やかかとにあたる部分から先が長い。

ウマのなかま①

奇蹄目／ウマ科

ウマのなかまには、家ちくのウマ（→P.240）のほか、シマウマやロバがいます。足の指は1本で、長いあしで速く走ることができます。

シマウマの分布

サバンナシマウマ
Equus quagga ウマ科

6つの亜種に分けられます。草や水を求めて、季節によって大きな群れをつくって移動します。♠体長217〜246cm 体高110〜145cm ◆175〜385kg ♣アフリカ ■サバンナ、林 ♥草など

- しまの間に「影しま」という、うすい色のしまが入ることが多い
- 腹までもようがある

▶砂あびするサバンナシマウマ。ウマのなかまは、砂の上で転がって、体についた寄生虫を取ったり体温を下げたりします。

◀めすをめぐってあらそう、グレビーシマウマのおす。シマウマのなかまは、けったりかみついたりして激しくたたかいます。

- 丸くて大きな耳
- 細かいしまもよう
- 腹にはもようがない

グレビーシマウマ
Equus grevyi ウマ科　絶滅危惧種

野生のウマでは最大です。ウマのなかまではめずらしく、おすは結びつきの強い群れをつくらずになわばりをもちます。なわばりは、最大10km²になることもあります。♠体長250〜300cm 体高145〜160cm ◆352〜450kg ♣アフリカ東部 ■砂漠、草原 ♥草など

ヤマシマウマ
Equus zebra ウマ科　絶滅危惧種

2つの亜種に分けられます。1頭のおすと数頭のめす、子どもからなる群れをつくります。♠体長210〜260cm 体高116〜150cm ◆240〜372kg ♣アフリカ南西部 ■高原 ♥草など

- 腰にはしごのようなもよう。もものしまは太い
- のどに小さなふくらみ（肉だれ）
- 腹にはもようがない

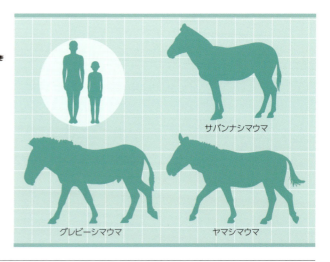

サバンナシマウマ／グレビーシマウマ／ヤマシマウマ

♠体の大きさ　◆体重　♣分布　■生息環境　♥食べ物

▲サバンナシマウマは、雨期にかけて約1万頭もの群れをつくり、オグロヌー（→P.216）の大群とともに草のある平原へ大移動します。

▲サバンナシマウマの親子。シマウマの赤ちゃんは生まれて数十分で立ち上がり、その日のうちに母親について走れるようになります。

▲シマウマのしまもようは、なかまの種を見分ける目印になっています。また、群れたときに1頭1頭の区別がつかなくなり、敵におそわれにくくなると考えられています。

シマウマの耳の動き

シマウマなどウマのなかまは、聴覚が発達しています。長い耳を前、横、後ろに動かして、つねにいろいろな方向から音の情報を集めます。また、耳の向きや位置に気分が表れることも知られています。

左右の耳がばらばらに動く

ぴんと立って前を向く
→興味がある

横にたおす
→くつろいでいる

後ろにたおす
→怒っている

クアッガ
Equus quagga
ウマ科　絶滅

体の前半分にだけしまもようがある
全体が茶色で、腹とあしだけが白い

サバンナシマウマの亜種。肉や皮をとるため、ヨーロッパ系移民の子孫に次々に狩られました。野生では1861年に絶滅し、1883年に最後の1頭が動物園で死んで絶滅しました。🔺体長240cm 体高135～138cm ◆300kg ♣南アフリカ ■サバンナ ♥草

シマウマのしまもようには、体温を下げたり、病気をもたらすツェツェバエなどの吸血バエを寄せつけなくしたりする効果もあります。

ウマのなかま ②

長い耳 / 直立したたてがみ / 前後のあしにしまもよう / ソマリノロバ（亜種）

ロバ（アフリカノロバ）
Equus asinus
ウマ科　絶滅危惧種

アフリカにすむ野生のロバで、家ちくのロバの祖先と考えられています。代表的な亜種はソマリノロバです。3日間は水を飲まなくてもたえられます。♠体長200cm 体高115〜125cm ◆275kg ♣アフリカ（ソマリア、エチオピアなど）■砂漠 ♥草など

▲ウマのなかまのおすは、めすのおしっこのにおいなどをかぐと、上くちびるをまくり上げて前歯をむき出します。これをフレーメン反応といいます。

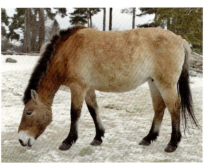

◀冬毛のモウコノロバ（アジアノロバの亜種）。冬毛は夏毛の2倍以上も長くなります。

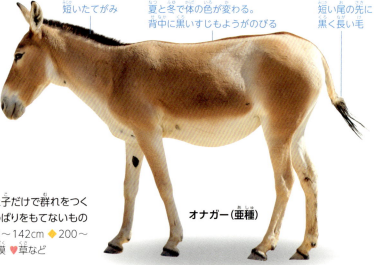

短いたてがみ / 夏と冬で体の色が変わる。背中に黒いすじもようがのびる / 短い尾の先に黒く長い毛 / オナガー（亜種）

アジアノロバ　*Equus hemionus*　ウマ科

アジアにすむ野生のロバをまとめてよびます。めすと子だけで群れをつくることが多く、おすは1頭でなわばりをもつか、なわばりをもてないもの同士が集まってくらします。♠体長210cm 体高100〜142cm ◆200〜260kg ♣アジア（シリア、モンゴル、インドなど）■砂漠 ♥草など

たてがみから尾にかけて黒いすじもよう / 顔や体の上半分は栗色で下半分は白い

キャン　*Equus kiang*　ウマ科

野生のロバでは最大です。新鮮な草を求めて季節ごとに移動しています。♠体長182〜214cm 体高132〜142cm ◆250〜400kg ♣アジア（チベット高原）■標高4000〜7000mの草原、砂漠 ♥草など

▲群れで移動するキャン。

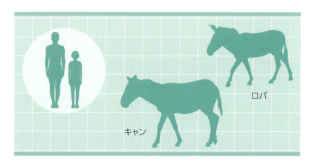

キャン / ロバ

♠体の大きさ ◆体重 ♣分布 ■生息環境 ♥食べ物

バクのなかま

バクのなかまは、前足に4本、後ろ足に3本の指があり、やわらかい地面を歩きやすくなっています。長い鼻先を、においの方向に動かすことができます。

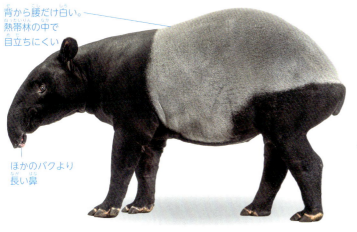

背から腰だけ白い。熱帯林の中で目立ちにくい

ほかのバクより長い鼻

ほおからのどが白っぽい

マレーバク
Acrocodia indicus
バク科 絶滅危惧種
最大のバクです。湿地のまわりの森林に単独ですんでいます。♣体長185〜240cm 体高90〜105cm ◆250〜365kg ♣東南アジア（マレー半島、スマトラ島）■熱帯林、湿地、草地 ♥木の葉、小枝など

▲マレーバクの親子。バクのなかまの赤ちゃんには、白いしまと点のもようがあり、しげみで目立たなくなります。

ベアードバク
Tapirella bairdii
バク科 絶滅危惧種
中央〜南アメリカで最大のバク。鳴き声で子どもとコミュニケーションをとったり、敵をおどしたりします。♣体長198〜202cm 体高120cm ◆300kg ♣中央アメリカ（メキシコ南部）〜南アメリカ北部 ■森林、湿地 ♥木の葉、果実など

▲鼻をのばすベアードバク。ゾウと同じように食べ物をたぐりよせたり、つかんだりできます。

短くかたいたてがみ

耳のふちが白い

アメリカバク
Tapirus terrestris バク科 絶滅危惧種
頭から肩にかけてうねのようなふくらみがあり、かたいたてがみがはえています。泳ぎも上手です。♣体長176〜215cm 体高77〜110cm ◆180〜250kg ♣南アメリカ（ブラジルなど）■森林や水辺のやぶ ♥木の葉や芽、果実など

▲泳ぐアメリカバク。水面から鼻の先だけ出して呼吸することができます。

全身に長さ3〜4cmの毛

耳のふちに白い飾り毛

白いくちびる

白いつま先

ヤマバク
Tapirus pinchaque バク科 絶滅危惧種
最小のバク。厚い皮ふと長い毛でおおわれているため、高地の寒さを防ぐことができます。♣体長180cm 体高75〜80cm ◆225〜250kg ♣南アメリカ（北部アンデスの山岳地帯）標高2000〜4000mの高地の林ややぶ ♥木の葉、小枝など

▲葉を食べるヤマバク。植物の種子を広めるのに役立っています。

バクの分布

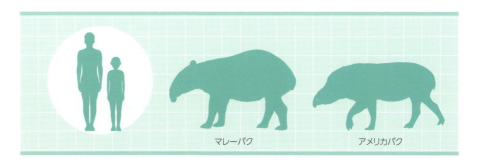

マレーバク　　アメリカバク

中央アジアに生息するウマ科のモウコノウマは、野生では絶滅しましたが、飼育個体が保護区にかえされて、ふたたび増えつつあります。

奇蹄目／サイ科

サイのなかま ①

サイは、ゾウの次に大きな陸上の哺乳類です。種によって鼻先に1～2本の角があります。足の指は3本で、第3指で体をささえます。

- 2本の角。ふつう前の角が長く、最長約1.3m
- シロサイより小さい耳
- とがった口先

クロサイの分布

クロサイ *Diceros bicornis* サイ科 絶滅危惧種

めすと子どもが群れをつくることはありますが、ふつう、おすもめすも単独でくらします。泳ぎは苦手です。♠体長295～375cm 体高140～180cm ◆800～1400kg
♣アフリカ（サハラより南） ■森林、サバンナ ♥木の芽、小枝など

▲クロサイは、とがった口先で木の枝をひきよせ、木の芽や枝などをつまむように食べます。

▲おしっこでマーキングするクロサイ。サイのなかまのおすは、なわばりを見回っておしっこやふんをまき散らし、においでなわばりを示します。

▲角をつき合わせるクロサイのおす。クロサイやシロサイは、おす同士がなわばりやめすをめぐって、角をつき合わせてたたかいます。

どんな赤ちゃん？ 角がない赤ちゃん

生まれたばかりのクロサイの赤ちゃんのひづめは、ゴムのような「蹄餅」でおおわれています。また、角はなく、2か月くらいたつと前の角からはえてきます。水分がたっぷり含まれたお母さんのお乳を、約1年半飲んで、ゆっくり成長します。

蹄餅

出産するとき、お母さんの産道がひづめで傷つかないようにするためのカバー

▲クロサイは、危険を感じると、時速40～50kmで突進することがあります。

♠体の大きさ ◆体重 ♣分布 ■生息環境 ♥食べ物

2本の角。ふつう前の角が長く、最長約1.5m

大きな頭をささえるため、おすは首の後ろがもり上がる。

平らな口先

シロサイの分布

▲シロサイは、広く平らな口先で、草を一度にたくさんむしり取って食べます。

シロサイ　*Ceratotherium simum*　サイ科

最大のサイです。ふつう、大人のおすは単独でくらし、強いおすは2km²くらいのなわばりをもちます。♠体長335〜420cm 体高150〜185cm
◆1400〜3600kg ♣アフリカ南部 ■草原 ♥地面の草など

▲シロサイの角。サイの角は毛や爪と同じケラチン質でできていて、一生伸び続けます。ふつう、おすよりめすのほうが長くなります。

▲シロサイはサイの中では社会性が高く、めすと子どもや若いおすが群れをつくります。ときには十数頭の群れをつくったり、子どもを囲んで輪になり、敵から守ったりすることもあります。

動物園で見てみよう

雨の日の角とぎ

サイは、おすどうしのたたかいや、めすが子を守るためなどに、角をといで形を整えます。雨の日は、角がぬれてやわらかくなるため、角とぎがよく見られます。

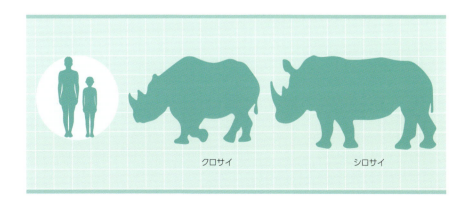

クロサイ　　シロサイ

シロサイの亜種キタシロサイは、野生では2008年に絶滅し、2023年現在、2頭のめすしかいません。絶滅するおそれがあります。

サイのなかま ②

奇蹄目／サイ科

サイのなかまの分布

インドサイ
スマトラサイ
ジャワサイ

1本の角
ひだのある厚くてかたい皮ふ

ジャワサイ
Rhinoceros sondaicus サイ科 **絶滅危惧種**

おすには25〜30cmの角が1本あります。めすの角はおすより短く、角がない場合もあります。ふつう単独でくらします。♠体長300〜320cm 体高155〜175cm ◆1400〜2000kg ♣東南アジア（ジャワ島西部）■熱帯林、湿地 ♥木の芽、小枝など

インドサイ
Rhinoceros unicornis サイ科 **絶滅危惧種**

水あびや泥あびを好み、昼はほぼ水中にいます。めすと子どもや若いおすが群れをつくることがありますが、ふつうは単独でくらします。♠体長310〜380cm 体高148〜186cm ◆1600〜2000kg ♣アジア南部（インドなど）■草原 ♥草、小枝など

1本の角
ひだのある厚くてかたい皮ふ
きばのような歯

2本の角。めすの角はこぶ状になる
ひだのある厚くてかたい皮ふ
全身にあらい毛

スマトラサイ
Dicerorhinus sumatrensis サイ科 **絶滅危惧種**

サイの中で最小。体の表面にあらい毛がはえています。熱帯雨林にすみ、昼はほぼ泥あびをしています。子育て中のめすと子ども以外は、おすもめすもふつう単独でくらします。♠体長236〜318cm 体高110〜150cm ◆600〜950kg ♣東南アジア（タイ、スマトラ、インドネシアなど）■熱帯雨林 ♥木の葉、果実など

▲スマトラサイの体毛。生まれたときから全身が毛でおおわれ、成長とともにまばらになっていきます。

もっと知りたい！ 密猟者からサイを守れ！

サイの角は、薬の原料や装飾品などとして、昔から高く売買されてきました。角をとるためだけに殺してしまう密猟が絶えないことも、絶滅の危機にある大きな原因です。保護活動には、あらかじめ角を切り、密猟者から守る方法も行われています。

サイをとらえて麻酔をかけ、角を短く切ってから放す

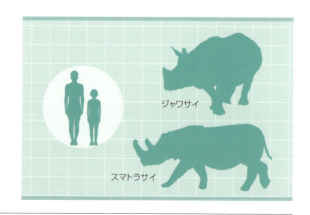

ジャワサイ
スマトラサイ

♠体の大きさ ◆体重 ♣分布 ■生息環境 ♥食べ物

水あびするインドサイ。暑い日中は川などにつかって涼んでいます。

泥あびするスマトラサイ。サイのなかまは、泥をあびて体の熱をさましたり、皮ふの乾燥を防いだり、ハエなどの寄生虫を落としたりします。

サイのなかまは視力が弱く、30m先に立つ人も見えません。かわりに音やにおいには敏感です。

偶蹄目 | カバ、キリン、シカ、ウシなどのなかま

偶蹄目の動物は、その名の通り、足の指が２本または４本の偶数で、奇蹄目の動物と同じく大きなひづめ（蹄）でおおわれています。多くの種が群れをつくり、群れの中で子育ても行います。首の長いキリンも、このグループです。

偶蹄目の種数の割合

偶蹄目の種数 約260種

哺乳類の総種数 約6700種

＊2024年4月時点
（500年以内に絶滅した種を含む）

▲キリン（→P.204）の親子。子どもが生まれてからの数日間は、お母さんはつねに子どもの体をなめたり、首でさすったりして、世話をします。

偶蹄目の分類

偶蹄目は10科に分類されています。繊維質の多い植物を消化するため、ほとんどのなかまは「反すう」をします。イノシシ科、ペッカリー科、カバ科は反すうしません。

イノシシ科 ▶P.190
セレベスバビルサ

ペッカリー科 ▶P.191
クビワペッカリー

カバ科 ▶P.192
カバ

ラクダ科 ▶P.194
ヒトコブラクダ

マメジカ科 ▶P.196
オオマメジカ

ジャコウジカ科 ▶P.196
ヤマジャコウジカ

シカ科 ▶P.197
ニホンジカ

プロングホーン科 ▶P.201
プロングホーン

キリン科 ▶P.204
キリン

ウシ科 ▶P.210
ヨーロッパバイソン

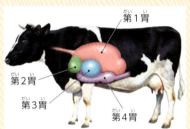

反すうとは
偶蹄目のなかまの多くは、4つに分かれた胃をもちます。口に入ってかまれた食べ物は、まず第1胃でバクテリアによって分解され、第2胃から一度口に戻されます。再び口でかまれたあと、第3胃、第4胃に送られて消化されます。

足のつくり

偶蹄目のなかまは、第1指が退化しました。第3指と第4指が発達して、体をささえています。

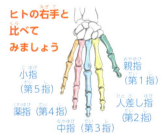
ヒトの右手と比べてみましょう
親指（第1指）・人差し指（第2指）・中指（第3指）・薬指（第4指）・小指（第5指）

シカの右前足
第3指と第4指が発達し、第2指と第5指は副蹄になっています。

イノシシの右前足
第3指と第4指が発達し、第2指と第5指は副蹄になっていますが、シカよりも発達しています。

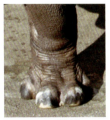
カバの右前足
第3指と第4指は大きく発達していますが、第2指と第5指も発達しています。

＊220ページも見てみましょう。

角のつくり

ウシ科のなかまの角は、頭骨の一部がとがり、そのまわりを角質の鞘がおおっていて、一生のび続けます。シカ科のなかまの角は、骨と同じ成分でできていて、骨の外側にできる袋角の中でのびます。毎年はえかわるたびに大きくなります。プロングホーン科の角は、ウシ科と同じつくりですが、鞘だけが毎年はえかわります。

ウシ科のなかまの角
骨のまわりを、角質でできた鞘がおおっている。

ヨーロッパバイソン

シカ科のなかまの骨
角は骨と同じ成分でできている。

プロングホーン科の骨
骨のまわりを、角質でできた鞘がおおっている。

ニホンジカ

プロングホーン

偶蹄目／イノシシ科・ペッカリー科

イノシシのなかま

原始的な偶蹄目のなかまで、鼻がよくきき、きばをもちます。イノシシ科とペッカリー科に分かれ、ペッカリーはイノシシよりきばが小さく、イノシシのいない南北アメリカにすんでいます。

イノシシの分布

おすはきばが発達
子どもはしまもようがあり、うりぼうとよばれる
子ども

▲南西諸島の一部に生息する、亜種リュウキュウイノシシ。ニホンイノシシより小さい体です。（写真提供：沖縄市）

イノシシ Sus scrofa　イノシシ科　在来種
さまざまな環境で生活できます。子どもを多くうみますが、条件が悪いとあまり育ちません。日本にはニホンイノシシとリュウキュウイノシシの2亜種がいます。
🌱体長90〜200cm 体高55〜110cm ◆44〜320kg ♣ヨーロッパ〜アジア、日本 ■森林からやぶの多い林や農地周辺 ♥草、木の実、果実、根、昆虫、小動物

頭には白や灰色の部分がある

耳が短い
体毛が少ない
あごに長いひげ

ヒゲイノシシ Sus barbatus　イノシシ科　絶滅危惧種
果実が好物で実りに合わせて移動します。昼行性で、数百頭の群れになることがあります。🌱体長122〜152cm 体高90cm ◆58〜83kg ♣ボルネオ、マレーシア、スマトラ ■熱帯林 ♥草や木の根、木の実、小動物

カワイノシシ
Potamochoerus larvatus　イノシシ科
めすと子どもの6〜12頭ほどの群れをつくります。🌱体長100〜150cm 体高55〜88cm ◆50〜115kg ♣アフリカ中部・東南部 ■森林や河畔林 ♥草や木の根、果実、小動物

目の下にいぼ状のこぶ
あしは短く、がんじょう
ひづめは丸く、やわらかい地面を歩きやすい

「ぬた場」を利用する

イノシシには、体温調節や体についた寄生虫などを落とすために、泥の上を転げまわって泥あびをする習性があります。泥あびをする場所は「ぬた場」とよばれ、土がおし固められて水たまりになります。ぬた場は、ほかの動物や鳥なども訪れる、貴重な水場として役立っています。

シカやタヌキ、鳥などもやってくる

モリイノシシ Hylochoerus meinertzhageni　イノシシ科
大型のイノシシです。めすはおすよりも小さく、子どもと20頭ほどの群れをつくります。🌱体長130〜210cm 体高75〜110cm ◆100〜275kg ♣アフリカ中部 ■森林やその周辺 ♥草の葉や種子、小動物

🌱体の大きさ ◆体重 ♣分布 ■生息環境 ♥食べ物

▲セレベスバビルサの家族。子どもにしまもようはなく、めすはふつう上のきばがありません。

コビトイノシシ
Porcula salvania イノシシ科 絶滅危惧種

最小のイノシシで、250頭以下に減っている可能性があります。 ♠体長55〜71cm 体高25cm ◆6.6〜9.7kg ♣インドのアッサム地方 ■水辺近くの草たけの高い草原 ♥草の根、新芽、小動物

セレベスバビルサ
Babyrousa celebensis イノシシ科 絶滅危惧種

じょうぶなあごと歯で固い実を割ることができます。おすは単独で、めすは群れで生活しています。 ♠体長85〜110cm 体高65〜80cm ◆最大100kg ♣スラウェシ島 ■熱帯雨林 ♥果実、根、葉、小動物

イボイノシシ
Phacochoerus aethiopicus イノシシ科

草食性で、上あごの前歯がありません。水場が近くにある乾燥した場所を好み、めすは子どもと群れをつくります。 ♠体長105〜152cm 体高55〜84cm ◆48〜143kg ♣アフリカ東部 ■サバンナや半砂漠 ♥草や木の葉や根

チャコペッカリー
Catagonus wagneri ペッカリー科 絶滅危惧種

とげのある低木の間を細いあしで歩き回ります。日中に単独か、数頭〜10頭ほどの群れで活動します。 ♠体長90〜117cm 体高52〜69cm ◆29〜40kg ♣南アメリカの中部 ■乾燥した半砂漠草原(グランチャコ) ♥サボテン、小動物

クビワペッカリー
Pecari tajacu ペッカリー科

さまざまな環境や標高で生活します。6頭から30頭ほどの群れで行動します。 ♠体長84〜106cm 体高30〜50cm ◆15〜42kg ♣北アメリカ南部〜南米 ■熱帯雨林、低木地、砂漠 ♥葉、根、種子、小動物

クチジロペッカリー
Tayassu pecari ペッカリー科 絶滅危惧種

さまざまな環境で生活します。雑食でかむ力が強く、固い種子も割れます。ときには400頭の大きな群れになります。 ♠体長90〜139cm 体高40〜60cm ◆25〜40kg ♣中央〜南アメリカ ■熱帯雨林、低木地、草原 ♥果物、種子、根、小動物

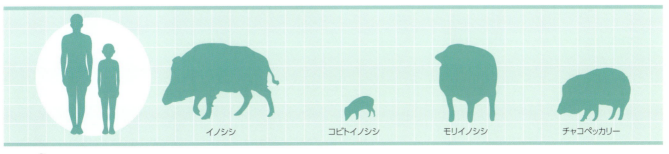

ペッカリー科のなかまは、背中ににおいを出す腺をもっています。

カバのなかま

偶蹄目／カバ科

カバ科にはカバとコビトカバの2種がいます。カバは昼はほぼ水中でくらしますが、コビトカバはおもに森林や湿地などですごします。

カバの分布

カバ　*Hippopotamus amphibius*　カバ科　絶滅危惧種

皮ふはぶ厚いですが、乾燥に弱く、粘液を分泌して皮ふを守ります。おもに夜間に陸に上がって食事します。

- 体長290〜505cm 体高150〜165cm
- 1000〜4500kg　アフリカ（サハラ以南）
- 草原、サバンナ、低木林の水辺
- 草、木の葉

目、耳、鼻のあなが顔の上面に

うすくて乾燥に弱い皮ふ

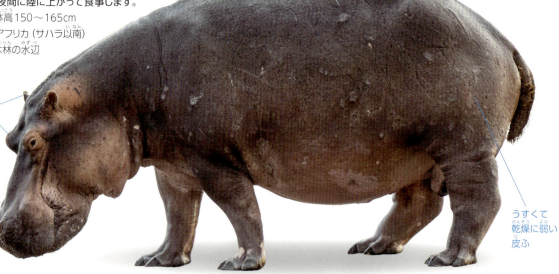

▲カバの鼻や目、耳は顔の上に並んでいるので、水面に顔の上だけ出して、水中にひそむことができます。水が入らないように鼻のあなを閉じることもできます。

▲皮ふから赤い粘液を出して、紫外線や細菌から皮ふを守ります。「血の汗」といわれることがありますが、血でも汗でもありません。

◀カバの口は、最大で150度も開けることができます。上下のきばは、一生のび続けます。

どんな赤ちゃん？　水中でお乳を飲む

カバのめすは水中で出産し、お乳も水中で飲ませます。赤ちゃんは、ときどき息つぎをしながらお乳を飲みます。1週間くらいたつと、赤ちゃんはお母さんのふんを食べ始めます。消化を助ける腸内細菌や栄養分を、ふんから腸に取りこむことで、草を食べられるようになっていきます。

動物園で見てみよう　カバのまきふん

カバのおすは、ふんをしながら尾をふり回してまき散らし、自分のにおいをつけてなわばりをしめします。めすは、水中でかたまりのふんをします。

水中でも陸上でもまきふんをする

体の大きさ　体重　分布　生息環境　食べ物

▲おすは大きく口を開け、するどいきばを見せて、なわばりやめすをめぐってたたかいます。

▲カバは、水中に5分間もぐっていられます。交尾や出産、授乳なども水中で行います。

▲カバは時速40km以上で走ることができます。

カバよりも頭が小さく丸い

目はつき出ていない

コビトカバ *Choeropsis liberiensis* カバ科 絶滅危惧種

水中にも入りますが、森林でもくらします。粘液を分泌して皮ふを乾燥から守ります。単独か小さな群れで生活します。🌱体長150〜175cm 体高75〜100cm ◆160〜270kg ♣西アフリカ ■熱帯の小川のある森 ♥木や草の葉や根、果実

◀口を開いたコビトカバ。カバと同じように、上下のあごにきばがあります。

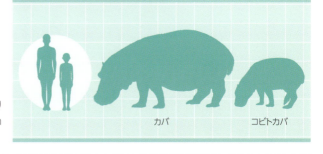

📝 コビトカバは、ジャイアントパンダ（→P.162）、オカピ（→P.205）、ボンゴ（→P.212）とともに「世界四大珍獣」といわれています。

偶蹄目／ラクダ科

ラクダのなかま

ラクダのなかまは、水を長い間飲まずにたえられ、砂漠などの乾燥した環境で生きられます。グアナコなど、南アメリカにすむなかまには背中のこぶがありません。

ふさふさしたまゆ毛と長いまつ毛で砂が目に入るのを防ぐ

脂肪の入ったこぶは2つ

ヒトコブラクダよりがっしりした体

フタコブラクダの分布

ひづめの幅が広く砂にもぐりにくい

フタコブラクダ
Camelus bactrianus
ラクダ科　絶滅危惧種
野生のフタコブラクダは、家畜よりこぶがやや小さいのが特ちょうです。写真は家畜化されたフタコブラクダです。🔺体長320〜350cm 体高160〜180cm ◆450〜500kg ♣中国北西部、モンゴル南西部 ■砂漠、乾燥地 ♥草、木の葉

▲フタコブラクダやヒトコブラクダは、食べ物がないときは、こぶの中の脂肪を栄養や水に利用します。そのため、長い間何も食べないと、こぶがしぼんでいきます。

ふさふさしたまゆ毛と2列のまつ毛で砂が目に入るのを防ぐ

脂肪の入ったこぶは1つ

ヒトコブラクダ
Camelus dromedarius　ラクダ科　野生絶滅
口に入れた植物をかみ続けて、非常に細かくしてから飲みこみます。1週間水を飲まなくても生きられます。🔺体長220〜340cm 体高180〜200cm ◆400〜600kg ♣北アフリカ、アジア南西部、オーストラリア（家畜が野生化）■砂漠、乾燥草原 ♥草、木の葉

ひづめの幅が広く砂にもぐりにくい

🔺体の大きさ　◆体重　♣分布　■生息環境　♥食べ物

ラクダのすわりだこ

ラクダは、4本のあしを折り曲げてすわります。すわるとき地面に着く関節や、すわっているとき体重のかかる胸に、皮ふが厚くなった「すわりだこ」があります。すわりだこがクッションの役目をするので、長時間すわって休むことができます。

すわりだこ

▲グアナコは1頭のおすと数頭のめす、その子どもからなる群れをつくります。若いおすは、おすだけでくらします。

グアナコ
Lama guanicoe ラクダ科

10頭ほどの群れで生活しています。酸素が少ない高標高で生活しているので、血液中の赤血球の数がヒトの4倍あります。
♠体長190〜215cm 体高90〜130cm ◆90〜140kg
♣南アメリカ西部、南部
■乾燥した草原、低木地帯
♥草、木の葉

灰色から黒の小さな頭
胸、首の前側、あしの内側は白

ラマ *Lama glama* ラクダ科
グアナコを家畜にした動物と考えられています。群れで生活していて、ヒトによくなれます。♠体長180〜229cm 体高102〜106cm ◆110〜220kg
♣南アメリカ西部 ■山地、草原 ♥草、木の葉

小さな頭

ビクーニャ *Lama vicugna* ラクダ科
群れで生活します。季節的に大きな移動はしませんが、水を求めて1日の中では移動します。♠体長125〜190cm 体高85〜90cm ◆38〜45kg ♣南アメリカ西部 ■高標高の山岳地の乾燥した草原 ♥草、木の葉

胸の毛は白くて長い

▲水場に集まったビクーニャの群れ。ビクーニャは、毎日水を飲む必要があります。

アルパカ *Lama pacos* ラクダ科
群れで生活しています。良質な毛を利用するために数千年前に家畜にされました。♠体長114〜150cm 体高85〜90cm ◆55〜65kg ♣南アメリカ西部（アンデス山脈の高地）■山岳地の草原、湿地 ♥草、木の葉

体は長い毛でふわふわして見えるが、毛を刈ると細身

フタコブラクダ　ヒトコブラクダ　グアナコ　ビクーニャ

南アメリカにすむラクダのなかまのおすは、上下のあごにかぎ状のするどい歯があります。この歯で、おすどうしがたたかいます。

マメジカ・ジャコウジカのなかま

偶蹄目／マメジカ科・ジャコウジカ科・シカ科

このなかまはウサギほどの大きさで、偶蹄目の祖先の姿を残しています。角はなく、おすにきばがあります。反すうしますが、ほかの反すう動物とちがって、胃は3つに分かれています。

オオマメジカ *Tragulus napu* マメジカ科
夜行性で日中はやぶの中にいます。単独で生活し、なわばりをもちます。♠体長43〜68cm 体高30〜35cm ◆3.5〜4.5kg おすのほうが大きい ♣東南アジア ■熱帯雨林の水辺 ♥落ちた果実、芽や茎、草や木の葉

・大きな目
・おすにはきばがある
・あごと首に白い線
・後ろあしが発達

ジャワマメジカ *Tragulus javanicus* マメジカ科
偶蹄目のなかまで最小です。日中に活動して夜に休みます。おすはきばを使って激しくたたかうことがあります。♠体長50〜53cm 体高20〜25cm ◆1.7〜2.1kg ♣東南アジア ■熱帯林 ♥葉、新芽、落ちた果実

・丸い背
・上あごに小さなきば
・のどに白い線
・あしは鉛筆くらいの太さ

▲シベリアジャコウジカのきば。

シベリアジャコウジカ
Moschus moschiferus
ジャコウジカ科 絶滅危惧種
おすは後ろあしのつけねに、強いにおいをだすジャコウ腺をもっています。夕暮れと夜明けによく活動します。♠体長65〜90cm 体高56〜61cm ◆7〜17kg ♣アジア東北部 ■山岳地の森林 ♥木の葉、コケ

・あごから肩にかけて白い毛
・長いきば
・後ろあしが発達

「ジャコウ」とは？

「ジャコウ」とは、ジャコウジカのなかまのおすが、ジャコウ腺から出す「麝香」とよばれるにおいです。名前にジャコウがつく動物は、麝香ににた独特のにおいで、めすをさそいます。

- ジャコウネズミ（→P.119）
- ジャコウウシ（→P.214）
- ジャコウジカのなかま
- ジャコウネコのなかま（→P.150）

・長いきば

ヤマジャコウジカ
Moschus chrysogaster
ジャコウジカ科 絶滅危惧種
標高4000mから5000mの高山帯で生活し、日中はくぼみで休んでいます。♠体長85〜90cm 体高50〜60cm ◆11〜18kg ♣ヒマラヤ東部からチベット ■山岳地の森林 ♥木の葉、新芽

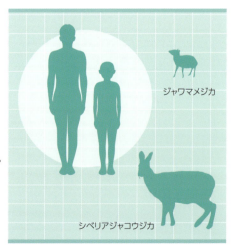

ジャワマメジカ / シベリアジャコウジカ

♠体の大きさ ◆体重 ♣分布 ■生息環境 ♥食べ物

シカのなかま①

シカのなかまは、森林や草原などさまざまな環境にすみ、種によって大きさもさまざまです。おすのほうがめすより体が大きく、おすだけに角があります。

角は4本に分かれ、最長98cm

夏毛は栗色に白いはん点、冬毛は灰褐色

おす

めすには角がない

めす

ニホンジカの分布
出典：環境省「ニホンジカ及びイノシシの生息分布調査」(https://www.env.go.jp/press/109239.html)を加工して作成

ニホンジカ
Cervus nippon
シカ科　在来種

高山から低地、森林から草原まで、さまざまな環境で生活できます。めすは数頭の家族で群れになります。
♠体長110〜190cm 体高60〜115cm ◆20〜176kg おすのほうが大きい ♣日本、東アジア ■森林、草原 ♥草、木の葉、木の実

▲生後2〜3か月の子ども。1歳までは角がはえません。

1歳 2歳 4歳

▲シカの角は1歳からはえはじめ、毎年はえ変わるごとに枝分かれしながら大きくなります。角の大きさや枝の数で、おおよその年齢がわかります。

夏　秋　翌春

▲春にはえはじめた角は袋角といい、短い毛のはえた皮ふでおおわれ、夏にかけて成長します。秋になると表面の皮ふがはがれ、かたい角が現れます。

◀翌年の春になると角は根元から自然に落ち、やがて新しい袋角がはえてきます。

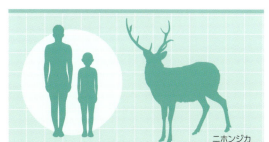

ニホンジカ

日本の奈良公園にすむニホンジカは、国の天然記念物に指定されています。

シカのなかま②

アカシカ
Cervus elaphus シカ科

シカのなかまで、もっとも広く分布します。アメリカのアカシカを別の種とすることもあります。🌱体長165〜240cm 体高95〜165cm ◆75〜530kg おすのほうが大きい ♣ユーラシア、アフリカ北部、北アメリカ ■開けた森林、草原、荒地 ♥草、木の葉、木の実

・角は枝分かれが多い。最長164cm
・夏毛は赤茶色、冬毛は灰褐色

サンバー（スイロク）
Cervus unicolor シカ科 絶滅危惧種

めすは子どもと小さな群れをつくりますが、おすは単独です。水辺にいることが多く、水鹿ともよばれます。🌱体長160〜210cm 体高110〜160cm ◆130〜350kg おすのほうが大きい ♣南アジア、東南アジア ■森林と水辺 ♥草、木の葉、果実

・角は3本に分かれる。最長128cm
・毛色は褐色から暗褐色

・角は枝分かれが多い。最長133cm
・広いひづめ

クチジロジカ
Cervus albirostris シカ科 絶滅危惧種

けわしい山岳地に生息する大型のシカです。30頭ほどの群れで行動し、日の出と日の入りに活発に活動します。🌱体長180〜190cm 体高110〜130cm ◆90〜220kg おすのほうが大きい ♣チベット高原 ■標高3500m以上の低木林や草原 ♥草、木の葉、新芽

アクシスジカ
Axis axis シカ科

世界でもっとも美しいシカとよばれます。めすを中心とした群れで生活し、ときには水辺に200頭も集まることがあります。🌱体長140〜155cm 体高70〜95cm ◆45〜110kg おすのほうが大きい ♣アジア南部 ■森林、河畔林、草原 ♥草、木の葉、果実

・角は3本に分かれる。最長110cm
・のどが白い
・全身に1年中白いはん点がある

もっと知りたい！ 3タイプのシカの角

多くのシカのなかまのおすには、枝角とよばれる特有の角があります。頭骨の角座からはえる骨質の角で、毎年ぬけ落ちてはえ変わります。枝角の形を大きく分けると、3つのタイプがあります。

①まっすぐな角　プーズー、アカマザマなど
②枝分かれした角　ニホンジカ、シフゾウなど
③てのひら状の角　ヘラジカ、ダマジカなど

▲アクシスジカは泳ぎが上手で、敵に追われると川などに逃げこみます。

🌱体の大きさ ◆体重 ♣分布 ■生息環境 ♥食べ物

▶シフゾウはシカの中では尾が長く、尾の先にはふさがついています。

枝分かれが多くて枝が長い角

シフゾウ
Elaphurus davidianus シカ科
野生絶滅

ひづめはウシ、頭はウマ、角はシカ、体はロバににています。どの動物でもないというので、四不像という名前がつきました。♠体長180〜210cm 体高110〜140cm ◆140〜220kg ♣中国 ■草原 ♥草、水草、木の葉

大きなひづめ

おすにはてのひら状の角

ダマジカ
Dama dama シカ科

めすは子どもと小さな群れをつくります。おすは単独か、おすだけの群れをつくります。♠体長130〜155cm 体高70〜95cm ◆35〜80kg おすのほうが大きい ♣ヨーロッパ、トルコ ■広葉樹や針葉樹の森、草原 ♥草や木の葉

体色は茶色や白など、さまざま

キバノロ
Hydropotes inermis シカ科
絶滅危惧種

単独で生活しています。おすは発情期にはなわばりをもちます。♠体長90〜100cm 体高50〜55cm ◆11〜15.5kg ♣中国南東部、朝鮮半島 ■水辺に近い森林や草原 ♥草や木の葉

角はない

おすのきばはするどく長い。めすのきばは小さくて外からは見えない

前あしが後ろあしより短い

おすにはするどいきばがある。めすのきばはおすより短い

おすには角

キョン
Muntiacus reevesi シカ科 外来種

森林にすむ小型のシカです。昼も夜も活動し、単独性で、おすはなわばりをもちます。♠体長70〜80cm 体高45〜50cm ◆12〜15kg ♣中国、台湾、日本（千葉県、伊豆大島）■森林 ♥木の葉、芽、果実

短いあし

▲房総半島のキョン。千葉県や伊豆大島で動物園から逃げたものが大量に増え、住宅街にも現れて問題になっています。

角は短く3本に分かれる。最長23cm

ノロ（ノロジカ）
Capreolus capreolus シカ科

1日中活動し、1日に10回ほど採食します。シカのなかではめずらしく、2、3頭の子どもをうむことがあります。♠体長107〜127cm 体高65〜84cm ◆17〜30kg ♣ユーラシア北部 ■開けた森林、低木林、草原 ♥木の葉、新芽、種子

後ろあしが前あしより長く、やぶをくぐりやすい

ションブルグジカ
Rucervus schomburgki シカ科 絶滅

角はふつう20本、最大で33本に枝分かれしていました。角をねらった狩人に次々に狩られ、1931年に絶滅しました。♠体長180cm ◆170〜280kg ♣タイ南西部 ■水辺 ♥水生植物、低い木の葉、草

📝 野生のシフゾウは1864年までに絶滅したと考えられています。その後、飼育個体を野生に戻したものが増えています。

偶蹄目／シカ科・プロングホーン科

シカのなかま ③

- おすにはてのひら状の角
- こぶ状の肩
- たれさがった鼻
- 肉だれがついたのど
- 長いあし

▲ヘラジカは、動物のなかでいちばん大きな角をもち、最大で幅2mにもなります。

ヘラジカ（ムース、エルク）
Alces alces シカ科

シカのなかまで最大です。単独か小さな群れで生活します。1日中活動し、日の出と夕暮れに活発になります。
♠体長 240〜300cm 体高185〜210cm ◆280〜770kg ♣ユーラシア北部、北アメリカ ■湿地のある混交林 ♥木の葉、枝、水草

アメリカヌマジカ
Blastocerus dichotomus シカ科 絶滅危惧種

- 角は4〜5本に分かれる。長さ45cmほど
- 長細い顔で、鼻先や口のまわりは黒い
- 先が黒く長いあし、大きなひづめ

水辺を好む、やや大型のシカです。昼行性で、泳ぎが得意です。めすは家族で、おすは単独で生活します。♠体長165〜180cm 体高100〜130cm ◆70〜130kg ♣南アメリカ ■水辺 ♥水草、草

オジロジカ
Odocoileus virginianus シカ科

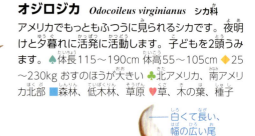
- 角は幹が前にカーブする。最長80cm
- 白くて長い、幅の広い尾

アメリカでもっともふつうに見られるシカです。夜明けと夕暮れに活発に活動します。子どもを2頭うみます。♠体長115〜190cm 体高55〜105cm ◆25〜230kg おすのほうが大きい ♣北アメリカ、南アメリカ北部 ■森林、低木林、草原 ♥草、木の葉、種子

ミュールジカ
Odocoileus hemionus シカ科

- 大きな耳
- 尾の先が黒い
- 角はふたまたに分かれてから枝が出る。最長75cm

アメリカでふつうに見られるシカです。乾いた場所を好み、夜明けと夕暮れに活発に活動します。♠体長135〜180cm 体高75〜105cm ◆35〜230kg おすのほうが大きい ♣北アメリカ西部 ■開けた森林、低木林 ♥木の葉、草、種子

プーズー
Pudu puda シカ科

- 角は枝分かれがなく、後ろにそる。最長10cm

小さなシカで、ずんぐりした体型です。単独、または一時的なペアになって、森林で生活します。♠体長80cm 体高30〜40cm ◆9〜14kg ♣南アメリカ ■森林 ♥木の葉、新芽、果実

♠体の大きさ ◆体重 ♣分布 ■生息環境 ♥食べ物

トナカイ（カリブー）
Rangifer tarandus シカ科 絶滅危惧種

寒冷地に生息する大型のシカです。50万頭の群れになり、2000kmの季節移動をすることがあります。♠体長170〜210cm 体高70〜135cm ◆55〜240kg おすのほうが大きい ♣ユーラシア北部、北アメリカ ■森林、ツンドラ ♥草、コケ、木の葉、新芽

シカのなかまでは唯一、おすにもめすにも角がある。おすの角は手のひら状で最長150cm。

おす／めす

▲トナカイのおすの角は、繁殖期を終えた初冬に落ちます。めすの角は、出産を終えた春に落ちます。

角は短く、10cmくらい
ひたいから鼻先までが黒い
後ろあしは前あしよりも長い

アカマザマ（マザマ）
Mazama americana シカ科

おすとめすの大きさは同じくらいで、単独で生活しています。おもに夜に活動しています。♠体長90〜145cm 体高60〜80cm ◆30〜65kg ♣南アメリカ ■熱帯や亜熱帯の森林 ♥木の葉、果実、種子

角は3本に分かれる。枝は長く30cmほど
目のまわりと口のまわりが白い

パンパスジカ
Ozotoceros bezoarticus シカ科

1日中活動します。小さな群れをつくり、あまり移動しません。♠体長85〜120cm 体高60〜70cm ◆22〜40kg ♣南アメリカ ■草原 ♥草

▲コヨーテから逃げるプロングホーン。プロングホーンは時速60kmで長時間走ることができ、最高時速は80km以上にもなります。

おすは2本に枝分かれした平たい角
首の前に2本の白いしまもよう

プロングホーン
Antilocapra americana
プロングホーン科

とても速く走ります。群れで生活し、子どもを2頭うみます。角にはさやがあり、さやは毎年落ちます。♠体長130〜140cm 体高86〜88cm ◆30〜80kg ♣北アメリカ ■草原、砂漠 ♥草、木の葉

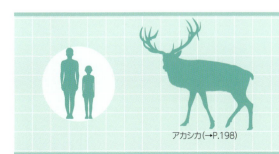

アカシカ（→P.198）／キョン（→P.199）／ヘラジカ（ムース、エルク）／プロングホーン

プロングホーンは、シカににていますが、キリン（→P.204）に近いなかまです。この科にはプロングホーン1種しかいません。

北アメリカで、夏に移動するトナカイ（→P.201）の群れ。
出産を終えためすと子どもに、おすが合流しています。夏は蚊が大発生するので、涼しくて、蚊の少ない風通しの良い海岸や山頂へ移動すると考えられています。
移動する理由は、季節によってことなり、秋から冬にかけては、暖かい場所を求めて南へ移動します。春先には、出産のためと食べ物を求めて、北へ移動します。

（写真提供：星野道夫事務所）

偶蹄目／キリン科

キリンのなかま

キリンのなかまには、キリンとオカピの2種がいます。キリンは首やあしがとても長く、サバンナでくらします。オカピは、キリンの祖先の姿を残すといわれ、熱帯雨林でくらします。

おすにもめすにも頭に角がある

マサイキリン（亜種）

アミメキリン（亜種）

とびだす！AR キリン

キリンの分布

▲アミメキリンのもようは、白い線で囲まれた亀の甲らのような形です。

▲マサイキリンのもようは、ふちがぎざぎざで、ツタの葉のような形です。

後ろあしより前あしが長く、肩の位置も高い

キリン
Giraffa camelopardalis
キリン科　絶滅危惧種

おすはめすより高い場所の葉を食べます。アカシアの葉を求めて移動します。めすは子どもと小さな群れをつくります。いくつかの亜種に分けられます。🍃体長350〜480cm 頭頂高450〜600cm ◆1800〜1930kg（おす）、450〜1180kg（めす）♣アフリカ中南部 ■サバンナ ♥アカシアなどの木の葉

どんな赤ちゃん？ 折りたたまれた角

キリンのめすは、立って出産します。地面にうみおとされた赤ちゃんは、お母さんにやさしくうながされて立ち上がり、お乳を飲みます。お母さんは赤ちゃんの体をなめて、においをおぼえます。
赤ちゃんの角は折りたたまれていて、平らな頭をしています。2週間くらいたって角が起き上がるころには、やわらかい草なども食べ始めます。

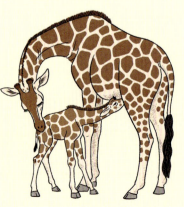

動物園で見てみよう 首を上下する食べ物

食事のあと、キリンが口をもぐもぐしていたら、反すうをしているサインです。飲みこんだ食べ物のかたまりが首の中を下り、また上ってきて口の中にはき出されるのがわかります。

🍃体の大きさ　◆体重　♣分布　■生息環境　♥食べ物

▲キリンは長いあしを曲げず、前あしを大きく開いて水を飲みます。

▲舌は45cm以上ものび、高い木の葉もからめとって食べることができます。オカピの舌も同じくらいの長さがあります。

▲キリンは、おす同士がめすをめぐって首をぶつけあってあらそいます。これをネッキングといいます。

オカピ
Okapia johnstoni　キリン科

絶滅危惧種

母子のペアをのぞいて、単独で行動します。体毛には脂分が多く、防水機能があるといわれています。🌲体長200〜210cm 体高150cm ◆180〜320kg ♣アフリカ中央部 ■熱帯雨林 ♥木の葉

- 体色は濃い茶色がかった紫色
- おすには角がある
- 鼻先は黒い
- 前あしとお尻に白から黄色のしまもよう

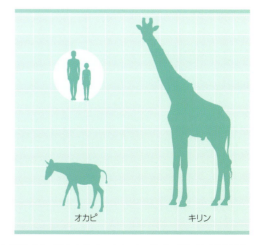

オカピ　キリン

📝 キリンやオカピの後頭部には網目状の血管があり、頭を急に上下させても、脳を行き来する血液の量が変わらないように調節しています。

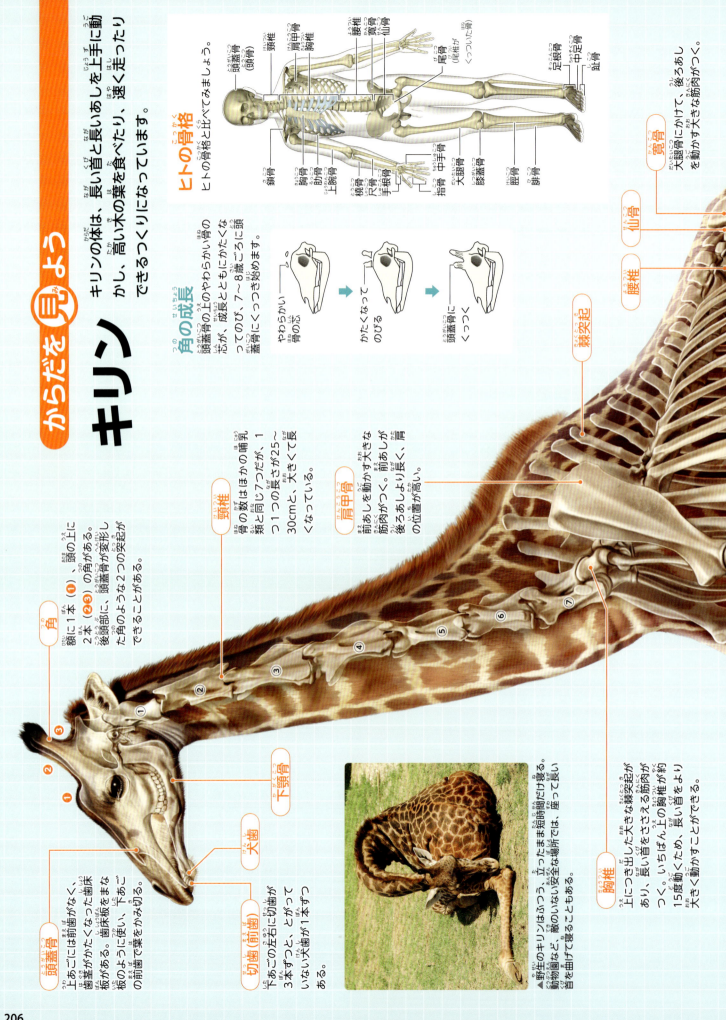

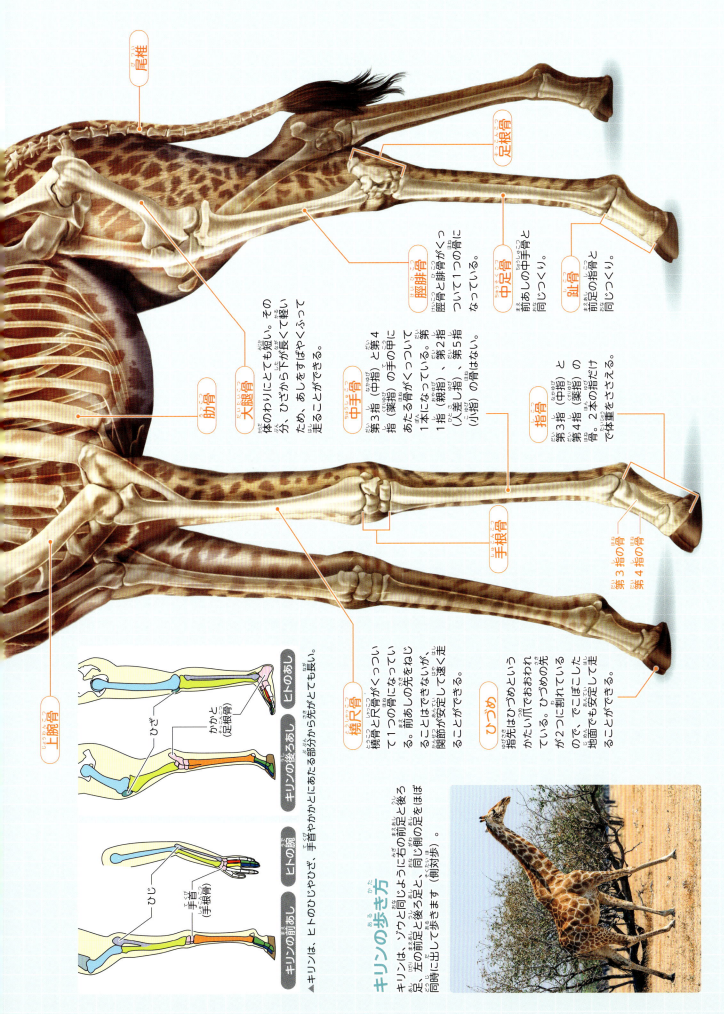

キリンの角

キリンの角は骨でできています。とくにおすは、年齢とともに、こぶのような骨のかたまりが角や頭についてきます。そのごつごつした角を、おす同士は相手の体にぶつけ合い、力比べをしたり、たたかったりします。成熟した、おすのキリンの角を観察しましょう。

皮骨が変形した部分。

毛の下の皮ふ
力比べのために相手の体にぶつけるので、おすは角の先に毛がないものが多い。

頭の上の2本の角
皮ふの中につくられる、「皮骨」とよばれる骨でできている。

ごつごつした骨
額の中央部や目の上の部分は、とくに骨が発達する。

額の1本の角

骨のかたまり
成長とともに、こぶのように角について、ごつごつした角になる。

毛の下の皮ふ

アミメキリン(おす)
(→P.204)

この部分の本当の大きさです。

本当の大きさです

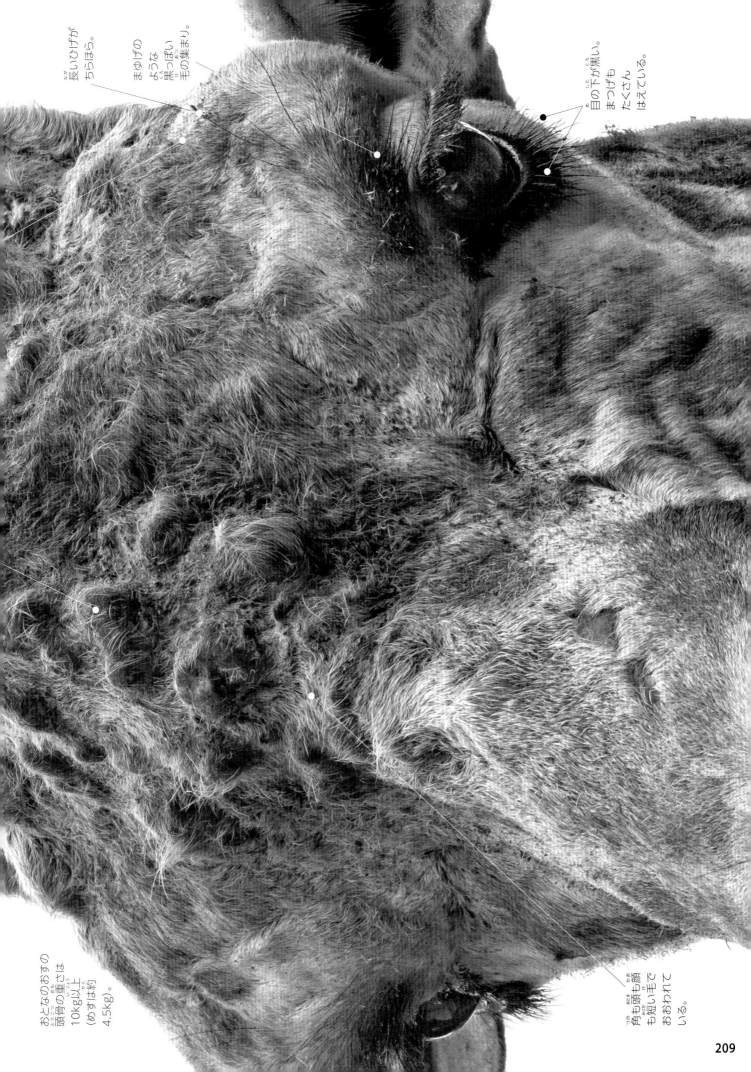

まゆげのような黒っぽい毛の集まり。

長いひげがちらほら。

目の下が黒い。まつげもたくさんはえている。

おとなのおすの頭骨の重さは10kg以上（めすは約4.5kg）。

角も頭も顔も短い毛でおおわれている。

ウシのなかま ①

ウシのなかまは、草原や森林などさまざまな環境にすんでいます。多くはがっしりした体型で、おすもめすも骨の芯がある角をもっています。

アメリカバイソン（バッファロー） *Bos bison* ウシ科
19世紀末に絶滅寸前まで減りましたが、現在は回復しています。群れで生活します。♠体長210〜380cm 体高150〜195cm ◆360〜998kg おすのほうが大きい ♣北アメリカ ■草原、森林 ♥草、木の葉

- 頭は肩よりも下にある
- 長い毛のもり上がった肩
- 先が上に向いた角

ヨーロッパバイソン *Bos bonasus* ウシ科
ヨーロッパの陸上動物でもっとも重い動物。20世紀初めに野生種は絶滅しましたが、飼育個体が野生にもどされました。♠体長210〜350cm 体高150〜200cm ◆350〜1000kg ♣ヨーロッパ ■森林、草原 ♥草、木の葉

- 太くて短い首、もり上がった肩
- アメリカバイソンよりもスマート
- 先がやや前に向いた角
- あしが長い

ガウル（インドバイソン） *Bos frontalis* ウシ科 〈絶滅危惧種〉
アジアの野生のウシで最大です。群れで生活しています。ガイヤルはガウルの家畜化されたものです。♠体長230〜330cm 体高165〜220cm ◆650〜1000kg ♣インド、東南アジア ■森林、草地 ♥草、木の葉

- 大きな耳
- おすの角はめすよりも長い。最長90cm
- おすは肩がもり上がる
- 白いあし先

ヤク（ノヤク） *Bos mutus* ウシ科 〈絶滅危惧種〉
標高4000〜6100mの山岳草原に群れで生活します。乳、毛皮、肉などを取る家畜のヤクの起源です。♠体長306〜380cm 体高137〜203cm ◆300〜1000kg おすのほうが大きい ♣中央アジア（野生種）■高山の草原（野生種）♥草、コケ

- おすの角は長く、前と外につき出す。めすの角は短く直立
- 頭は肩よりも下にある

反すうで世界進出

ウシのなかまは反すうのしくみにより、植物はどこにでもある反面、栄養が少なく消化しにくいという欠点に適応し、世界中に進出して繁栄しました。

バンテン *Bos javanicus* ウシ科 〈絶滅危惧種〉
群れで生活し、食べ物や水を求めて移動します。人の活動で生息場所がせまくなり絶滅が心配されています。♠体長190〜225cm 体高160cm ◆600〜800kg ♣東南アジア ■乾いた森林 ♥草、木の葉

- おすの角はめすより長い。最長68cm
- 体色はおすは黒っぽく、めすは栗色か茶色
- おしりとあし先は白い

♠体の大きさ ◆体重 ♣分布 ■生息環境 ♥食べ物

▲ニアラの家族。おすの体色は黒褐色ですが、めすや子どもは赤茶色です。

おすだけに長い角。最長83cm
目の間が白い
胴体には白い線

ニアラ　Nyala angasii　ウシ科
小さな群れで生活しますが、ときには30頭くらいになります。♠体長132～198cm 体高82～121cm ♦55～126kg おすのほうが大きい ♣アフリカ南部 ■森林、開けた低木地 ♥木の葉、草、果実

おすには黒く短くするどい角。最長24cm
のどが白い

ニルガイ
Boselaphus tragocamelus ウシ科
めすと子どもの群れ、おすの群れなど、小さな群れで行動しています。農耕地にも現れます。♠体長170～210cm 体高120～140cm ♦120～288kg おすのほうが大きい ♣アジア（インド・パキスタン・ネパール）■開けた低木地、まばらな林 ♥草、木の葉、果実

おすだけにねじれた長い角
おすもめすも胴体に4～9本の白いしまもよう
目の前と口に白い線

クーズー
Strepsiceros strepsiceros ウシ科
おすは単独で、めすは10頭ほどの群れで生活します。食べ物が少ない乾季には群れが集まります。♠体長185～245cm 体高最大160cm ♦120～315kg おすのほうが大きい ♣アフリカ南部、東部 ■低木林 ♥木の葉、草、果実

まっすぐな角

アノア
Bubalus depressicornis ウシ科　絶滅危惧種
野生のウシで最小。狩猟などで絶滅の心配があります。♠体長122～188cm 体高60～100cm ♦300kg未満 ♣東南アジア（スラウェシ島とブトン島）■森林 ♥草、木の葉

成長したおすは左右の角が合わさって額がたてのよう
たれ下がった耳

らせん状の角
胴体に細く白いしまもよう

おすは首、肩、胸が大きい

イランド（エランド）　*Taurotragus oryx*　ウシ科
さまざまな環境で生活でき、さまざまな大きさの群れになります。角で枝を引き倒したり、根を掘り出します。♠体長200～340cm 体高125～183cm ♦390～942kg おすのほうが大きい ♣アフリカ中南部 ■平原、開けた森林、砂漠 ♥木の葉、草、果実

アフリカスイギュウ　Syncerus caffer　ウシ科
がっしりとした体です。群れで生活し、定期的に移動します。密猟や家畜の伝染病などで数が減っています。♠体長240～340cm 体高148～175cm ♦350～900kg おすのほうが大きい ♣アフリカ ■草原 ♥草、木の葉

▲ライオンを攻撃するアフリカスイギュウ。100頭以上の群れでくらし、ときにはライオンでさえ大きな角で追いはらいます。

ヤクの心臓や肺は、同じ大きさのウシよりも1.5～2倍大きく、酸素のうすい高地で効率よく酸素を取り入れることができます。

ウシのなかま ②

偶蹄目／ウシ科

ヨツヅノレイヨウ
Tetracerus quadricornis
ウシ科　絶滅危惧種

単独、または小さな群れで、日の出や日没頃、夜間に行動します。🌲体長90〜110cm 体高55〜66cm ◆12〜25kg ♣アジア（インド・ネパール）■開けた森林 ♥木の葉、果実、草

おすには角が4本
細長い眼下腺

ボンゴ
Tragelaphus eurycerus
ウシ科

夜行性で森林にすみます。おすは単独で、めすは10頭くらいの群れで生活し、ときには50頭の群れになります。🌲体長220〜235cm 体高122〜128cm ◆210〜405kg ♣アフリカ中部、西部 ■山地の森林 ♥木の葉、草

ねじれた角。最長100cm
明るい栗色の胴体に10〜15本の白いしま
目の間と口、首、足に白い毛

ブッシュバック
Tragelaphus scriptus　ウシ科

アフリカの広い範囲に分布します。単独で行動することが多いウシです。🌲体長114〜165cm 体高61〜102cm ◆24〜115kg おすのほうが大きい ♣アフリカ ■森林、湿地、サバンナ ♥木の葉、草、果実

おすにはするどい角
目の間と口に白い線
胴体に白い線とはん点
前あしよりも長い後ろあし

シタツンガ
Tragelaphus spekii　ウシ科

単独で生活し、水辺からはなれません。体重の重いおすのひづめは細長く広がり、湿地を歩くのに適しています。🌲体長135〜170cm 体高75〜125cm ◆50〜125kg おすのほうが大きい ♣アフリカ中南部 ■水辺、湿地 ♥草、水辺の植物

おすにはらせんに巻いた角
体色はおすは灰褐色、めすは赤褐色
目の間と口、胴体に白い線

サオラ
Pseudoryx nghetinhensis
ウシ科　絶滅危惧種

密猟によって、絶滅に瀕しています。🌲体長143〜150cm 体高84〜96cm ◆70〜100kg ♣東南アジア（ベトナム、ラオス）■森林 ♥木の葉、草

角は最長55cm
大きな眼下腺。顔の横、鼻先、目の上には白い毛がある。

▲ベトナムで見つかった生後3〜4か月のサオラのめす。

群れのタイプはさまざま

ウシのなかまの群れは、めすと子どもたち・強いおすと多数のめす・おすだけなど、さまざまなパターンがあります。群れの大きさも、数頭から数百頭とさまざまです。出産や食べ物を求めて移動する季節などに、いくつもの群れが合流し、数十万頭もの集団になることもあります。群れには、敵におそわれにくいなどの長所があります。

敵がねらいをつけにくく、子どもも守れる

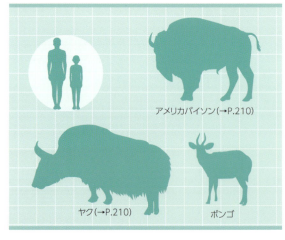

アメリカバイソン（→P.210）
ヤク（→P.210）
ボンゴ

🌲体の大きさ ◆体重 ♣分布 ■生息環境 ♥食べ物

ヤギのなかま ①

このなかまの多くは、高山などきびしい環境でくらし、おそわれると敵がこられない急ながけなどへ逃げます。ふつう、おすもめすも角をもち、おすの角のほうが大きく、変わった形をしています。

おすの角は最長87.9cm

おすには、のどから首、胸にかけて長い毛

バーバリーシープ *Ammotragus lervia* ウシ科 絶滅危惧種
乾燥したけわしい山岳地で生活し、さまざまな大きさの群れになります。ジャンプも得意です。♠体長112～128cm 体高80～110cm ◆平均82kg(おす)、平均41.3kg(めす) おすのほうが大きい ♣アフリカ北部 ■乾燥した山岳地帯 ♥木の葉、草

おすの角はめすよりも長い

ゴールデンターキン（亜種）

ターキン *Budorcas taxicolor*
ウシ科 絶滅危惧種
森林で生活していますが、けわしい山岳地帯にも行きます。
♠体長170～220cm 体高107～140cm ◆150～350kg おすのほうが大きい ♣ヒマラヤ山脈東部 ■山岳地帯の森林 ♥木の葉、枝、草

がっしりしたあし

おすの角は大きく後ろに曲がる。最長107cm

体は大きく、あしは短い

カフカスアイベックス
Capra caucasica
ウシ科 絶滅危惧種
標高800mから4000mの高地で生活します。生息地がせまくなり、密猟などで絶滅の可能性が高まっています。♠体長136～196cm 体高78～110cm ◆58～155kg おすのほうが大きい ♣コーカサス山地の西側 ■山岳地の草地 ♥草、木の葉

おすの角は大きく後ろに曲がる。最長102cm

アルプスアイベックス *Capra ibex* ウシ科
子どもを連れためすの群れはけわしい場所で生活します。おすの群れは植物を求めて歩きまわります。♠体長55～135cm 体高65～95cm ◆40～120kg おすのほうが大きい ♣ヨーロッパのアルプス ■山岳地の草地、岩場、森林 ♥草、木の葉

おすの角は大きく後ろに曲がる。最長127cm

おすには10cmほどのひげ

あしに白いもよう

ヌビアアイベックス *Capra nubiana* ウシ科 絶滅危惧種
アイベックスの中ではもっとも小型です。おすとめすは別の群れをつくり、それが集まって大きな群れになります。♠体長90～160cm 体高65～110cm ◆25～85kg おすのほうが大きい ♣エジプト半島、シナイ半島、アフリカ北東部 ■乾燥した山地、岩場 ♥木の葉、草

おすの角はねじれながら後ろ上にのびる。最長165cm

おすには首、胸、肩に長い毛

マーコール *Capra falconeri* ウシ科
標高3600mまでの山岳地で生活し、草を食べます。食べ物の少ない冬には、木に登って小枝を食べます。
♠体長132～186cm 体高65～104cm ◆32～108kg おすのほうが大きい ♣アジア中央部 ■山岳地の森林や低木地 ♥草、木の葉、小枝

マーコールは、らせん状の角が薬になると考えられ、乱獲されて数が減りました。近年は保護活動によって、じょじょに増えています。

ヤギのなかま②

偶蹄目／ウシ科

- 全身に長い毛
- もり上がった肩
- 短い首
- 長く曲がった角
- 短いあし

▲円陣を組むジャコウウシ。おそわれると頭を低くして外に向けて輪になり、子どもを中に入れて敵から守ります。

ジャコウウシ *Ovibos moschatus* ウシ科
北極圏最大の草食動物で、ジャコウのにおいがします。外敵には円陣を組んで対抗します。マイナス50度にも耐えます。🌲体長190〜230cm 体高120〜151cm ◆200〜410kg ♣北アメリカとグリーンランドの極地方 ■ツンドラ ♥草、木の葉、コケ

ヒマラヤタール *Hemitragus jemlahicus*
ウシ科
- 角は後ろにそる
- おすは首、肩、胸などに長い毛
- あしが短く重心が低い

標高5300mの山にも生息し、毛皮が分厚く、きびしい気候にも耐えます。🌲体長90〜170cm 体高65〜100cm ◆55〜124kg おすのほうが大きい ♣ヒマラヤ山脈 ■山岳の草地、低木林、森林 ♥草、木の葉、果実

- 短く、年輪のような輪がついた角
- 目の下に大きな眼下腺
- 太くて短いあし

ニホンカモシカ *Capricornis crispus* ウシ科 [日本固有種] [特別天然記念物]
おすとめすで、大きさや姿に大きなちがいはありません。単独で生活し、なわばりをもちます。🌲体長105〜112cm 体高68〜80cm ◆33〜48kg ♣日本（本州、四国、九州）■森林、山岳地の草地 ♥木の葉、草、小枝

スマトラカモシカ *Capricornis sumatraensis*
ウシ科 [絶滅危惧種]
- おすの角は最長28cm
- 首にはたてがみ

亜熱帯の山地や温帯の森で、おすもめすも単独で生活します。ひづめは短くじょうぶで、岩の上を歩くのに適しています。🌲体長140〜155cm 体高85〜94cm ◆85〜140kg ♣マレー半島、スマトラ島 ■山岳地、森林 ♥木の葉、草

もっと知りたい！ カモシカとシカ

カモシカは名前にシカがついていますが、ウシ科のなかまです。カモシカはおすもめすも角をもちますが、シカは角をもつのはおすだけです（トナカイ以外）。ニホンカモシカとニホンジカは、足跡などでも見分けられます。

ニホンカモシカ（おす／めす）— 先も外縁も、丸みをおびた足跡
ニホンジカ（おす／めす）— 先が細く、外縁が直線的な足跡

- おすの角は最長30cm
- 全身に白い毛

シロイワヤギ（マウンテンゴート） *Oreamnos americanus* ウシ科
けわしい山岳地帯で生活し、標高3000m以上にも行きます。発情期以外はおすとめすは別の群れで生活します。🌲体長140〜180cm 体高90〜110cm ◆60〜115kg おすのほうが大きい ♣ロッキー山脈 ■けわしい山岳の草地 ♥草、木の葉

🌲体の大きさ ◆体重 ♣分布 ■生息環境 ♥食べ物

アルガリ
Ovis ammon
ウシ科 絶滅危惧種

野生のヒツジで最大です。ふだんはおすの群れとめすと子どもの大きな群れに分かれています。
♠体長133〜199cm 体高85〜135cm ◆43.2〜175kg おすのほうが大きい ♣中央アジアの山岳地、高原や砂漠 ■山岳地の草原や岩場 ♥草、木の葉

おすの角は巻きながら外に広がる。最長190cm

あしの先が白い

▲ビッグホーンのおすは、めすをめぐり、頭をぶつけあってあらそいます。

ビッグホーン（オオツノヒツジ）
Ovis canadensis ウシ科

北アメリカの大型のヒツジです。ふだんはおすの群れとめすと子どもの群れに分かれて生活し、季節移動します。
♠体長96〜169cm 体高76〜112cm ◆平均79kg（おす）、平均59kg（めす）♣北アメリカ西部 ■山岳地帯の草原 ♥草、木の葉、枝

おすの角は巻きながら外に広がる。めすの角は短く、巻かない
おしりは白い

ドールビッグホーン（ストーンシープ）
Ovis dalli ウシ科

昼行性で、夜は安全な場所ですごします。おすの群れとめすと子どもの群れに分かれ、季節移動します。♠体長130〜178cm 体高78〜109cm ◆平均81.7kg（おす）、平均56.8kg（めす）♣北アメリカの北西部 ■山岳地、極地 ♥草、木の葉

おすの角は巻く。めすの角は短く、巻かない
体色は白いものと黒灰色のものがいる

チルー
Pantholops hodgsonii
ウシ科

標高3250〜5500mの高地で生活し、開けた地形を好みます。おすとめすは別々に生活しています。
♠体長100〜140cm 体高79〜94cm ◆24〜42kg ♣チベット高原 ■高山草原、砂漠草原 ♥草、木の葉

おすにはまっすぐ立った長い角。最長70cm
鼻先の上が黒い
細いあし

バーラル（ブルーシープ）
Pseudois nayaur ウシ科

標高2000〜5300mの山岳地で生活し、森林にも入ります。おすとめすの混じった群れをつくります。♠体長120〜140cm 体高69〜92cm ◆35〜75kg ♣ヒマラヤやチベット ■山岳地の草地、森林 ♥草、木の葉

体毛はやや青っぽく見える
外側に開いた角。おすの角は太く長い。最長67cm

シャモア
Rupicapra rupicapra
ウシ科

けわしい山岳地帯で群れで生活し、冬には森林地帯に移動します。♠体長110〜130cm 体高70〜85cm ◆25〜60kg ♣ヨーロッパ ■山岳地帯の草地、山麓の森林 ♥草、木の葉

角のつけねから、目、鼻先まで黒い線
先端がするどく後ろに曲がった角

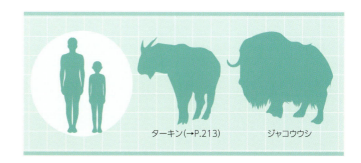

ターキン（→P.213）　ジャコウウシ

ビッグホーンのおすの角は、1本で約3kgもあります。

アンテロープのなかま ①

ウシ科のうち、ウシやヤギをのぞいたなかまを、まとめてアンテロープといいます。ほっそりした体で、長いあしではねるように走ります。おすだけが角をもつ種と、めすも角をもつ種がいます。

インパラ　*Aepyceros melampus*　ウシ科
群れで生活しています。危険を感じるとジャンプしながら走ります。高さ3m、長さ10mもジャンプできます。♠体長125〜135cm 体高86〜98cm ♦43〜64kg ♣アフリカ中南部 ■水辺近くの開けた低木地や森林、サバンナ ♥草、木の葉、果実

目のまわりに白い毛／おすだけに角。最長80cm

ダマリスクス　*Damaliscus lunatus*　ウシ科
小さな群れで生活します。速いスピードで走り続けることができます。♠体長185〜268cm 体高104〜134cm ♦90〜168kg ♣アフリカ中部、南部 ■草原、開けた低木林 ♥草

おすにもめすにも角／顔とあしのつけねに黒いもよう／角のつけねは平たく、頭の前につく／おすにもめすにも角

オグロヌー　*Connochaetes taurinus*　ウシ科
群れで生活し、乾季には草と水を求めて大群で移動します。暑い日中は休んで午前中と夕方に活動します。♠体長170〜240cm 体高129〜156cm ♦164〜295kg おすのほうが大きい ♣アフリカ南部・東部 ■サバンナ ♥草

おすにもめすにも角／背中は肩からおしりに下がる／尾は黒い／顔の前面は黒い。あごに黒いひげ

オジロヌー　*Connochaetes gnou*　ウシ科
野生絶滅しましたが、飼育個体から野生にもどされました。群れで生活し、時速80kmで走れます。♠体長170〜220cm 体高106〜121cm ♦110〜161kg ♣アフリカ南部 ■温帯の草原、低木地 ♥草

尾は白い

▲大群で川を渡るオグロヌー。

もっと知りたい！ 草より栄養がある木の葉

草食動物が食べる植物の地上部分は、果実や種子、新芽、木の葉、草、木の皮の順に栄養があります。小型の動物ほど栄養のある部分を食べています。

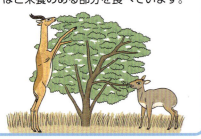

おすにもめすにも角／前あしのつけねから腰にかけてこげ茶色の線／口から目にかけて濃い色の線

◀とびはねるスプリングボック。

スプリングボック　*Antidorcas marsupialis*　ウシ科
群れで生活しています。緊張したり興奮したりすると、2mの高さに何度もとびはねます。♠体長112〜162cm 体高72〜87cm ♦26.5〜47.6kg ♣アフリカ南部 ■サバンナ ♥木の葉、草、根

♠体の大きさ ♦体重 ♣分布 ■生息環境 ♥食べ物

▲岩場をとびはねるクリップスプリンガー。

ブラックバック
Antilope cervicapra ウシ科

群れで生活します。生息地がせばまり、現在はインドでよく見られます。♠体長120～132cm 体高68～85cm ◆25～35kg ♣インド、ネパール ■草原、低木地 ♥草、木の葉

おすだけにねじれた角
体色はおすは黒。めすは黄褐色
目のまわりと下腹部は白い

クリップスプリンガー
Oreotragus oreotragus ウシ科

ペアでなわばりをもち、境界付近にふんや眼下腺のにおいをつけます。夜に活発に活動します。♠体長75～115cm 体高43～60cm ◆8～18kg ♣アフリカ東部、南部、中部 ■山岳地の岩場 ♥木の葉、新芽、果実

おすだけに短くするどい角
丸く黒い線が入った耳
大きな眼下腺

おすだけに後ろに曲がった角
おしりが白い

コウジョウセンガゼル
Gazella subgutturosa ウシ科 絶滅危惧種

発情期におすののどがふくれ、甲状腺がはれたように見えます。冬に大きな群れになります。♠体長90～116cm 体高56～80cm ◆18～40kg ♣アジア ■草原、砂漠 ♥草、木の葉、新芽

おすにだけ、先が内側に曲がった角。最長43cm
尾の先が黒い

モウコガゼル
Procapra gutturosa ウシ科

常に移動を続け、1日80km、年間32000kmも移動します。群れは5000頭にもなります。♠体長105～148cm 体高54～84cm ◆20～39kg ♣アジア（モンゴル、シベリア南部、中国） ■草原 ♥草

おすにもめすにも先が後ろに曲がった角
口から目の上にかけて白い線
白いお腹

グラントガゼル
Nanger granti ウシ科

群れで生活していて、ときにはトムソンガゼルと一緒に群れをつくります。水が少なくても生きられます。♠体長127～153cm 体高41～94cm ◆38～81.5kg ♣アフリカ東部 ■乾燥した平原 ♥草、木の葉

ダマガゼル
Nanger dama ウシ科 絶滅危惧種

日中に活動し、後ろあしで立って木の葉を食べます。群れで生活し、乾燥に強く水が少なくても生きられます。♠体長135～165cm 体高100～118cm ◆42～74kg ♣アフリカ北部 ■草原 ♥木の葉、草

おすにもめすにも角
顔が白い
お腹から下が白い

トムソンガゼル
Eudorcas thomsonii ウシ科

群れで生活し、多いときは200頭にもなります。緊張したり興奮したりすると、とびはねます。♠体長89～107cm 体高58～76cm ◆14.5～24.5kg ♣アフリカ東部 ■乾いた開けた草原 ♥草、木の葉

おすにもめすにも角
太い帯状の黒い線
目から鼻にかけて黒い線
白いお腹

ギュンターディクディク
Madoqua guentheri ウシ科

口先をのばして木の葉や果実などを食べます。ペアでなわばりをもち、なわばりの中ににおいづけをします。♠体長50～68cm 体高32～37cm ◆3.5～4.6kg ♣アフリカ東部 ■乾燥した草原、森林 ♥木の葉、果実、種子

おすにだけ角。最長10cm
発達した眼下腺

オグロヌーの群れは、タンザニアのセレンゲティとケニアのマサイマラの間を、1年間で1周します。最長3200kmも移動します。

アンテロープのなかま②

偶蹄目／ウシ科

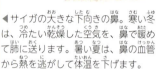

おすだけに角

◀サイガの大きな下向きの鼻。寒い冬は、冷たい乾燥した空気を、鼻で暖めて肺に送ります。暑い夏は、鼻の血管から熱を逃がして体温を下げます。

おすだけに角
目のまわりが白い

▲立ち上がって木の葉を食べるジェレヌク。

サイガ *Saiga tatarica* ウシ科
群れで生活し、ときには50頭の大きな群れになります。時速80kmで走ることができます。♠体長108～146cm 体高57～79cm ◆21.4～51kg ♣中央アジア ■乾燥した草原、半砂漠 ♥草、木の葉

ジェレヌク *Litocranius walleri* ウシ科
後ろあしで立ち上がり、長い舌で木の葉をからめとります。長いまつ毛と鼻先の毛でとげを感じてさけます。♠体長140～160cm 体高80～105cm ◆28.5～52kg ♣アフリカ東部 ■まばらな低木林 ♥木の葉、枝、果実

おすにもめすにもねじれた長い角
夏毛は灰白色、冬毛は灰茶色
後ろにそった長い角
鼻先から目の上とほおが白い

アダックス *Addax nasomaculatus* ウシ科 絶滅危惧種
乾燥に強く、水がなくても長く生きられます。5～20頭の群れで生活します。♠体長120～130cm 体高95～115cm ◆60～125kg ♣サハラ砂漠など ■砂漠、半砂漠 ♥草、木の葉

セーブルアンテロープ *Hippotragus niger* ウシ科
群れで生活しています。角を使ってライオンなどの捕食者とたたかいます。♠体長185～194cm 体高135～140cm ◆160～230kg ♣アフリカ東部、西部 ■開けた森林、草原 ♥草、木の葉

食べ分けで共存する草食動物

アフリカのサバンナにくらす、たくさんの草食動物は、植物を食べ分けることで共存しています。
　植物の種類のちがいだけでなく、木の葉ならキリンのように背の高いものは高いところの葉を食べ、小型のものは低いところの葉を食べます。また、1本の草でも、シマウマは先の部分、ヌーはまん中、ガゼルは根元などと、食べ分けをしています。口や歯、消化器官なども、それぞれの植物と食べ方にあわせた形や機能をそなえています。

①高い木の葉を食べるキリン
②頭の高さの葉を食べるクロサイ
③草の先を食べるシマウマ
④地面の草を食べるトムソンガゼル
⑤地下の根を食べるイボイノシシ

♠体の大きさ ◆体重 ♣分布 ■生息環境 ♥食べ物

くらべてみよう
動物のひづめ

動物の右前足のひづめの着き方を
ヒトの右手の指で見てみましょう

奇蹄目

偶蹄目

奇蹄目

偶蹄目

右前足のひづめと裏
②第2指（人差し指） ③第3指（中指） ④第4指（薬指） ⑤第5指（小指）

ひづめの数 1本

シマウマ（→P.180）
草原にすんでいます。大きく発達した③を、厚いひづめがおおっています。地面をける強い力が③のひづめ1点に集中するため、速く走ることができます。

ひづめの数 2本

キリン（→P.204）
③④の2本で体重をささえ、平らな草原をよく歩きます。2本のひづめの間は、あまり開きません。大きくて重いひづめは武器にもなり、ライオンをけり殺すこともあります。

ひづめの数 3本

フタコブラクダ（→P.194）
砂漠にすんでいます。足の裏全体に肉質の厚いパッド（脂肪層）がついていて、③と④のひづめは先の部分だけにあります。地面に足を着くとパッドが広がり、砂にしずまずに歩けます。

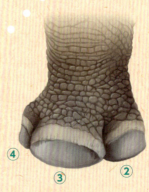

クロサイ（→P.184）
森林にすんでいます。②③④の3本を地面に着きますが、おもに体重がかかるのは、まん中にある発達した③です。足の裏には大きいクッションがあり、体の重みや着地の衝撃からあしを守ります。

ひづめは、奇蹄目や偶蹄目のなかまの足にある、歩き走るための厚い爪のことです。どの動物も第1指（親指）は退化してなくなり、1～4本のひづめ、または副蹄をもつものに分かれます。足の裏もあわせて見ると、どの部分を地面に着いて体重をささえているかがわかります。動物たちのくらす環境を想像しながら、ひづめを見ていきましょう。

ひづめの数 4本

アフリカスイギュウ（→P.211）
幅の広い③④のひづめで重い体重が分散されるので、地面がやわらかくてもしずみません。②⑤の発達した副蹄も地面に着いて、ぬかるみでも足をとられることなく歩けます。

クリップスプリンガー（→P.217）
細く長いがんじょうなひづめで、がけや岩場をとび回ります。③④の間が左右によく開き、岩をしっかりつかみます。②⑤の副蹄は小さくて高い位置にあり、急な斜面などですべりどめになります。

トナカイ（→P.201）
雪原にすんでいます。平たくて幅の広い③④のひづめで丸い形ができて体重が分散され、雪の上でも走れます。長い②⑤の副蹄と、足の裏にはえた長い毛も、すべりどめの役目をします。

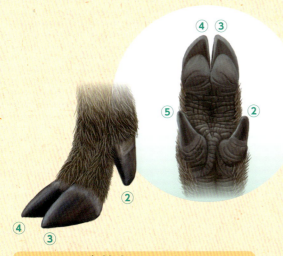

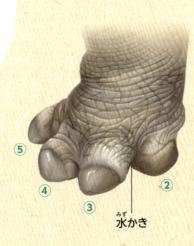

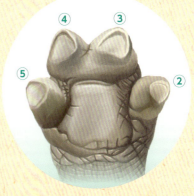

イノシシ（→P.190）
山地の森林にすんでいます。低い位置にある②⑤の太い副蹄と、足の裏のクッションがすべりどめになります。また、③④のするどいひづめはスプーン状になっていて、あな掘りにも適しています。

水かき

カバ（→P.192）
草原の水辺にすんでいます。②③④⑤の4本のひづめと、足の裏のクッションで、体重をささえます。ひづめはすべて、よくにた形と大きさです。指と指の間に小さい水かきがあります。

くらべてみよう
草食動物のふん

反すうする草食動物のふん

○cm…ふんのおおよその長さ

プーズー(→P.200)

0.8cm

シカのなかまの最小種のプーズーと、最大種のヘラジカのふん。体重は20倍以上差があるが、ふんの大きさは3倍程度の差。

ヘラジカ(→P.200)

2.5cm

ニホンカモシカ(→P.214)

1.4cm

カモシカは単独生活。決まった場所にふんをして、自分のなわばりをしめす。

フタコブラクダ(→P.194)

2.5cm

水分の少ない乾いたふん。ラクダは3つの部屋に分かれた胃で反すうする。

キリンのふんができるまで

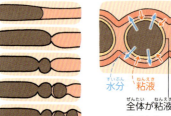

大腸の中のようす

胃　盲腸　大腸　肛門　小腸

①粒状の形ができる　②水分が吸収される　③肛門の手前にたまる

水分　粘液
全体が粘液でおおわれていく

消化され大腸に送られてきた植物は、①で小さい粒状の形になり、②で水分を吸収されながら1粒ずつ粘液でおおわれます。完成したふんは③にたまり、いっぱいになると肛門から一度に出ます。

オカピ(→P.205)

1.5cm

キリン(→P.204)

2cm

オカピより体の大きいキリンのほうがふんも大きい。

本当の大きさです

15cm

アメリカバイソン(→P.210)

ウシのなかまは、腸で水分があまり吸収されないので、水分の多いべたべたしたふんになる。

草食動物のなかで偶蹄目のなかまの多くは、4つの部屋に分かれた胃をもち、反すう（→P.189）を行います。反すうとは、胃に送ったものを口にはきもどしてかみ直すことです。反すうのくり返しで植物が細かくくだかれ、消化吸収されやすくなります。水分もよく吸収されるため、ふんは粒状になります。反すうしない動物のふんと比べましょう。

反すうしない草食・雑食動物のふん

グレビーシマウマ（→P.180） 7cm
発達した盲腸で繊維質を消化する。

ウォンバット（→P.25） 3cm
さいころのような四角いふん。腸の終わりのほうの場所で、この形がつくられる。

ニホンノウサギ（→P.107） 1cm
消化されなかった繊維質が残る、ころころのふん。これとは別に盲腸ふんをする（→P.108）。

イノシシ（→P.190） 7cm
草食性の強い雑食性。平たい粒がくっついて、かたまりになることが多い。

ジャイアントパンダ（→P.162） 7cm
草食性の強い雑食性。1日にタケを15〜30kg食べて、ふんを20〜30kgする。

アフリカゾウ（→P.44） 18cm
あまり消化されなかった植物が大きいまま残っている。ふん1個の重さは1kgくらいある。

コビトカバ（→P.193） 10cm
コビトカバは、おすもめすも「まきふん」をするので、ここに見えている繊維質がまわりにとび散る。

鯨目 クジラ、イルカのなかま

鯨目は、生まれてから一生を水中ですごすグループです。体は流線形で、胸びれになった前あしと、発達した尾びれをもちます。呼吸をするあな（噴気孔）は頭の上にあり、呼吸をするときは水面から出します。

鯨目の種数の割合

鯨目の種数 約100種
哺乳類の総種数 約6700種

＊2024年4月時点
（500年以内に絶滅した種を含む）

▲ザトウクジラ（→P.228）の親子。鯨目のなかまは、出産も子育ても水中で行います。写真の子どもは、何らかの原因でひれに傷を負いましたが、元気になりました。母親がしっかり寄りそっています。

鯨目の分類

鯨目は12科に分類されています。「ヒゲクジラのなかま」と「ハクジラのなかま」に大きく分けられます。

ヒゲクジラのなかま

海水ごとプランクトンなどを口に入れ、上あごのブラシのようなひげ板で、こしとって食べます。

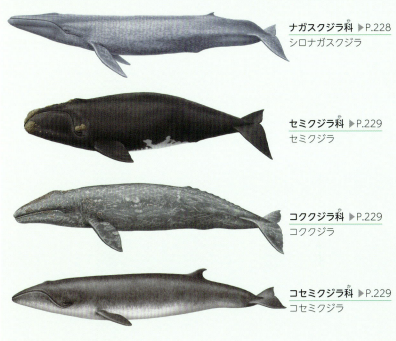

ナガスクジラ科 ▶P.228
シロナガスクジラ

セミクジラ科 ▶P.229
セミクジラ

ココククジラ科 ▶P.229
ココククジラ

コセミクジラ科 ▶P.229
コセミクジラ

ハクジラのなかま

発達した歯で魚などをとらえて食べます。ハクジラのなかまのうち、小型のものはイルカとよばれます。

マッコウクジラ科 ▶P.230
マッコウクジラ

コマッコウ科 ▶P.231
コマッコウ

アカボウクジラ科 ▶P.231
アカボウクジラ

マイルカ科 ▶P.232
ハンドウイルカ

イッカク科 ▶P.234
イッカク

ネズミイルカ科 ▶P.235
ネズミイルカ

ガンジスカワイルカ科 ▶P.235
ガンジスカワイルカ

アマゾンカワイルカ科 ▶P.235
アマゾンカワイルカ

からだを見よう
シロナガスクジラ

シロナガスクジラの体は、海中でくらし、巨体を保つことができるつくりになっています。

▲シロナガスクジラ（ヒゲクジラのなかま）の鼻のあなは2つ

▲シャチ（ハクジラのなかま）の鼻のあなは1つ

胸椎
胸椎や腰椎などには、上や左右につき出した大きな突起があり、泳ぐための太い筋肉がつく。

肋骨
種によって肋骨の数がちがい、シロナガスクジラは15本、ハンドウイルカは14本、マッコウクジラは9〜11本ある。

肩甲骨

頸椎
ほかの哺乳類と同じ7つの骨がある。種によっては骨がくっついている。

上腕骨

鼻のあな（噴気孔）
海面で呼吸しやすいように、頭の上に鼻のあながある。あなの数は、ヒゲクジラのなかまは2つ、ハクジラのなかまは1つ。

頭蓋骨
頭蓋骨は全長の約4分の1にもなる。鼻の下がとても長くなり、水の抵抗を受けにくい流線形になっている。

手根骨

中手骨

橈骨

尺骨

指骨

胸びれ
前あしが魚のひれのように見えるが、骨はヒトの腕や手とよくにたつくりをしていて、シロナガスクジラには指の骨が4本ずつある。

舌骨
ほかの哺乳類と比べてとても大きく、舌骨と胸骨をつなぐ筋肉をちぢめると、海水を勢いよく吸うことができる。

ひげ板
ヒゲクジラのなかまは、歯のかわりに上あごからたくさんのひげ板がのびている。シロナガスクジラは、540〜800枚のひげ板でオキアミなどをこしとって食べる。

下顎骨
シロナガスクジラなど、ナガスクジラのなかまは、頭蓋骨と下顎骨が、がんじょうな線維組織でしっかりつながっている。そのため、海水の流れに負けずに、口をとても大きく開くことができる。

うね
下あごから腹にかけて、うねというひだがある。うねをアコーディオンのようにのびちぢみさせることで、大量のえものと海水を口の中に入れることができる。うねがあるのは、ナガスクジラのなかまだけ。

▼シロナガスクジラのうね

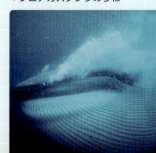

クジラの息つぎ

クジラは海の上に鼻のあなを出して呼吸します。このとき、息に含まれる水分や、まわりの海水が吹きあがって白く見えます。クジラの種類によって、鼻のあなの数や位置がちがうので、息つぎの形や高さがちがいます。

▲シロナガスクジラ

▲ザトウクジラ

▲マッコウクジラ

▲シャチ

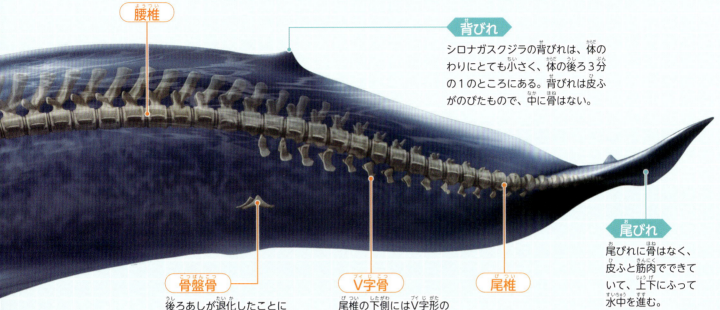

腰椎

背びれ
シロナガスクジラの背びれは、体のわりにとても小さく、体の後ろ3分の1のところにある。背びれは皮ふがのびたもので、中に骨はない。

骨盤骨
後ろあしが退化したことにより、骨盤も消えずに残り小さな骨盤骨として筋肉にうもれている。骨盤と後ろあしの関係はないが、内臓との関係で残っている。

V字骨
尾椎の下側にはV字形の骨があり、筋肉をささえている。尾びれをよく使うため、尾びれにのびる血管を守る働きがある。

尾椎

尾びれ
尾びれに骨はなく、皮ふと筋肉でできていて、上下にふって水中を進む。

ヒトの骨格

ヒトの骨格と比べてみましょう。

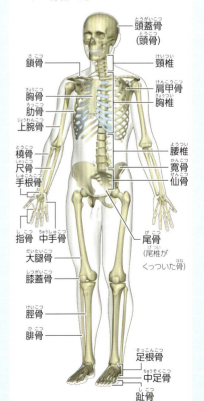

頭蓋骨（頭骨）
鎖骨
頸椎
胸骨
肩甲骨
肋骨
胸椎
上腕骨
橈骨
尺骨
腰椎
手根骨
寛骨
仙骨
指骨
中手骨
尾骨（尾椎がくっついた骨）
大腿骨
膝蓋骨
脛骨
腓骨
足根骨
中足骨
趾骨

クジラの尾びれ

クジラの尾びれの形は種によってちがい、種を見分ける手がかりになります。また、尾びれのもようや傷などは、個体を見分けるポイントになります。

▲シロナガスクジラ。中央に切れこみがあり、後ろの縁はまっすぐか、ややカーブを描く。腹側に白いはん点があることもある。

▲ザトウクジラ。中央に深い切れこみがあり、後ろの縁はS字形を描き、でこぼこしている。腹側に白黒のもようがあることもある。

▲マッコウクジラ。幅広の三角形で中央に深い切れこみがあり、後ろの縁はまっすぐ。

▲シャチ。幅広で中央に切れこみがあり、後ろの縁はS字形を描く。腹側は白い。

ヒゲクジラのなかま

ヒゲクジラのなかまは、上あごのひげ板でえものをこしとって食べます。

頭の中央に1本のもり上がったみね

ヒトの大きさ

▶ **シロナガスクジラ**
Balaenoptera musculus ナガスクジラ科 絶滅危惧種 在来種
地球の歴史上最大の動物で、体長33m、体重190tという記録があります。🌱体長21〜33m ◆90〜190t ♣世界中の海、日本近海 ■外洋、沿岸 ♥動物プランクトン

60〜88本のうねがのどからへそまでのびる

▶ **ナガスクジラ**
Balaenoptera physalus ナガスクジラ科 絶滅危惧種 在来種
シロナガスクジラの次に大きなクジラです。生まれてくる子どもは、体長7m近くもあります。
🌱体長22〜24m ◆60〜70t ♣世界中の海、日本近海 ■温帯〜寒帯の外洋 ♥動物プランクトン、イカ、魚

かま形の背びれ

下あごから胸の色が左右でちがう

▶体の右側は下あごから腹が白くなっています。

こぶが並ぶあご

とびだす！
AR
ザトウクジラ

とても長い胸びれ

▲ **ザトウクジラ**
Megaptera novaeangliae ナガスクジラ科 在来種
2〜10頭の群れをつくり、冬は温かい海へ、夏は冷たい海へ長距離を回遊します。🌱体長13〜15m ◆30〜40t ♣世界中の海、日本近海 ■外洋、沿岸 ♥動物プランクトン、魚

▼ **ツノシマクジラ**
Balaenoptera omurai ナガスクジラ科 在来種
2003年に新種とされました。くわしい生態などはまだわかっていません。🌱体長12m以下 ◆約20t以下 ♣世界中の海、日本近海 ■亜熱帯〜温帯の外洋 ♥動物プランクトン、魚

ナガスクジラ科のなかでひげ板の数が最少

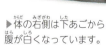

フック形の背びれ

▶体の右側は下あごから腹が白くなっています。

どんな赤ちゃん？ 泳ぎながらお乳を飲む

シロナガスクジラの赤ちゃんは、体長7〜8m、体重2〜3tもあります。お母さんの下腹を赤ちゃんがつつくと、乳裂とよばれる溝からおっぱいが出てきて、泳ぎながらお乳を飲みます。

おっぱいは2つある

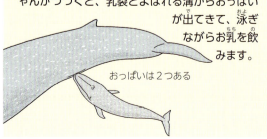

クジラのブリーチング

ブリーチングとは、クジラが海から飛び出して大きくジャンプすることで、ザトウクジラなどによく見られます。ブリーチングの目的は、なかまをよぶため、体についたフジツボなどを落とすため、いかくや求愛、遊びなど、さまざまな説があります。

横とび　　背面とび　　腹おち

🌱体の大きさ（体長…上あごの先から尾びれの切れこみまでの長さ）◆体重 ♣分布 ■生息環境 ♥食べ物

ハクジラのなかま ①

ハクジラのなかまは、歯でえものをとらえます。歯の形や数、はえ方は、種によってちがいます。

- 脳油がつまった巨大な四角い頭
- こぶのような背びれ
- しわのある皮ふ

マッコウクジラ *Physeter macrocephalus* マッコウクジラ科 〈絶滅危惧種〉〈在来種〉
最大のハクジラです。頭部に脳油という油をためるタンクがあり、超音波の方向を決めるためにあります。水深2800mの深海まで、1時間以上ももぐることができます。♠全長10〜20m ◆12〜68t ♣世界中の海、日本近海 ■深い海 ♥イカ、タコ、魚

ヒトの大きさ

- 頭の前がほぼ垂直
- 長いくちばし。下あごから2本の歯がつき出る
- 小さな背びれ

ツチクジラ *Berardius bairdii* アカボウクジラ科 〈在来種〉
1頭の大きなおすを中心に10〜30頭の群れでくらしています。日本の近海でもよく見られます。♠体長10〜13m ◆10t ♣北太平洋、日本近海 ■外洋 ♥イカ、タコ、魚、海底にすむ生物

▲北海道網走沖を泳ぐクロツチクジラの群れ。（写真提供：東京農業大学）

- 小さな背びれ
- 短めで先が白いくちばし

クロツチクジラ *Berardius minimus* アカボウクジラ科 〈在来種〉
ツチクジラより小さく、体色が黒いのが特ちょうです。2019年に新種と認められました。♠体長6.2〜6.9m ◆2t ♣北太平洋、日本近海（北海道）■外洋、沿岸 ♥イカ類

ヒゲクジラとハクジラのちがい

鯨目は、ヒゲクジラとハクジラのグループに分かれます。世界には、歯がなく、ひげ板をもつヒゲクジラのなかまは15種、歯のあるハクジラのなかまは82種います。それぞれのおもな特ちょうをくらべてみましょう。

●ヒゲクジラのなかま（シロナガスクジラ）
- 噴気孔は2つ
- オキアミなどをこし取るひげ板
- 耳あかの断面のすじの数で年齢がわかる種もいる

●ハクジラのなかま（マッコウクジラ）
- 噴気孔は1つ
- 魚や哺乳類などをとらえる歯
- 歯の断面のすじの数で年齢がわかる

♠体の大きさ（体長…上あごの先から尾びれの切れこみまでの長さ）◆体重 ♣分布 ■生息環境 ♥食べ物

▲マッコウクジラの歯。

コマッコウ
Kogia breviceps コマッコウ科 **在来種**

頭部はとがっていて、サメににているといわれます。♠全長3.4m ◆400kg ♣世界中の海、日本近海 ■熱帯〜温帯の深い海 ♥イカ、カニ、魚

体のまん中からやや後ろに小さな背びれ

えらのようなもよう

オガワコマッコウ
Kogia sima コマッコウ科 **在来種**

外洋性で、あまり見かけることはありません。1頭か数頭の群れをつくります。♠全長2.1〜2.7m ◆140〜280kg ♣世界中の海、日本近海 ■熱帯〜温帯の深い海 ♥イカ、魚、動物プランクトン

体のまん中に小さな背びれ
えらのようなもよう

▶タイヘイヨウアカボウモドキ
Indopacetus pacificus アカボウクジラ科 **在来種**

ふつう7〜30頭の群れをつくります。あまり見られたことがありません。♠体長6.5m ◆2t ♣世界中の海、日本近海 ■温帯の外洋、沿岸 ♥イカ、タコ

頭の前が丸くふくらむ
長めのくちばし。おすは下あごから1対の歯が出る

◀アカボウクジラ
Ziphius cavirostris アカボウクジラ科 **在来種**

前から見ると顔つきが「赤んぼう」のように見えることから、この名前がつきました。♠体長6.7〜7m ◆2〜3t ♣世界中の海、日本近海 ■熱帯〜温帯の深い海 ♥イカ、魚

おとなのおすは顔が白い
短めのくちばし。おすは下あごから1対の歯が出る

▶オウギハクジラ
Mesoplodon stejnegeri アカボウクジラ科 **在来種**

習性などはほとんど知られていません。日本海側の各地の海岸には、初冬から初夏にかけて漂着することがあります。♠体長4.5〜5.3m ◆1t ♣北太平洋、日本近海 ■亜寒帯の外洋 ♥イカ、魚

おすは下あごがもり上がり、大きなおうぎ形の歯が出る

頭とくちばしが白い
おすは下あごがもり上がり、大きなおうぎ形の歯が出る

◀ハッブスオウギハクジラ
Mesoplodon carlhubbsi アカボウクジラ科 **在来種**

外洋性でほとんど見かけることはありません。数頭の群れで活動します。♠体長5.3m ◆1.5t ♣北太平洋、日本近海 ■外洋 ♥イカ、魚

▶コブハクジラ *Mesoplodon densirostris* アカボウクジラ科 **在来種**

外洋性で、水深500〜1000mの海域で20分以上もぐり続けて狩りをします。♠体長4.5〜4.7m ◆1t ♣世界中の海、日本近海 ■温帯の外洋、沿岸 ♥イカ、魚

おすは下あごが大きくもり上がり、小さな歯が出る

◀イチョウハクジラ
Mesoplodon ginkgodens アカボウクジラ科 **在来種**

生態はほとんど知られていません。座礁したものから生態が推測されています。♠体長4.5〜5.3m ◆不明 ♣北太平洋、インド洋、日本近海（太平洋側）■温帯の外洋、沿岸 ♥イカ、魚

おすは下あごから歯の先が少し出る

マッコウクジラ、コマッコウ、オガワコマッコウの体の大きさは、おでこの先から尾びれの切れこみまでの長さ（全長）です。

ハクジラのなかま ②

▲ハセイルカの群れ。ハセイルカやマイルカは1頭でいることはほとんどなく、十数頭から数千頭の群れをつくってくらします。

マイルカ
Delphinus delphis マイルカ科 在来種
泳ぎが速く、波をきって空中をとんだりしながら、遊びまわります。♠体長2.3〜2.5m ♦80〜135kg ♣世界中の海、日本近海（千葉県以北）■熱帯〜温帯の外洋 ♥イカ、魚

ハセイルカ
Delphinus capensis マイルカ科 在来種
マイルカににていますが、ハセイルカのほうが体が小さく、くちばしが細長いです。♠体長1.7〜2.5m ♦70〜135kg ♣世界中の海、日本近海（温かい地域の岸近く）■熱帯〜温帯の沿岸 ♥イカ、魚

ハンドウイルカ（バンドウイルカ）
Tursiops truncatus マイルカ科 在来種
狩りや子育てなど、目的ごとに群れのメンバーが変わります。♠体長2.2〜3m ♦140〜240kg ♣世界中の海、日本近海（本州以南）■熱帯〜温帯の沿岸 ♥イカ、魚

ミナミハンドウイルカ（ミナミバンドウイルカ）
Tursiops aduncus マイルカ科 在来種
ハンドウイルカよりくちばしが細長く、体が小さくてほっそりしています。群れでくらしますが、そのメンバーはよく変わります。♠体長1.75〜2.8m ♦175〜200kg ♣インド洋、西太平洋、日本海（伊豆諸島、熊本県通詞島、石川県能登沖など）■沿岸 ♥イカ、魚

ヒトの大きさ

スジイルカ
Stenella coeruleoalba マイルカ科 在来種
外洋性で数百頭の群れをつくることが多いイルカです。ジャンプが得意で、高速で泳ぎます。♠体長2.2〜2.6m ♦100〜130kg ♣世界中の海、日本近海 ■熱帯〜温帯の外洋 ♥イカ、魚、動物プランクトン

マダライルカ
Stenella attenuata マイルカ科 在来種
群れでくらし、外洋にすむものは1000頭以上の大群になることもあります。腹のまだらもようは年齢とともにふえます。♠体長1.6〜2.6m ♦90〜120kg ♣世界中の海、日本近海 ■熱帯〜温帯の外洋、沿岸 ♥イカ、魚

ハシナガイルカ
Stenella longirostris マイルカ科 在来種
群れでくらします。泳ぎは速く、体を回転（スピン）させながらジャンプするという習性があります。♠体長1.8〜2.2m ♦75〜95kg ♣世界中の海、日本近海（小笠原諸島など）■熱帯の外洋、沿岸 ♥イカ、魚、動物プランクトン

どんな赤ちゃん？ ひだのある赤ちゃんの舌

ハンドウイルカの赤ちゃんは、尾びれから水中に生まれ出て、すぐ水面に上がって呼吸をします。赤ちゃんは、舌を丸めておっぱいにまきつけ、数秒間ずつお乳を飲みます。舌のふちにひだがあり、お乳がこぼれるのを防ぎます。3か月くらいたつと、上あごの歯からはえてきます。

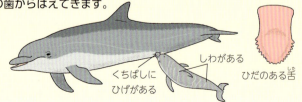

もっと知りたい！ ハクジラのエコーロケーション

ハクジラのなかまは、クリック音とよばれる音（超音波）を出してエコーロケーション（→P.128、P.135）を行います。

ハンドウイルカのエコーロケーション
①鼻のおくで作った音を頭部で大きくして出す
②えものに当たった音が返ってくる
③音は下あごの骨から耳に伝わり、えものの位置を知る

♠体の大きさ（体長…上あごの先から尾びれの切れこみまでの長さ）♦体重 ♣分布 ■生息環境 ♥食べ物

シャチ
Orcinus orca　マイルカ科　在来種

大きなえものは、群れで協力して狩ります。すむ場所などによって、えものや狩りの方法がちがいます。
🔺体長8〜9.5m　◆8t　♣世界中の海、日本近海　■外洋、沿岸、氷原、河口　♥アザラシ、アシカ、海鳥、魚、イカ、ウミガメなど

とびだす！AR シャチ

おすの背びれは三角形で長さ2mにもなる

ずんぐりした体型

体の色は白黒に分かれ、目の後ろは白い

▲シャチの母親と子ども。母親と子どもを中心とした群れをつくります。めすの背びれは、かま形で長くなりません。

くちばしがなく、丸い頭　　かま形の背びれ

ユメゴンドウ
Feresa attenuata　マイルカ科　在来種

警戒心が強く、船にはあまり近づきません。🔺体長2.4〜2.7m　◆110〜170kg　♣世界中の海、日本近海　■亜熱帯〜熱帯の外洋、沿岸　♥イカ、魚

くちばしがなく、大きくはりだした頭　　かま形の背びれ

白いすじ

短い胸びれ

▲コビレゴンドウの群れ。数頭〜数十頭の群れをつくり、めすはふつう、生まれた群れから一生はなれません。

コビレゴンドウ　*Globicephala macrorhynchus*　マイルカ科　在来種

夜に深海へもぐって、さかんにえものをとらえます。🔺体長4〜5m　◆0.6〜1.2t　♣世界中の海、日本近海　■熱帯〜温帯の外洋、沿岸　♥イカ、魚

くちばしがなく、丸い頭　　ひっかき傷、かみ傷が多い

長い胸びれ

ほっそりした体型

口と腹が白い

ハナゴンドウ　*Grampus griseus*　マイルカ科　在来種
高くもり上がった背びれが目立つので、シャチとまちがわれることもあります。🔺体長3.5m　◆450kg　♣太平洋、大西洋、地中海、インド洋、日本近海　■熱帯〜温帯の深い海　♥イカ、魚

カズハゴンドウ　*Peponocephala electra*　マイルカ科　在来種
ふつう100頭ほどの群れでくらしますが、1000頭もの大群になることがあります。高速で泳ぎ、ときどき座礁することもあります。🔺体長2.7m　◆160〜225kg　♣世界中の海、日本近海　■温帯の外洋、沿岸　♥イカ、魚

丸い頭で上あごがつき出る

ほっそりした体型

オキゴンドウ
Pseudorca crassidens　マイルカ科　在来種

温かい海に群れをつくってすみます。協同で狩りをして、えものを分けあいます。🔺体長5〜6m　◆1〜2t　♣世界中の海、日本近海　■熱帯〜温帯の外洋、沿岸　♥イカ、魚

胸びれの中ほどが出っぱる

📝 シャチは、哺乳類のなかでいちばん泳ぐのが速く、最高時速は60km以上にもなります。

233

ハクジラのなかま ③

鯨目／マイルカ科・イッカク科など

▲イロワケイルカの母親と子ども。赤ちゃんのころは全身が灰色です。（写真提供：鳥羽水族館）

- 後ろの縁がへこんだ背びれ
- 胸びれの先は丸い

イロワケイルカ（パンダイルカ）
Cephalorhynchus commersonii マイルカ科
30頭以上の群れで協力して魚をとることもあります。♠体長1.4m ◆40〜50kg ♣南アメリカ南部、フォークランド諸島、インド洋ケルゲレン諸島周辺の海 ■温帯の外洋 ♥イカ、カニ、魚

- 短いくちばし
- おすの背びれは三角形
- 顔から肛門にかけて黒っぽいすじ
- おすは尾のつけねあたりが出っぱる

◀**サラワクイルカ** *Lagenodelphis hosei* マイルカ科 [在来種]
数百頭の群れでくらし、ときには1000頭以上の大群になります。カズハゴンドウ（→P.233）などといっしょに行動することもあります。♠体長2.4m ◆160〜210kg ♣世界中の海、日本近海 ■亜熱帯〜熱帯の外洋 ♥イカ、エビ、魚

- かま形の背びれ

カマイルカ
Lagenorhynchus obliquidens マイルカ科 [在来種]
背びれが長く、かまの形をしているので、こうよばれます。♠体長2.2〜2.3m ◆150kg ♣北太平洋、日本近海 ■深い海 ♥イカ、魚

- 短く細いくちばし
- 背びれがなく、細長い流線形の体型

セミイルカ
Lissodelphis borealis マイルカ科 [在来種]
群れでくらし、1000頭以上の大群をつくることもあります。よくカマイルカといっしょに行動しています。♠体長約3m ◆約120kg ♣北太平洋、日本近海 ■深い海 ♥イカ、魚

- ひたいから細長いくちばしへなだらかにつながる
- かま状で高い背びれ
- 大きくて先がとがった胸びれ

◀**シワハイルカ**
Steno bredanensis マイルカ科 [在来種]
群れでくらし、協力してえものをとらえることもあります。歯にしわのような溝があるので、この名がつきました。♠体長2.4〜2.7m ◆130〜160kg ♣世界中の海、日本近海 ■亜熱帯〜熱帯の深い海 ♥イカ、魚

ヒトの大きさ

- 背びれはなく、背中の中心にもり上がったすじがある
- おすのきばは、上あごの左の犬歯がねじれながらのびたもので、長さ3mにもなる
- 先が上向きに曲がった小さい胸びれ

▼**シロイルカ（ベルーガ）**
Delphinapterus leucas イッカク科
全身がまっ白なイルカで、寒帯の陸近くの海にすみ、川をさかのぼることもあります。♠体長4〜4.5m ◆0.9〜1.4t ♣北極圏とその周辺 ■氷原の沿岸 ♥イカ、タコ、魚、動物プランクトン
- 小さくて丸い頭
- 短いくちばし
- 先が上向きに曲がった小さい胸びれ

イッカク *Monodon monoceros* イッカク科
ふつう2〜10頭の群れをつくりますが、数千頭の大集団の一部として移動することが多いです。♠体長4.2〜4.7m ◆1〜1.6t ♣北極圏周辺 ■沿岸 ♥イカ、魚、動物プランクトン
- 背びれはなく、背中の中心にもり上がったすじがある

▲イッカクのきばの役割には、長いほどめすをひきつける、魚をたたいて気絶させてとらえるなど、さまざまな説がありますが、はっきりとはわかっていません。

♠体の大きさ（体長…上あごの先から尾びれの切れこみまでの長さ） ◆体重 ♣分布 ■生息環境 ♥食べ物

▲スナメリは、シロイルカやカワイルカと同じように、首を大きく曲げることができます。

くちばしがなく、丸い頭

背びれがない。背中の中央にもり上がったすじがあり、小さな突起がついている

スナメリ
Neophocaena asiaeorientalis sunameri
ネズミイルカ科 絶滅危惧種 在来種
よく集団で温かい海にいます。瀬戸内海などで見られることもあります。♠体長1.4～1.6m ◆25～40kg ♣インド洋～太平洋西部の沿岸、日本近海 ■沿岸 ♥イカ、エビ、魚

くちばしはない
三角形の低い背びれ
胸びれにかけて黒いすじ

ネズミイルカ
Phocoena phocoena ネズミイルカ科 在来種
小型でずんぐりとした体をしています。警戒心が強く、近づいて観察するのがむずかしいイルカです。♠体長1.4～1.7m ◆60kg ♣北半球の冷たい海の沿岸、日本近海 ■外洋、沿岸 ♥イカ、タコ、動物プランクトン、魚

イシイルカ
Phocoenoides dalli
ネズミイルカ科 在来種
数頭の群れをつくり、とてもすばやく泳ぎます。腹のもようのちがいで、イシイルカ型とリクゼン型に分けられます。おすの背と腹にはキールという大きなふくらみがあります。
♠体長1.8～2.2m ◆100～200kg ♣北太平洋、日本近海 ■外洋、沿岸 ♥イカ、魚

イシイルカ型 銚子以北の北太平洋と日本海でよく見られます。
背びれあたりから白いもようが広がる
キール

リクゼン型 オホーツク海から三陸沖だけにいます。
胸びれあたりから白いもようが広がる
キール

▲イシイルカが水面をすばやく泳ぐと、V字形の水しぶきが上がります。

▲魚をとらえるアマゾンカワイルカ。にごった水にすんでいるため、おもにエコーロケーションでえものをとらえます。

細長く、先がややふくらんだくちばし。きばのような長い歯がはえる

▶アマゾンカワイルカ
Inia geoffrensis
アマゾンカワイルカ科 絶滅危惧種
1頭または群れでくらし、おすは木の枝などを使ってめすに求愛します。
♠体長1.8～2.7m ◆100～207kg ♣南アメリカ(アマゾン川、オリノコ川、マデイラ川) ■川、湖 ♥魚、カメ、カニ

◀ガンジスカワイルカ
Platanista gangetica
ガンジスカワイルカ科 絶滅危惧種
目が退化し、光の方向や明るさくらいしかわかりません。♠体長2.1～2.5m ◆85kg ♣インダス川、ガンジス川 ■川 ♥魚、エビ

太く長いくちばし。奥歯は根元が太い
成長とともに体色がグレーからピンクになる

細長いくちばし
三角形の背びれ

ヨウスコウカワイルカ
Lipotes vexillifer アマゾンカワイルカ科 絶滅危惧種
ふつう3～10頭の群れでくらし、エコーロケーションと敏感なくちばしの触覚で、魚を見つけて食べます。すでに絶滅したとも考えられています。♠体長1.4～2.5m ◆135～230kg ♣中国の長江(揚子江) ■大きな川など淡水 ♥魚

もっと知りたい! クジラのストランディング

海の哺乳類が浅瀬に乗り上げ、自力で動けない状態をストランディング(座礁)といいます。病気や感染症、えものの深追い、海流移動の見あやまりなどが原因といわれます。日本では年間300件ほど起きています。

人間が出すプラスチックゴミなどによる海洋汚染の影響も考えられている

イッカクのなかには、ごくまれに、長いきばを2本もつおすや、長いきばをもつめすがいます。

環境で変わる体の大きさ

動物たちは、生息地の気候や地形、食べ物などの環境要因に適応して進化してきました。進化により変化が起こったことの1つに、体の大きさがあげられます。同じ祖先をもつ動物を比べたときに、生息地と体の大きさの間に法則性がみられることがあります。「ベルクマンの法則」と「島の法則」について考えてみましょう。

ベルクマンの法則　寒冷地にすむものは大型になる……クマのなかまの場合

クマのなかま（→P.158）は、北極圏から赤道周辺まで生息しています。最大種は最北にくらすホッキョクグマ、最小種はマレーグマです。

動物の体内で生産される熱の量は体積（体重）に、体から放出される熱の量は表面積に比例します。たとえば体長が2倍になると、体積は3乗で8倍になり熱生産量は8倍に、表面積は2乗で4倍になり熱放出量は4倍になります。したがって体が大きくなるほど、熱の生産量の増え方は放出量より大きくなり、たくさんの熱を体にたくわえることができます。

このため、同じなかまの動物では、寒い場所で進化したものほど大型になる傾向があります。これを「ベルクマンの法則」といいます。パンダをのぞく7種のクマ（→P.158～161）や、トラの亜種（→P.142）の分布と体の大きさの関係は、ベルクマンの法則の代表的な例です。ここではクマを見ていきましょう。

7種のクマの分布

- ①ホッキョクグマ
- ②ヒグマ
- ③アメリカクロクマ
- ④ツキノワグマ
- ⑤ナマケグマ
- ⑥メガネグマ
- ⑦マレーグマ

北

①**ホッキョクグマ**
体長 180～250cm
体重 150～800kg

②**ヒグマ**
体長 150～280cm
体重 100～780kg

③**アメリカクロクマ**
体長 120～190cm
体重 40～225kg

④**ツキノワグマ**
体長 110～190cm
体重 35～200kg

⑤**ナマケグマ**
体長 140～190cm
体重 50～145kg

⑥**メガネグマ**
体長 110～220cm
体重 60～175kg

⑦**マレーグマ**
体長 100～150cm
体重 30～80kg

南

＊「ベルクマンの法則」を説いたクリスティアン・ベルクマン（1814～1865）は、ドイツの医師で生物学者。

島の法則　島にすむ大きい動物は小型になる……宮城県金華山のホンシュウジカの場合

シカのなかまのニホンジカ（→P.197）には、亜種が6種います。北海道にすむエゾシカが最大で、南下するほど小さくなり、最小は沖縄県の慶良間諸島にすむケラマジカです。ここにはベルクマンの法則がみられます。

寒さのほかに「島」の地理も、体の大きさに変化をもたらします。島では大きい動物は小型化し、小さい動物は大型化する傾向があり、これを「島の法則」といいます。また、遺伝的には通常の大きさになる性質をもっていても、小さな島では食べ物が乏しく大きくなれない場合もあります。宮城県の金華山という小島にすむホンシュウジカには、両方が起こっていると考えられます。岩手県の五葉山のホンシュウジカと比べてみましょう。

ニホンジカの亜種の分布
①エゾシカ
②ホンシュウジカ
③キュウシュウジカ
④マゲシカ
⑤ヤクシカ
⑥ケラマジカ

五葉山 標高1351m
牡鹿半島
金華山 面積 約10km²

金華山のホンシュウジカ

0〜5歳の体重の平均値

年齢(歳)	0	1	2	3	4	5
おす(kg)	20	28	33	38	43	44
めす(kg)	17	24	28	34	35	37

五葉山のホンシュウジカ

0〜5歳の体重の平均値

年齢(歳)	0	1	2	3	4	5
おす(kg)	25	42	52	55	60	60
めす(kg)	22	35	42	45	47	50

くらべてわかること

- 金華山のシカは、おすもめすも五葉山より小さい。おすの差がとくに大きい。
- 金華山では、おすとめすの大きさの差が小さい。
- 0〜1歳までの体重の増加が金華山では小さい。
→五葉山のめすは1歳の秋から繁殖が始まるが、金華山のめすは3〜4歳という調査結果がある。
- おすの体重の増え方が金華山では少ない。
→角も短く細くて軽いという調査結果がある。

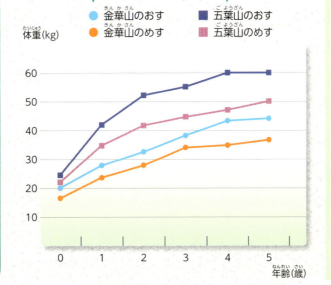

○金華山のおす　■五葉山のおす
●金華山のめす　◆五葉山のめす

金華山のシカに起きていること

金華山では、シカが食べられる植物の量が限られています。体が小さいほうが小食で生きられるため小型の個体が生き残ったり、栄養がじゅうぶんとれないために大きくなれなかったりすることが起こっています。

また、シカが減って植物が増えるとシカの栄養状態がよくなり出産が増え、シカが増えて植物が少なくなるとシカの栄養状態が悪くなり死ぬ個体が増えます。こうしたシカと植物の相互作用がくり返し起きています。

家ちく・ペット

「家ちく」とは、人の生活に役立てるために飼いならした動物です。そこから、かわいがることをおもな目的として、さらに改良した動物を「ペット」といいます。

サラブレッド（→P.240）の親子。子どもは生まれてから数時間で立ち上がります。離乳するまでの約半年間、お母さんは子どもとずっと一緒です。

人間と家ちくの関わり

大昔、人間は野生動物を狩って食べていましたが、やがて、いつでも食べられるように飼うようになりました。食べるだけでなく、さまざまなことに利用するようにもなりました。人間と家ちくの歴史を見ていきましょう。

家ちくの歴史

20000年以上前

- 野生種 オオカミ → 家ちく イヌ
- 野生種 パサン・ベゾアール → 家ちく ヤギ
- 野生種 ムフロン → 家ちく ヒツジ

野生のヤギのパサンやベゾアールが原種で、約11000～9000年前から、肉や乳を利用するために人が飼い始めたと考えられています。

イヌとともに狩りをする人間。古代アッシリア（現在のイラク）のレリーフ。

人が最初に家ちく化した動物はイヌです。約20000年前にオオカミとイヌの祖先に分かれたといわれています。

野生のヒツジのムフロンが原種で、毛や肉を利用するためにヤギよりも少し遅れて家ちく化が始まったといわれています。

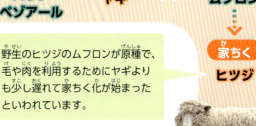

10000年前

- 家ちく ウシ ← 野生種 オーロックス
- 家ちく ブタ ← 野生種 イノシシ

野生のウシのオーロックスが原種で、使役や肉や乳を利用するために約11000～9000年前に家ちく化が始まったといわれています。オーロックスは現在絶滅しています。

野生のイノシシが、約10000年前に家ちく化してブタとなったとされています。肉を食べるために飼われました。

- 野生種 リビアヤマネコ → 家ちく ネコ

古代エジプトの壁画にかかれたネコ（○の部分）。

ネコの直接の祖先は、今もアフリカにすむリビアヤマネコ（ヨーロッパヤマネコの亜種）です。約9500年前に人とくらすネコが現れたと考えられています。

6000年前

- 野生種 タルパン → 家ちく ウマ

野生のウマ（タルパン）が祖先で、約6000年前に家ちく化が始まったと考えられています。人が乗るために飼われました。

3000年前

- 野生種 テンジクネズミ → 家ちく モルモット

約3000年前に、南アメリカでテンジクネズミが食用のために家ちく化され、モルモットとなりました。

ウマの品種

家ちくのウマは、人を乗せるためや荷物を運ぶため、また食用として利用するために、さまざまな品種がつくられました。

サラブレッド
Thoroughbred
競馬用として改良されました。ウマのなかでもっとも速く走れ、世界中で飼われています。♠体高142〜173cm ◆450〜500kg ♣イギリス

アラブ
Arab
世界のウマに多くの影響を与え、サラブレッドをつくるときにも使われました。長距離を走るのにすぐれています。♠体高142〜151cm ♣アラビア半島

フリージアン *Friesian*
重量がある馬車を引く馬車用のウマとしてすぐれています。♠体高152cm程度 ♣オランダ北部

アンダルシアン
Andalusian
スペインの闘牛士が乗ることで有名です。世界のウマ、特にアメリカ大陸原産のウマに影響を与えました。♠体高150〜160cm ♣スペイン

ポニー
（シェトランド・ポニー）
Shetland Pony
現在は子ども用の乗馬に使われます。小型ですが力が強く、昔は畑を耕したり荷物を運んだりするのにも使われていました。♠体高62〜112cm ♣イギリス

ロバ *Donkey*
アジアやアフリカに生息している野生ロバから家ちく化され、世界中にさまざまな品種が存在します。♠体高80〜160cm ♣アジア、アフリカ

> **もっと知りたい！**
> #### ウマとロバの子ども"ラバ"
> ウマとロバは、同じウマ科のなかまですが、まったく別の種です。通常は別の種どうしだと子どもは生まれませんが、めすのウマとおすのロバとの間には「ラバ」とよばれる子どもが生まれます。ラバはほとんどが子どもをつくることができません。

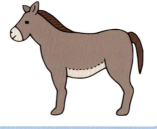

♠体の大きさ ◆体重 ♣原産

日本のウマ

日本に古くからくらすウマは在来馬といわれ、朝鮮半島から日本各地に広がったと考えられています。明治時代以降、在来馬は西洋馬との交配が進められ、だんだん数が少なくなりました。現在は8品種が残るのみです。

木曽馬
Kiso　絶滅危惧種
平安時代から江戸時代に、武士などが乗るウマとして飼われていました。♠体高125〜135cm ♣日本（長野県）

対州馬
Taishuba　絶滅危惧種
弥生時代以前に朝鮮半島から渡ってきたウマの子孫と考えられています。♠体高120〜130cm ♣日本（長崎県対馬）

北海道和種
Hokkaido
道産子ともよばれます。鎌倉時代にもちこまれた東北地方のウマが祖先といわれています。♠体高123〜135cm ♣日本（北海道）

与那国馬
Yonaguni　絶滅危惧種
小型ですが、足腰が強く揺れが少ないことから、荷物や人を運んでいました。♠体高110〜120cm ♣日本（沖縄県与那国島）

御崎馬
Misaki　天然記念物
宮崎県の都井岬に半野生状態で生息する中型のウマです。♠体高130〜135cm ♣日本（宮崎県串間市）

野間馬
Noma　絶滅危惧種
急な段々畑でのミカンの収穫作業や農作業で使われていました。♠体高115〜125cm ♣日本（愛媛県）

宮古馬
Miyako　絶滅危惧種
古くから乗馬や荷物運搬など多目的に使われ、サトウキビの生産にも使われました。♠体高110〜120cm ♣日本（沖縄県宮古列島）

トカラ馬
Tokara　絶滅危惧種
明治時代に奄美大島の東にある喜界島からもちこまれた小型で強健なウマです。♠体高100〜120cm ♣日本（鹿児島県トカラ列島）

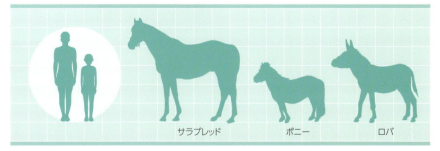

サラブレッド　ポニー　ロバ

競走用に改良されたサラブレッドは、ウマのなかではいちばん足が速く、時速60〜70kmで走ることができます。

ウシの品種

オーロックスという野生のウシが家ちく化されました。乳用や肉用など、目的に合わせて品種が改良されています。

ホルスタイン
Holstein Friesian
世界でもっとも代表的な乳用品種です。年間6000〜8000kg以上のミルクがとれます。♠体高140〜160cm ♦550〜1100kg ♣オランダ北部、ドイツ西北部

ジャージー *Jersey*
ミルクをとるためのウシで、特にバターの製造に向いています。♠体高122〜135cm ♦380〜800kg ♣イギリス（ジャージー島）

世界で家ちく化されたウシのうち、背中にコブがあるコブウシの血をひいた品種もいます。写真はインドなど熱帯地域で飼われているハリアナ。

アバディーン・アンガス
Aberdeen Angus
毛色が黒色で、角がないことが特ちょうです。肉牛三大品種のひとつです。♠体高135〜145cm ♦600〜1000kg ♣イギリス（北スコットランド）

ヘレフォード
Hereford
顔と腹が白いのが特ちょうで、世界でもっとも広く飼われているウシです。肉牛三大品種のひとつです。♠体高140〜152cm ♦700〜1100kg ♣イギリス（イングランド南西部）

シャロレー
Charolais
成長が早い大型のウシで、赤身が多いすぐれた肉牛です。♠体高135〜150cm ♦700〜1400kg ♣フランス中部（ヌベール高原）

♠体の大きさ ♦体重 ♣原産

ハイランド
Highland
小型のウシで、全身が長い毛におおわれている肉牛です。♠体高105～125cm ♦450～650kg
♣イギリス（スコットランド北西部高原）

スイギュウ
Water Buffalo
野生種も存在し、水あびが大好きです。ミルクからつくられるモッツァレラチーズが有名です。♠体高100～200cm ♣ユーラシア大陸熱帯地域

日本のウシ

日本でウシが飼われるようになったのは6世紀ごろ。日本在来牛はもとは10種いたといわれています。しかし、現在は見島牛と口之島牛の2種しか残っていません。和牛も、在来牛と外国のウシとのかけ合わせです。

見島牛
Mishima 　**天然記念物**
日本古来の小型のウシです。朝鮮半島から渡ってきた子孫であると考えられています。♠体高115～122cm
♦250～320kg ♣日本（山口県見島）

口之島牛
Kuchinoshima
日本で唯一の再野生化ウシです。大正時代に森に逃げ出し、口之島の南部で自然繁殖しています。♠体高120cm ♦300～400kg ♣日本（鹿児島県口之島）

もっと知りたい！ 牛肉の部位

牛肉の部位はおもに9つに分けられ、部位ごとに脂肪の量ややわらかさがことなります。

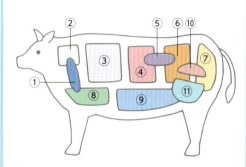

①かた
おもに筋肉の部位。かたい肉質で脂肪が少ない。

②かたロース
脂肪が多い部分。霜降り肉になるところ。

③リブロース
骨付き肉のこと。脂肪が多く、やわらかい。

④サーロイン
脂肪が少なくてやわらかい最高級肉。

⑤ヒレ
きめが細かく、脂肪が少なくてやわらかい。

⑥ランプ
きめが細かい。

⑦そともも
脂肪が少なく、ややかためで高タンパク質。

⑧⑨ばら
かたばら⑧と、ともばら⑨に分かれる。脂肪と赤身が層になっている。

⑩⑪もも
うちもも⑩としんたま⑪に分かれる。牛肉のなかで脂肪がもっとも少ない。

黒毛和種
Japanese Black
霜降と呼ばれる美しい脂肪が入る牛肉が有名です。世界でもっとも高級な牛肉をつくりだす日本の肉牛です。♠体高130～147cm ♦450～950kg ♣日本

日本短角種
Japanese Shorthorn
日本のウシに、明治時代以降、アメリカから輸入されたショートホーン（肉牛三大品種のひとつ）を交配してつくられた肉牛です。♠体高126～150cm
♦480～1100kg ♣日本（東北地方北部）

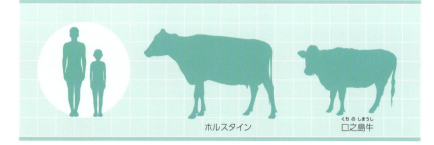

ホルスタイン　口之島牛

日本では、675年に肉食禁止令が出され、明治時代になるまで牛、馬、鶏などの肉は表立って口にされませんでした。

ヒツジ・ヤギの品種

ヒツジはムフロンという野生種が、ヤギはパサンやベゾアールという野生種が家ちく化されました。肉や乳、毛皮などが利用されてきました。

メリノ
Merino
最高級の羊毛が取れる毛用の代表的なヒツジです。世界の各地で国・土地名を有した品種が多くあります。
◆45～120kg　♣イベリア半島

コリデール *Corriedale*
毛と肉の両方が使われます。日本でも北海道などで多く飼われているヒツジです。
◆60～125kg　♣ニュージーランド

サフォーク *Suffolk*
毛と肉の両方が使われるヒツジです。顔とあしが黒色です。
◆88～125kg　♣イギリス南部

ドーセットホーン
Dorset Horn
毛と肉の両方が使われるヒツジです。おすの角は大きくらせん状に曲がっています。　◆70～120kg　♣イギリス南西部

アンゴラ
Angora
良質なモヘアという毛が取れるヤギです。肉や皮なども利用されます。▲体高約55cm　◆30～60kg　♣トルコ（アンゴラ地方）

カシミア *Cashmere*
毛用のヤギで、長毛の下にはえるやわらかい下毛が、カシミアウールとして最高級の毛製品となります。
▲体高65～80cm　◆30～60kg
♣中央アジア高地

ザーネン
Saanen
角がない個体が多く、乳用として世界の代表的なヤギです。日本でも古くから飼われています。▲体高約55cm　◆50～90kg　♣スイス

ボーア
Boer
大型の肉用のヤギで、そのすぐれた特ちょうから世界中に導入されています。顔は丸く耳は大きくたれています。◆90～135kg
♣南アフリカ

シバヤギ
Shiba
小型の肉用のヤギです。近年、数は著しく減少しています。◆30～40kg　♣日本（長崎県五島列島）

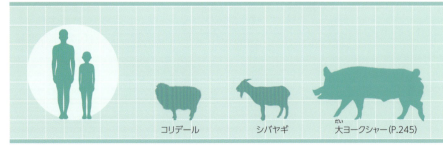

コリデール　シバヤギ　大ヨークシャー(P.245)

▲体の大きさ　◆体重　♣原産

ブタの品種

野生のイノシシが家ちく化されました。肉質を良くし、たくさん子を生むように改良され、多くの品種が生まれました。

大ヨークシャー（ラージホワイト）
Large Yorkshire
大型で白色、あしが長いのが特ちょうです。良いベーコンがつくれます。
♦ 340〜500kg ♣ イギリス北部（ヨークシャー地方）

ランドレース *Landrace*
体長が長く、ベーコンをつくるのに適しています。アメリカランドレースなど、国の名前をつけた多くの亜品種がつくられています。♦ 270〜330kg ♣ デンマーク

中ヨークシャー（ミドルホワイト）
Middle Yorkshire
中型で白色、あしが短く、顔面がしゃくれているのが特ちょうです。♦ 200〜250kg
♣ イギリス北部（ヨークシャー地方）

バークシャー
Berkshire
全身が黒色ですが、あし、鼻、尾の先が白いブタです。日本では肉質が良い黒豚として知られています。♦ 200〜250kg
♣ イギリス（バークシャー州）

デュロック *Duroc*
毛色は赤褐色です。じょうぶで暑さにも強いため、世界中で飼われています。
♦ 200〜380kg
♣ アメリカ合衆国

メイシャン（梅山豚）
Meishan
大きい頭と耳と顔に多くのしわがあります。平均17頭と多くの子どもをうむことで有名です。♦ 200kg ♣ 中国

アグー *Agu*
数百年前に中国から導入されたと考えられる、沖縄県で古くから飼われていたブタです。♦ 110kg程度 ♣ 日本（沖縄県）

もっと知りたい！

豚肉の部位

豚肉の部位は7つに分けられます。ウシほどではありませんが、それぞれの部位ごとに肉質はことなります。

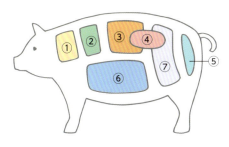

①かた
脂肪と赤身が層になっている。ややきめがあらくかたいのでひき肉に利用される。

②かたロース
ロースよりもややかためで、いろいろな料理に利用される。

③ロース
脂肪がほどよく、やわらかい。ヒレと同じく、脂肪が少ない部位で高級肉。

④ヒレ
きめがこまかくやわらかい。脂肪が少ない部位で高級肉。

⑤そともも
脂肪が少なく赤身が多い、ややかためな部位。

⑥ばら
かたと同じく、脂肪と赤身が層になっている部位。

⑦もも
脂肪が少なくきめがこまかい。いろいろな料理に利用されることが多い。

ハンプシャー
Hampshire
体は黒色に白帯があります。脂肪がうすく、ロースの部分が大きいことが知られています。
♦ 250〜300kg ♣ アメリカ合衆国

ミニブタ（ゲッチンゲン）
Gottingen Miniature
ゲッチンゲン大学でつくられた実験用の小型ブタです。♦ 50kg程度 ♣ ドイツ（ゲッチンゲン）

 食肉用に、イノシシとブタの雑種であるイノブタを生産している地域もあります。

イヌの品種①

ペットのイヌは「イエイヌ」や「カイイヌ」とよばれます。家ちく化の歴史はいちばん古く、番犬や狩りの手伝いなど、長い間、人の役に立ってきました。

ポメラニアン *Pomeranian*
顔のまわりのたてがみのような毛と、ふさふさのしっぽが特ちょうです。
♠体高18〜24cm ♣ドイツ

チワワ *Chihuahua*
純血種としては世界最小サイズです。毛が短いタイプと、毛が長いタイプがいます。
♦1〜3Kg ♣メキシコ

ヨークシャー・テリア *Yorkshire Terrier*
毛色が特ちょう的で、長くつやのあるシルクのような毛をもちます。
♦3.2kg ♣イギリス

マルチーズ *Maltese*
純白でとても長いシルクのような被毛が特ちょうの小型犬です。♠体高21〜25cm（おす）、20〜23cm（めす） ♦3〜4kg ♣中央地中海沿岸地域

パピヨン *Papillon*
パピヨンはフランス語で「チョウ」を意味します。名前の通りチョウの羽のような大きな耳が特ちょうです。♠体高28cm以下 ♣ベルギー、フランス

ビション・フリーゼ *Bichon Frise*
もふもふとした被毛は「パウダーパフ」とよばれ、弾力があります。♠体高25〜29cm ♦約5kg ♣フランス・ベルギー

ペキニーズ *Pekingese*
もふもふとした毛と、鼻がつぶれたような顔が特ちょうです。♠体重5kg以下（おす）、5.4kg以下（めす） ♣中国

プードル（トイ・プードル） *Poodle (Toy Poodle)*
プードルは体の大きさ別に4つの名でよばれ、いちばん小さいサイズをトイ・プードルといいます。♠体高24〜28cm（トイ） ♣フランス

ミニチュア・シュナウザー *Miniature Schnauzer*
あごひげや、まゆ毛のような被毛が特ちょうです。♠体高30〜35cm ♦約4〜8kg ♣ドイツ

シー・ズー *Shih Tzu*
豊かな毛と、短いマズル（口のまわりから鼻先にかけて）が特ちょうです。♠体高27cm以下 ♦4.5〜8kg ♣チベット（中国）

キャバリア・キング・チャールズ・スパニエル *Cavalier King Charles Spaniel*
優雅で気品あふれた姿で、イギリスでは絶大な人気をほこる犬種です。♦5.4〜8kg ♣イギリス

アメリカン・コッカー・スパニエル *American Cocker Spaniel*
毛の量が多く、むくむくとしたシルエットに、丸い頭頂部と長い耳が持ちょうです。♠体高約38.1cm（おす）、約35.6cm（めす） ♣アメリカ合衆国

シェットランド・シープドッグ *Shetland Sheepdog*
イギリス北部のシェットランド諸島原産で、「シェルティー」の愛称で親しまれています。♠体高約37cm（おす）、約35.5cm（めす） ♣イギリス

♠体の大きさ ♦体重 ♣原産

ウェルシュ・コーギー・ペンブローク
Welsh Corgi Pembroke
あしが短く、がんじょうな体つきをしています。♠体高約25〜30cm ♦10〜12kg（おす）、9〜11kg（めす） ♣イギリス

ダックスフンド（スタンダード・ダックスフンド）
Dachshund (Standard Dachshund)
短いあしと細長い胴が特ちょうです。巣あなへもぐり、アナグマを追いつめる猟を得意としてきました。♦約9kg（スタンダード） ♣ドイツ

フレンチ・ブルドッグ
French Bulldog
大きな耳、四角い頭と、ごつごつとした体が特ちょうです。♠体高27〜35cm（おす）、24〜32cm（めす） ♦9〜14kg（おす）、8〜13kg（めす） ♣フランス

パグ Pug
犬種名はラテン語でにぎりこぶしを意味する「パグナス」に由来します。深いしわのある顔が特ちょうです。♦6.3〜8.1kg ♣中国

ジャック・ラッセル・テリア
Jack Russell Terrier
巣あなの中ですばやく動くことができたため、小動物用のハンターとして活躍しました。♠体高約25〜30cm ♣イギリス

ビーグル Beagle
ウサギ狩りでは、群れで鳴き声を交わしあい、えものを追いつめます。♠体高約33〜40cm ♣イギリス

ミニチュア・ピンシャー
Miniature Pinscher
短くてつやつやとした被毛が特ちょうです。♠体高25〜30cm ♦4〜6kg ♣ドイツ

イタリアン・グレーハウンド
Italian Greyhound
ほっそりした体で、体高と体長がほぼ同じ長さです。♠体高32〜38cm ♦5kg以下 ♣イタリア

イヌのグループ分け

国際畜犬連盟（FCI）では、純血種として認めている犬種を、その犬種の目的や能力、特ちょうなどによって10のグループに分類しています。

グループ1　牧羊犬・牧畜犬
家ちくの群れの移動や護衛をします。おもにヒツジやウシの群れを管理します。

グループ2　使役犬
番犬をしたり、家ちくの護衛をしたりするほか、山岳犬としても活躍しています。

グループ3　テリア
あなの中にすむキツネや、水辺のカワウソなどの小動物の猟で活躍します。

グループ4　ダックスフンド
ウサギやアナグマなどの猟をします。このグループは、ダックスフンドのみです。

グループ5　原始的なイヌ・スピッツ
世界中で、古くからその土地の人たちとくらしてきた犬種のグループです。

グループ6　嗅覚ハウンド
大きな声とすぐれた嗅覚で地面に残った足跡などをたどって、狩りをします。

グループ7　ポインター・セター
おもに鳥の狩りをします。えものを見つけると、ポインターはかたほうの前あしを上げて、セターはふせて、えものの位置を知らせます。

グループ8　それ以外の鳥猟犬
鳥の狩りをします。猟師がしとめたえものを回収するレトリーバー、かくれた鳥を飛び立たせる役割のフラッシング・ドッグなどがいます。

グループ9　愛玩犬
特に仕事があるわけではなく、家族の一員としてかわいがられるために生み出されました。小型犬が多いのが特ちょうです。

グループ10　視覚ハウンド
すぐれた視力と走力で狩りをします。えものを見つけたら、追いかけてつかまえます。長いあしをもつイヌが多いのが特ちょうです。

牧羊犬はなわばり意識が強めで、狩猟犬はえものを追うのが好きなど、品種によって性格や特ちょうのちがいがあらわれます。

イヌの品種②

ボストン・テリア *Boston Terrier*
19世紀に、ブルドッグとブル・テリアを交配させて生み出されました。♦6.8～11.35kg ♣アメリカ合衆国

ブル・テリア *Bull Terrier*
もとは闘犬を目的としてつくられました。のっぺりとした卵型の顔が特ちょうです。♣イギリス

ハリア *Harrier*
ウサギやキツネなどを追いかける狩りで活躍してきました。♠体高48～55cm ♣イギリス

シャー・ペイ *Shar-Pei*
シャー・ペイは、中国語で「砂のような（ざらざらした）皮」という意味です。♠体高44～51cm ♣中国

キースホンド（ウルフスピッツ） *Keeshond(Wolfspitz)*
目のまわりの毛の色が、めがねのようになっているのが特ちょうです。♠体高43～55cm ♣ドイツ

ボーダー・コリー *Border Collie*
8世紀ごろから、北ヨーロッパの海賊（バイキング）によってイギリスにもちこまれた牧畜犬が祖先です。もっとも頭のよい犬種といわれます。♠体高約53cm（おす）、めすはおすよりやや小さい ♣イギリス

チャウ・チャウ *Chow Chow*
中国で2千年以上昔から飼われているとされる、とても古い起源をもつ犬種です。♠体高48～56cm（おす）、46～51cm（めす）♣中国

サモエド *Samoyed*
まっ白い雪玉のような被毛です。寒さには強いですが、暑さには非常に弱い犬種です。♠体高54～60cm（おす）、50～56cm（めす）♣ロシア北部及びシベリア

ショロイツクインツレ（スタンダード・バラエティー） *Xoloitzcuintle(Standard Variety)*
メキシコで古くから、死者の魂を導く神の使いと考えられてきた犬種です。毛がはえているタイプもいます。♠体高46～60cm（スタンダード）♣メキシコ

シベリアン・ハスキー *Siberian Husky*
ハスキーという名は、遠ぼえのときの声がしわがれていることに由来しています。♠体高53.5～60cm（おす）、50.5～56cm（めす）♦20.5～28kg（おす）、15.5～23kg（めす）♣アメリカ合衆国

♠体の大きさ ♦体重 ♣原産

日本のイヌ

日本でつくられた、あるいは古くから日本にいる犬種です。

北海道 Hokkaido 天然記念物
北海道でアイヌの人びととくらしてきたことから、「アイヌ犬」ともよばれます。クマ狩りに使われてきました。♠体高48.5～51.5cm（おす）、45.5～48.5cm（めす）♣日本

秋田 Akita 天然記念物
古くからクマ狩りをする猟師に飼われていたマタギ犬が祖先です。がっしりとした体と、三角形の耳が特ちょうです。♠体高64～70cm（おす）、58～64cm（めす）♣日本

柴 Shiba 天然記念物
現在飼育されている日本原産の犬種のうち、いちばん多い犬種です。♠体高38～41cm（おす）、35～38cm（めす）♣日本

甲斐 Kai 天然記念物
かつて「甲斐の国」とよばれていた山梨県原産の犬種です。被毛に浮かび上がるトラのようなもようが特ちょうです。♠体高47～53cm（おす）、42～48cm（めす）♣日本

紀州 Kishu 天然記念物
紀州（和歌山県、三重県）の山岳地帯で誕生しました。おもにイノシシやシカの狩りで活躍している犬種です。♠体高49～55cm（おす）、46～52cm（めす）♣日本

四国 Shikoku 天然記念物
四国の高知県の山岳地帯で、イノシシ狩りなどで活躍してきたことから、「高知犬」ともよばれています。♠体高49～55cm（おす）、46～52cm（めす）♣日本

土佐 Tosa
四国の土佐藩（現在の高知県）で闘犬として用いられたイヌが起源と考えられています。♠体高60cm以上（おす）、55cm以上（めす）♣日本

日本テリア Japanese Terrier
細い体に、2mmほどの短く白い被毛がはえています。頭と体の色がはっきり分かれているのが特ちょうです。♠体高約30～33cm♣日本

狆 Chin
8世紀に、新羅（現在の朝鮮半島にあった国家）から、日本の朝廷に贈られたイヌが祖先と考えられています。♠体高約25cm（おす）、めすはおすよりやや小さい♣日本

日本スピッツ Japanese Spitz
まっ白でふわふわとした豊かな被毛と、ふさふさの尾が特ちょうです。♠体高30～38cm（おす）、めすはおすよりやや小さい♣日本

日本にイヌが伝わったのは縄文時代と考えられ、約9500年前の神奈川県夏島貝塚で日本最古のイヌの骨が見つかっています。

イヌの品種③

ゴールデン・レトリーバー
Golden Retriever
金色（ゴールデン）の被毛をもちます。世界中で、ショー・ドッグや盲導犬などとしても活躍しています。♠体高56～61cm（おす）、51～56cm（めす）♣イギリス

イングリッシュ・ポインター *English Pointer*
筋肉質で、すらりとひきしまった体をもつ、ポインターの代表的な犬種です。♠体高63～69cm（おす）、61～66cm（めす）♣イギリス

イングリッシュ・セター
English Setter
1555年には飼育されていた記録が残っている、歴史ある犬種です。♠体高65～68cm（おす）、61～65cm（めす）♣イギリス

ラブラドール・レトリーバー
Labrador Retriever
がっしりとしたじょうぶな体つきと、カワウソのように根元が太いしっぽが特ちょうです。盲導犬としても活躍しています。♠体高約56～57cm（おす）、約54～56cm（めす）♣イギリス

ラフ・コリー
Rough Collie
牧羊犬として活躍してきた犬種で、体をおおう豊かな被毛と、耳の先が少し折れているのが特ちょうです。♠体高約61cm（おす）、約56cm（めす）♣イギリス

ダルメシアン *Dalmatian*
白い被毛に、水玉のような黒いまだらもようが特ちょうです。♠体高56～62cm（おす）、54～60cm（めす）♦約27～34kg（おす）、約24～29kg（めす）♣クロアチア

ブルドッグ *Bulldog*
もとはウシにかみつく闘犬として改良された、イギリスの国犬としても知られる犬種です。♦25kg（おす）、23kg（めす）♣イギリス

グレート・ピレニーズ *Great Pyrenees*
厚くまっ白な被毛は気品があり、かつては城の番犬としても人気でした。♠体高70～80cm（おす）、65～75cm（めす）♣フランス

バーニーズ・マウンテン・ドッグ *Bernese Mountain Dog*
山岳地帯では牧畜犬として、農場では荷車引きの仕事で活躍してきました。♠体高64～70cm（おす）、58～66cm（めす）♣スイス

セント・バーナード *St. Bernard*
全犬種のなかで、もっとも体が重く、パワーがあり、山岳救助犬として活躍してきました。♠体高70～90cm（おす）、65～80cm（めす）♣スイス

♠体の大きさ　♦体重　♣原産

ジャーマン・シェパード・ドッグ
German Shepherd Dog

がっしりとした筋肉質な体と、すぐれた頭脳をもっています。♠体高60～65cm(おす)、55～60cm(めす) ♦30～40kg(おす)、22～32kg(めす) ♣ドイツ

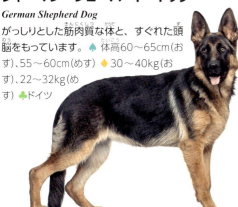

働くイヌ

イヌのなかには、するどい嗅覚で人やものを見つけたりする警察犬や、体の不自由な人を助けたりする盲導犬など、人々のくらしを助けているイヌたちがいます。

警察犬
犯人を追ったり証拠品のにおいをかいだりして、捜査の手助けをします。また、犯人が抵抗したら立ち向かいます。

災害救助犬
災害でたおれてしまった建物の中にいる人のにおいをかぎ取ったら、その場でほえたりして居場所を知らせます。

盲導犬
目が不自由な人が安心して歩けるように、段差や角で立ち止まったりして使用者に道の状況を伝えます。

麻薬探知犬
危険な麻薬が外国から日本国内に持ちこまれないよう、空港や港などでにおいをかいで麻薬を見つけます。

山岳救助犬
山で遭難した人や、雪山でなだれに巻きこまれた人のにおいをかぎ取り、救助隊に居場所を知らせます。

介助犬
体が不自由な人の手足となって、段差で車いすを引いたり、服をぬぐのを手伝ったりと、日常生活の動作を助けます。

ドーベルマン *Dobermann*

たくましい筋肉と美しい体つきをしており、護衛犬としてすぐれています。♠体高68～72cm(おす)、63～68cm(めす) ♦約40～45kg(おす)、約32～35kg(めす) ♣ドイツ

アフガン・ハウンド *Afghan Hound*

長いシルクのような毛と、東洋的な表情が特ちょう的。すばやくえものを追いかけます。♠体高68～74cm(おす)、63～69cm(めす) ♣アフガニスタン

ボルゾイ *Borzoi*

シルク(絹糸)のような被毛がおおっており、「イヌの貴族」ともよばれています。♠体高約75～85cm(おす)、約68～78cm(めす) ♣ロシア

コモンドール
Komondor

大きな体をおおうモップのような被毛です。♠体高70cm以上(おす)、65cm(めす) ♦50～60kg(おす)、40～50kg(めす) ♣ハンガリー

グレート・デーン *Great Dane*

「ドイチェン・ドッゲ」ともいいます。世界一体高が高いイヌとして、ギネス世界記録に認定された個体もいます。♠体高80cm以上(おす)、72cm以上(めす) ♣ドイツ

グレート・デーン / 秋田(P.249) / ボーダー・コリー(P.248) / チワワ(P.246)

盲導犬など人を助けるイヌを「補助犬」といい、ほかに、耳が不自由な人のかわりに音を聞いて知らせる「聴導犬」がいます。

ネコの品種

ペットのネコは「イエネコ」とよばれます。もともとはリビアヤマネコと同じ茶色のしまもようのネコだけでしたが、今ではいろいろな毛色やもようの品種がいます。

アビシニアン *Abyssinian*
イエネコのなかでも古い品種で、古代エジプトで神聖な生き物として飼われていたネコの末えいともいわれます。
◆3〜5kg ♣エチオピア

ソマリ *Somali*
アビシニアンから生まれる毛の長いネコを繁殖させ、別の品種として認定しました。◆3〜5kg（おす）、3〜4.5kg（めす）♣イギリス

エジプシャン・マウ *Egyptian Mau*
「マウ」は古代エジプトの言葉でネコを指します。イエネコのなかで唯一、自然にできた斑点もようをもつといわれています。◆3〜5kg（おす）、3〜4kg（めす）♣エジプト

アメリカン・ショートヘアー *American Shorthair*
じょうぶで環境への順応性も高い性格で、筋肉質の体、大きい頭に丸い目が特ちょうです。◆3〜6kg（おす）、3〜5kg（めす）♣アメリカ合衆国

ベンガル *Bengal*
野生のベンガルヤマネコと飼い猫（イエネコ）を交配させて生み出されました。◆3〜8kg（おす）、3〜6kg（めす）♣アメリカ合衆国

ロシアン・ブルー *Russian Blue*
青みがかったグレーの被毛と、緑色の目が特ちょうで、その姿は宝石にたとえられます。
◆3〜5kg ♣ロシア

シャルトリュー *Chartreux*
青みがかったグレーの被毛で、大きな体のわりに、あしが細い品種です。◆4〜6.5kg（おす）、3〜5kg（めす）♣フランス

バーミーズ *Burmese*
サテンの布のような手ざわりの被毛が特ちょうです。◆3〜3.5kg（おす）、3〜5kg（めす）♣ミャンマー

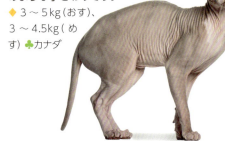

スフィンクス *Sphynx*
無毛といわれますが、実際には産毛のような細い毛がはえていて、スエードのような手ざわりです。
◆3〜5kg（おす）、3〜4.5kg（めす）♣カナダ

コーニッシュ・レックス *Cornish Rex*
やわらかい巻き毛が最大の特ちょうです。逆三角形の小さい顔に、弓のように曲がっている背中をもっています。◆3〜4kg ♣イギリス

シャム（サイアミーズ） *Siamese*
ほっそりとした体と、顔や耳、あし先、しっぽに入った濃い色が特ちょうです。
◆3〜4kg ♣タイ

▲体の大きさ ◆体重 ♣原産

ラ・パーマ　La Perm
弾力のあるやわらかい巻き毛が特ちょうですが、子猫のときは無毛の場合もあります。
♦ 3～5.5kg（おす）、2.5～4.5kg（めす）
♣ アメリカ合衆国

マンチカン　Munchkin
あしの短い品種です。前あしは肩甲骨から10cmほどの短さですが、ジャンプや木登りなどの運動が得意です。♦ 3～6kg　♣ アメリカ合衆国

ラグドール　Ragdoll
大きな体に青い目が特ちょうです。ぬいぐるみを意味する「ラグドール」が、品種名の由来です。♦ 4～7kg（おす）、4～6kg（めす）　♣ アメリカ合衆国

エキゾチック　Exotic
大きなまん丸の顔にまん丸の目、つぶれたような鼻、ずんぐりした体が特ちょうです。♦ 3～5.5kg（おす）、3～4kg（めす）
♣ イギリス

ペルシャ　Persian
純血種のなかでも歴史ある品種のひとつで、さまざまな品種の基礎となっています。♦ 3～5.5kg（おす）、3～5kg（めす）　♣ アフガニスタン

ヒマラヤン　Himalayan
ペルシャとシャムの交配により、顔や耳、あし先に色をもつ品種として生み出されました。♦ 3～5.5kg（おす）、3～5kg（めす）　♣ アメリカ合衆国、イギリス

ジャパニーズ・ボブテイル　Japanese Bobtail
日本猫をもとにアメリカで改良された品種で、短いしっぽが特ちょうです。♦ 3～4.5kg　♣ 日本

スコティッシュ・フォールド　Scottish Fold
まん丸の顔と前に折れた耳が特ちょうです。
♦ 3～6kg（おす）、3～5kg（めす）　♣ イギリス（短毛種）、アメリカ合衆国（長毛種）

ノルウェージャン・フォレスト・キャット　Norwegian Forest Cat
大柄で、指の間にまで長い毛がはえていて、雪や氷の上も上手に歩けます。♦ 3.5～6.5kg（おす）、3.5～5.5kg（めす）　♣ ノルウェー

メイン・クーン・キャット　Maine Coon Cat
長い被毛がアライグマ（ラクーン）のように見えることから、この名がつけられました。
♦ 5～10kg（おす）、3～8kg（めす）　♣ アメリカ合衆国

日本猫　Nihonneko
毛色はさまざまで、しっぽの先が曲がった「カギしっぽ」のネコもいます。
♦ 3～4.5kg　♣ 日本

もっと知りたい！　祖先はリビアヤマネコ
ネコの先祖であるリビアヤマネコは、今もアフリカ大陸の砂漠や荒野などでくらしています。茶色のしまもようは、リビアヤマネコがくらすところでは見つかりにくい保護色なのです。

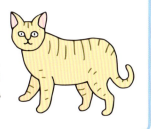

メイン・クーン・キャット　日本猫

ネコのなかで、白、茶、黒の3色の毛をもつものは、ほとんどがめすです。

ウサギの品種

ペットのウサギは「カイウサギ」と呼ばれ、世界中に150以上の品種があるといわれています。祖先は共通して、ヨーロッパでくらすアナウサギです。

ネザーランドドワーフ
Netherland Dwarf
オランダ（ネザーランド）でつくられた品種で、ぴんと立った短い耳、大きくて丸い目、小さな体が特ちょうです。 ◆0.9～1.2kg ♣オランダ

ドワーフホト
Dwarf Hotot
全身まっ白な毛色と目のまわりのラインが印象的な品種です。 ◆1.1～1.3kg ♣ドイツ

ジャージーウーリー
Jersey Wooly
耳の間に「ウールキャップ」と呼ばれる前髪のようなかざり毛があるのが特ちょうです。 ◆1.3～1.5kg ♣アメリカ合衆国

ミニレッキス Mini Rex
布のビロードのようなさわり心地の毛なみです。小さな体で、おだやかな性格です。 ◆1.3～1.8kg ♣アメリカ合衆国

ホーランドロップ Holland Lop
ネザーランドドワーフとフレンチロップなどを祖先にもつ品種。小さな体とたれた耳、頭頂部にある毛のもり上がりが特ちょうです。 ◆約1.8kg ♣オランダ

フレンチロップ French Lop
たれ耳のウサギのなかで、もっとも大きくなる品種です。 ◆4.5～6kg ♣フランス

ダッチ Dutch
古くから存在している品種で、八の字もようになった顔と、パンツをはいたような独特なもようが特ちょうです。 ◆1.5～2.5kg ♣イギリス

イングリッシュアンゴラ English Angora
絹のような手ざわりの長い毛と、耳のかざり毛が特ちょうです。 ◆2.7～2.9kg ♣トルコ

アメリカンファジーロップ American Fussy Lop
ホーランドロップの毛が長いタイプから生まれた品種です。ファジーとは、「ふわふわの綿毛」という意味です。 ◆1.5～1.8kg ♣アメリカ合衆国

フレミッシュジャイアント Flemish Giant
体重が10kgを超えることもある大きな体が特ちょうです。飼育するにはほかのウサギよりも広いスペースが必要です。 ◆5.9kg以上 ♣ヨーロッパ

ペットを捨てないで

広島県の大久野島では、捨てられて野生化したカイウサギが集団でくらしています。ほかにも、ネコやイヌなどのペットが捨てられて野生化することで、もともといる在来種や人の生活に影響をおよぼすことがあります。

ペットは最期まで責任をもって飼いましょう。

♠体の大きさ ◆体重 ♣原産

齧歯目のなかま

齧歯目のなかまは一生歯がのび続けます。いろいろな野生のネズミを飼いならし、繁殖させてペットにしています。

ゴールデンハムスター
Golden Hamster
体が大きく、前あしをよく使います。白に茶色のまだらもようが基本色で、多くの色やもようがいます。♦85〜150g ♣イスラエル、シリア、レバノン

ジャンガリアンハムスター
Djungarian Hamster
目がまん丸で、小さな体、小さな耳が特ちょうです。頭や背中が茶色で、おなかが白いのが基本色です。♦30〜45g ♣カザフスタン、ロシア、中国北部

ロボロフスキーハムスター
Roborovski Hamster
ハムスターのなかでもいちばん小さな品種です。すばやく動き回るすばしっこさが特ちょうです。♦15〜30g ♣ロシア、カザフスタン、モンゴル

キャンベルハムスター
Cambell's Dwarf Hamster
見た目はジャンガリアンハムスターににていますが、耳が大きく広がっているのが特ちょうです。♦30〜45g ♣ロシア、中国、モンゴル

チャイニーズハムスター
Chinese Hamster
ほっそりとしていて、ハムスターのなかでも小さな体です。ほかのハムスターよりもしっぽは長めです。♦30〜40g ♣中国、モンゴル

イングリッシュモルモット
English Guinea Pig
イギリスで300年以上の間、研究されてきた品種です。首から肩にかけてもり上がりがあるのが特ちょうで、ずん胴な体型です。♠体長20〜25cm ♣ヨーロッパ

ペットの防災

もし災害が起こって避難することになったら、ペットといっしょに逃げる「同行避難」がすすめられています。いざというとき困らないよう、人間だけでなくペット用の防災グッズを準備したり、避難所でもペットが落ちついて過ごせるように基本的なしつけをしておいたり、あらかじめ災害対策をしておくことが大切です。

準備しよう
- ☐ ごはん、水
- ☐ トイレ用品
- ☐ 薬、療法食
- ☐ ケージ、キャリーケース
- ☐ リード、ハーネス、首輪

そのほか、行方不明になったときのためにペットの写真や、ペットがこれまでにかかった病気の記録などもあるとよいでしょう。

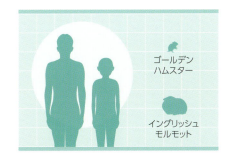

ハムスターの寿命は約2〜3年、モルモットの寿命は約5〜6年です。

日本の動物

日本は北半球に広がるユーラシア大陸の東のはしに位置しています。大陸とは近い距離にありますが、まわりを海にかこまれている島国で、4つの大きな島が南北に長くつらなっています。動物地理区では大部分が旧北区に含まれています。その日本ではどのような動物が見られるでしょうか。

ニホンザル（→P.75）は、サルのなかまではもっとも北に分布することで知られています。日本固有種で、英語ではスノーモンキーとよばれています。

日本で見られる哺乳類

外来種をのぞく日本にもともとすむ陸で見られる哺乳類は、真獣類のユーアーコンタグリレス類とローラシア獣類です。しかし、偶蹄目は見られても奇蹄目は見られないなど、すべての目が見られるわけではありません。海にくらすジュゴンは、日本で唯一のアフリカ獣類です。

日本で見られないグループ

日本列島の自然と動物

日本のほとんどは四季がはっきりとした温帯です。山が多く、約70％が森林で、陸にすむ哺乳類の多くが森林に生息しています。
しかし、列島が南北に長く北と南では気候がことなることや、歴史のなかで大陸と地続きになったり、はなれたりしたことなどにより、地域によって分布する動物にちがいが見られます。

海峡が分布を分ける

氷河期は海面が下がるため、水深が浅いと陸地と陸地が地続きになり、生き物が行き来できるようになります。
北海道とユーラシア大陸の間にある間宮海峡や宗谷海峡は水深が浅く、氷河期に北海道は大陸と地続きになりました。一方、北海道と本州の間の津軽海峡は水深が深く、氷河期でも地続きになりませんでした。

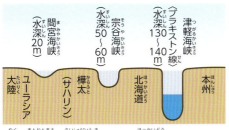

約1万年前の最終氷期のとき、北海道はユーラシア大陸とは地続きになったが、本州とはならなかった。

- 北海道は冷帯(亜寒帯)で、地続きになったときにわたってきた大陸との共通種が多い。
- 北海道と本州は津軽海峡でへだてられている。この境界を「ブラキストン線」とよぶ。
- 本州、四国、九州は温帯で、哺乳類の種類はおおよそ共通している。
- 対馬は大陸とも日本列島とも地続きだったことがあり、両方の特ちょうをもつ生物が目立つ。
- 南西諸島は亜熱帯。トカラ列島の悪石島と小宝島の間にある「渡瀬線」を境に九州との共通種は減り、固有種が多い。
- 小笠原諸島は亜熱帯。

日本で見られる哺乳類

日本の陸地では外来種も含めると約120種の野生の哺乳類が見られます。比較的体の小さい齧歯目、真無盲腸目、翼手目が多いのが特ちょうです。固有種も多く、特に南西諸島の島々に固有種が多くくらしています。まわりを海でかこまれていることから、鯨目の全種数の約半数が日本近海で観察されています。

アフリカ獣類

海牛目

ジュゴン　ジュゴン科（→P.50）

ユーアーコンタグリレス類

霊長目

ニホンザル　オナガザル科（→P.75）

タイワンザル　オナガザル科（→P.75）

アカゲザル　オナガザル科（→P.75）

齧歯目

ニホンリス　リス科（→P.90）

キタリス　リス科（→P.90）

ムササビ　リス科（→P.91）

ニホンモモンガ　リス科（→P.91）

タイリクモモンガ　リス科（→P.91）

クリハラリス　リス科（→P.91）

シベリアシマリス　リス科（→P.92）

ヤマネ　ヤマネ科（→P.93）

ヤチネズミ　キヌゲネズミ科（→P.96）

ムクゲネズミ　キヌゲネズミ科（→P.96）

タイリクヤチネズミ　キヌゲネズミ科（→P.96）

ヒメヤチネズミ　キヌゲネズミ科（→P.96）

ハタネズミ キヌゲネズミ科 (→P.96)

スミスネズミ キヌゲネズミ科 (→P.96)

マスクラット キヌゲネズミ科 (→P.97)

ヒメネズミ ネズミ科 (→P.98)

セスジネズミ ネズミ科 (→P.98)

ハントウアカネズミ ネズミ科 (→P.98)

アカネズミ ネズミ科 (→P.98)

ケナガネズミ ネズミ科 (→P.98)

カヤネズミ ネズミ科 (→P.98)

ドブネズミ ネズミ科 (→P.98)

クマネズミ ネズミ科 (→P.98)

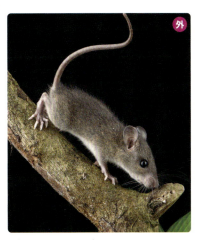
ポリネシアネズミ
Rattus exulans ネズミ科
東南アジアから太平洋各地に広まったと考えられ、日本では沖縄の宮古島で確認されています。♠体長7.5～16.5cm 尾長10.2～19.7cm ◆19～27g ♣東南アジア、太平洋諸島、日本（宮古島）■森林、畑、人家など♥種子、新芽、樹皮、花、根元、昆虫など

オキナワハツカネズミ ネズミ科 (→P.99)

ハツカネズミ ネズミ科 (→P.99)

オキナワトゲネズミ ネズミ科 (→P.99)

アマミトゲネズミ ネズミ科 (→P.99)

トクノシマトゲネズミ
Tokudaia tokunoshimensis ネズミ科
2006年に新種とされました。夜行性で、昼は地面に掘ったあなで休みます。♠体長14～17cm 尾長12cm ◆50～90g ♣奄美大島 ■林♥木の実、昆虫など

ヌートリア ヌートリア科 (→P.103)

ムササビは飛膜を広げると大きく見えますが体は小さく、昔は「身細び」とよばれていたことが和名の由来です。

日本の動物

兎形目

ニホンノウサギ ウサギ科（→P.107）

ユキウサギ ウサギ科（→P.107）

アマミノクロウサギ ウサギ科（→P.109）

キタナキウサギ ナキウサギ科（→P.111）

ローラシア獣類

真無盲腸目

アズマモグラ モグラ科（→P.117）

コウベモグラ モグラ科（→P.117）

サドモグラ モグラ科（→P.117）

エチゴモグラ モグラ科（→P.117）

センカクモグラ
Mogera uchidai モグラ科
小型のモグラです。歯の数が、本州にすむモグラより少なく、38本です。♦体長13cm、尾長1.2cm ♦42.7g ♣尖閣諸島魚釣島のみ ■森林 ♥無脊椎動物

ミズラモグラ モグラ科（→P.117）

ヒメヒミズ モグラ科（→P.117）

ヒミズ モグラ科（→P.117）

アムールハリネズミ ハリネズミ科（→P.118）

ニホンジネズミ トガリネズミ科（→P.119）

オリイジネズミ トガリネズミ科（→P.119）

アジアコジネズミ トガリネズミ科（→P.119）

♦体の大きさ ♦体重 ♣分布 ■生息環境 ♥食べ物 絶 絶滅危惧種 外 外来種 固 日本固有種 天 天然記念物・特別天然記念物

ワタセジネズミ
トガリネズミ科（→P.119）

ジャコウネズミ
トガリネズミ科（→P.119）

バイカルトガリネズミ
トガリネズミ科（→P.120）

ヒメトガリネズミ
トガリネズミ科（→P.120）

アズミトガリネズミ
トガリネズミ科（→P.120）

チビトガリネズミ
トガリネズミ科（→P.120）

シントウトガリネズミ
トガリネズミ科（→P.120）

オオアシトガリネズミ
トガリネズミ科（→P.120）

カワネズミ トガリネズミ科（→P.121）

翼手目

テングコウモリ
ヒナコウモリ科（→P.128）

クチバテングコウモリ
Murina tenebrosa ヒナコウモリ科
これまで、1962年に対馬で1頭だけ見つかっているコウモリです。名前は、朽葉色をしたテングコウモリの意味です。🌲頭胴長5cm 尾長3.4cm ◆不明 ♣対馬 ■不明 ♥昆虫

コテングコウモリ
ヒナコウモリ科（→P.128）

リュウキュウテングコウモリ
Murina ryukyuana ヒナコウモリ科
1996年に沖縄島のやんばるで、新種として初めて発見されました。🌲頭胴長4.4〜4.7cm 尾長0cm ◆6〜10g ♣奄美大島、徳之島、沖縄島 ■木のうろなど ♥昆虫

ノレンコウモリ
Myotis bombinus ヒナコウモリ科
あしと尾をつなぐ膜（尾膜）の先にとげ状の毛が並んでいて、「のれん」のように見えることから名前がつきました。🌲頭胴長4.4〜5.2cm 尾長3.9〜4.8cm ◆6〜10g ♣北海道〜九州 ■どうくつ ♥昆虫、クモ

クロアカコウモリ
Myotis rufoniger ヒナコウモリ科
日本では2022年に、16年ぶりに対馬で見つかりました。🌲頭胴長5.7〜7cm 尾長4.3〜5.2cm ◆9〜13g ♣対馬 ■不明 ♥昆虫

ジャコウネズミは母親と数頭の子どもでくらしています。驚くと親を先頭になかまの尾のつけ根をくわえ、一列になって移動します。

翼手目 つづき

ウスリーホオヒゲコウモリ
Myotis sibiricus ヒナコウモリ科
日本では北海道だけに生息するコウモリです。♠頭胴長3.8～5.1cm 尾長3～4cm ◆4～10g ♣北海道 ■不明 ♥昆虫

クロホオヒゲコウモリ
Myotis pruinosus ヒナコウモリ科
ヤンバルホオヒゲコウモリと並んで、日本にいるコウモリでもっとも小さい種です。♠頭胴長3.8～4.4cm 尾長3.3～4cm ◆4～7g ♣本州、四国、九州 ■どうくつ ♥昆虫

ヤンバルホオヒゲコウモリ
Myotis yanbarensis ヒナコウモリ科
1996年に沖縄島のやんばるで、新種として初めて発見されました。♠頭胴長3.6～4.3cm 尾長3.9～4.6cm ◆4～7g ♣沖縄島、奄美大島、徳之島 ■木のうろなど ♥昆虫

ヒメホオヒゲコウモリ
ヒナコウモリ科（→P.128）

モモジロコウモリ
ヒナコウモリ科（→P.128）

ドーベントンコウモリ
ヒナコウモリ科（→P.128）

カグヤコウモリ
ヒナコウモリ科（→P.128）

ヤマコウモリ ヒナコウモリ科（→P.129）

コヤマコウモリ
Nyctalus furvus ヒナコウモリ科
ヤマコウモリににていますが、記録が少なく、くわしいことがよくわかっていません。♠頭胴長6.4～8.5cm 尾長4.6～5.4cm ◆20g ♣本州の中部以北、北海道 ■不明 ♥昆虫

クビワコウモリ ヒナコウモリ科（→P.129）

キタクビワコウモリ
Eptesicus nilssonii ヒナコウモリ科
本州に生息するクビワコウモリとよくにています。♠頭胴長4.6～6.4cm 尾長3.5～4.3cm ◆8～16g ♣北海道 ■木のうろなど ♥昆虫

アブラコウモリ
ヒナコウモリ科（→P.129）

モリアブラコウモリ
Pipistrellus endoi ヒナコウモリ科
アブラコウモリよりも、自然度の高い森林で見つかることが多いコウモリです。♠頭胴長3.7～4.9cm 尾長3.4～4cm ◆5～9g ♣本州、四国、九州 ■木のうろなど ♥昆虫

クロオオアブラコウモリ
ヒナコウモリ科（→P.129）

♠体の大きさ ◆体重 ♣分布 ■生息環境 ♥食べ物 絶滅危惧種 固日本固有種

シナオオアブラコウモリ
Hypsugo pulveratus ヒナコウモリ科
奄美大島でよくわからないコウモリが報告されていましたが、2020年に遺伝子を調べたところ、これまで日本では確認されていなかった種とわかりました。♠頭胴長4.3～5cm ◆不明 ♣奄美大島 ■不明 ♥昆虫

ヒメヒナコウモリ
Vespertilio murinus ヒナコウモリ科
ヒナコウモリににていますが、やや小さくて、乳首が左右2つずつあります。♠頭胴長5.5～6.5cm 尾長3.8～4.5cm ◆8～12g ♣北海道、青森県、石川県、島根県 ■建物 ♥昆虫

リュウキュウユビナガコウモリ
Miniopterus fuscus ユビナガコウモリ科
ユビナガコウモリよりも少し小型です。翼が細長いので高速で飛べますが、細かな方向転換は苦手です。♠頭胴長4.6～6cm 尾長4.5～5.5cm ◆8～11g ♣奄美大島より南 ■どうくつ ♥昆虫

チチブコウモリ
Barbastella pacifica ヒナコウモリ科
埼玉県の秩父で最初に見つかったのでついた名前です。♠頭胴長5.1～6.1cm 尾長4.3～5.4cm ◆8～15g ♣北海道、国後島、本州、四国 ■トンネル、岩、建物のすきま ♥昆虫

オヒキコウモリ
オヒキコウモリ科（→P.131）

コキクガシラコウモリ
Rhinolophus cornutus キクガシラコウモリ科
ニホンキクガシラコウモリににています。赤ちゃんの体重は、母の40％以上です。♠頭胴長3.5～5.6cm 尾長1.6～2.6cm ◆4～9g ♣全国 ■どうくつ ♥昆虫

スミイロオヒキコウモリ
Tadarida latouchei オヒキコウモリ科
日本ではこれまでに3頭しか見つかっていません。♠頭胴長6.7～8.2cm 尾長4.1～4.5cm ◆不明 ♣口永良部島、奄美大島、与論島 ■不明 ♥昆虫

ニホンウサギコウモリ
ヒナコウモリ科（→P.129）

ヒナコウモリ
ヒナコウモリ科（→P.129）

ユビナガコウモリ
ユビナガコウモリ科（→P.131）

ヤエヤマコキクガシラコウモリ
Rhinolophus perditus キクガシラコウモリ科
ほかのコキクガシラコウモリとは、エコーロケーションの周波数の高さが違います。♠頭胴長3.9～5cm 尾長1.7～2.1cm ◆6～9g ♣八重山諸島 ■どうくつ ♥昆虫

青森県七戸町の天間舘神社にはコウモリの保護施設「蝙蝠小舎」があり、たくさんのヒナコウモリが繁殖しています。

翼手目 つづき

オキナワコキクガシラコウモリ
Rhinolophus pumilus キクガシラコウモリ科
宮古諸島の亜種ミヤココキクガシラコウモリは、最後の確認が1971年で、絶滅したとされています。♠頭胴長3.6～4.6cm 尾長1.8～2.4cm ♦5～8g ♣沖縄島、宮古島とその周辺の島 ■どうくつ ♥昆虫

ニホンキクガシラコウモリ
キクガシラコウモリ科（→P.133）

カグラコウモリ
カグラコウモリ科（→P.133）

クビワオオコウモリ
オオコウモリ科（→P.134）

オガサワラオオコウモリ
オオコウモリ科（→P.134）

食肉目

ベンガルヤマネコ ネコ科（→P.148）

ハクビシン ジャコウネコ科（→P.151）

フイリマングース マングース科（→P.152）

アカギツネ イヌ科（→P.156）

タヌキ イヌ科（→P.157）

ヒグマ クマ科（→P.160）

ツキノワグマ クマ科（→P.161）

ラッコ イタチ科（→P.164）

オコジョ イタチ科（→P.165）

ニホンイタチ イタチ科（→P.165）

♠体の大きさ ♦体重 ♣分布 ■生息環境 ♥食べ物 絶 絶滅危惧種 外 外来種 固 日本固有種 天 天然記念物・特別天然記念物

イイズナ イタチ科（→P.165）

シベリアイタチ イタチ科（→P.165）

ミンク イタチ科（→P.165）

ニホンテン イタチ科（→P.166）

クロテン イタチ科（→P.166）

ニホンアナグマ イタチ科（→P.167）

アライグマ アライグマ科（→P.168）

キタオットセイ アシカ科（→P.170）

トド アシカ科（→P.171）

ワモンアザラシ アザラシ科（→P.172）

ゴマフアザラシ アザラシ科（→P.173）

ゼニガタアザラシ アザラシ科（→P.173）

クラカケアザラシ アザラシ科（→P.175）

アゴヒゲアザラシ アザラシ科（→P.175）

偶蹄目

イノシシ イノシシ科（→P.190）

ニホンジカ シカ科（→P.197）

キョン シカ科（→P.199）

ニホンカモシカ ウシ科（→P.214）

「ラッコ」という名前はアイヌ語に由来しています。

265

絶滅した日本の哺乳類

ある生物のグループが子孫を残すこともなく、地球上から消えてなくなることを「絶滅」といいます。一度、失われてしまった存在は、再びよみがえることはありません。絶滅は自然災害が原因で起こることもありますが、現在の地球では野生生物の絶滅のほとんどは人間の活動が原因です。日本でも絶滅してしまった哺乳類がいます。

ニホンオオカミ
Canis lupus hodophilax 食肉目イヌ科 絶滅

オオカミ（→P.154）の日本固有亜種で群れで狩りをする。「神」として信仰される一方で、明治時代に家畜に被害をあたえる害獣とされ退治が奨励されたことや狂犬病の流行、環境破壊などから数が減り、1905（明治38）年が最後の記録となった。北海道にはエゾオオカミが生息していたが、1896（明治29）年の記録を最後に絶滅した。♠体長1.2～1.3m、尾長27～40cm ◆不明 ♣本州、四国、九州 ■山野、森林 ♥シカ、ノウサギ、ノネズミなど

ニホンカワウソ
Lutra lutra whiteleyi（北海道）
Lutra lutra nippon（本州、四国、九州など） 食肉目イタチ科 絶滅

水辺にくらし、川岸に巣あなをつくる。ユーラシアカワウソ（→P.164）の日本固有亜種で、北海道に1亜種、本州から九州に別の1亜種が生息していた。水田にも現れていたが、大正時代に毛皮のために大量に殺された。環境の変化にも影響を受け激減し、1928（昭和3）年に捕獲が禁止された。1965（昭和40）年に特別天然記念物に指定されたが、1979（昭和54）年に四国で目撃されたのが最後の記録となった。♠体長60～80cm、尾長40～60cm ◆5～13kg ♣日本（北海道、本州、四国、九州）■河川の中下流部から沿岸部 ♥魚、甲殻類、鳥、ネズミなど

ニホンアシカ
Zalophus japonicus 食肉目アシカ科 絶滅

おすは十数頭のめすを集めてハーレムをつくる。日本各地の沿岸に生息していたが、明治時代に毛皮や油を利用するために大量に捕らえられた。昭和時代初期には捕獲が困難なほど数が減り、1975（昭和50）年に日本海沖の竹島で2頭が目撃されたのが最後の記録となった。♠体長240cm（おす）、180cm（めす）◆500kg（おす）、120kg（めす）♣日本沿岸 ■海岸から外洋、岩礁、砂浜 ♥イカ、タコ、魚など

オキナワオオコウモリ
Pteropus loochoensis
翼手目オオコウモリ科 絶滅

クビワオオコウモリ（→P.134）よりも体毛は短い。19世紀に沖縄島で3～4頭が採集された記録があるが、確実な標本はイギリスの自然史博物館におさめられている2個体のみ。生態は不明で、絶滅したと考えられている。
♠不明 ◆不明 ♣沖縄島 ■不明 ♥不明

オガサワラアブラコウモリ
Pipistrellus sturdeei 翼手目ヒナコウモリ科 絶滅

19世紀に小笠原諸島母島で採集されたとされる標本が、イギリスの自然史博物館におさめられている。新種として発表されたが、この1個体しか発見されておらず、絶滅したと考えられている。♠頭胴長3.7cm ◆不明 ♣小笠原諸島母島 ■不明 ♥不明

♠体の大きさ ◆体重 ♣分布 ■生息環境 ♥食べ物

絶滅危惧種とは？

絶滅危惧種とは、絶滅のおそれのある野生生物の種のことです。国際自然保護連合（IUCN）は地球規模で調査を行い、絶滅危惧種の一覧を「レッドリスト」として公表しています。日本でも環境省が国内で独自に調査を行い、日本の生物のレッドリストを作成しています。国とは別に調査を行い、レッドリストを発表している都道府県などの自治体や、NGOもあります。レッドリストには捕獲禁止などの法律上の制限はともないませんが、野生動物の保護など、さまざまに役立てられています。ここでは日本の絶滅危惧種について紹介します。

環境省のレッドリスト

環境省で作成しているレッドリストは、おおむね5年ごとに見直しが行われています。生息状況が悪くなったときは、その都度、リストに反映しています。最新のリストは環境省のサイトで見られますので、調べてみてください。

レッドリストのカテゴリーとその動物

絶滅危惧Ⅰ類は、危険性によってⅠAとⅠBに分かれています。
絶滅危惧Ⅰ類とⅡ類の動物が「絶滅危惧種」です。

カテゴリー		定義
絶滅(EX)		我が国ではすでに絶滅したと考えられる種
野生絶滅(EW)		飼育・栽培下でのみ存続している種
絶滅危惧種	絶滅危惧Ⅰ類(CR+EN)	絶滅の危機に瀕している種
	絶滅危惧ⅠA類(CR)	ごく近い将来における野生での絶滅の危険性が極めて高いもの
	絶滅危惧ⅠB類(EN)	ⅠA類ほどではないが、近い将来における野生での絶滅の危険性が高いもの
	絶滅危惧Ⅱ類(VU)	絶滅の危険が増大している種
準絶滅危惧(NT)		現時点での絶滅危険度は小さいが、生息条件の変化によっては「絶滅危惧」に移行する可能性のある種
情報不足(DD)		評価するだけの情報が不足している種
絶滅のおそれのある地域個体群(LP)		地域的に孤立している個体群で、絶滅のおそれが高いもの

絶滅危惧の動物たち

イリオモテヤマネコ（→P.148）
絶滅危惧ⅠA類、国内希少野生動植物種、国の特別天然記念物。西表島だけに生息する。推定頭数約100頭。

ラッコ（→P.164）
絶滅危惧ⅠA類。毛皮の品質がよく乱獲されたり、漁業で混獲されたりした。世界的にも絶滅が心配されている。

ジュゴン（→P.50）
絶滅危惧ⅠA類、国の天然記念物。日本近海の推定頭数は約50頭。

ケナガネズミ（→P.98）
絶滅危惧ⅠB類、国内希少野生動植物種。マングースによる捕食などで数が減った。

アマミノクロウサギ（→P.109）
絶滅危惧ⅠB類、国内希少野生動植物種、国の特別天然記念物。推定頭数約5000頭。

ニホンカモシカ（→P.214）
1955(昭和30)年に特別天然記念物に指定され、生息数が復活した。

日本の野生動物を守るその他の取り組み

●国内希少野生動植物種

「絶滅のおそれのある野生動植物の種の保存に関する法律」（種の保存法）により、人間生活の影響で絶滅の危機にある野生生物が指定されています。原則として捕獲が禁じられ、生きている生物だけでなく、剥製や体の一部、加工品などの譲渡も規制されます。

●天然記念物

動物、植物、鉱物を学術的・文化的な視点でとらえ、文化財として守るもので、文化庁が管轄しています。保存のために生息環境を整え、個体数を増やす対策が行われることもあります。特に手厚く保護するものは、特別天然記念物に指定されています。

外来生物とは?

日本で見られる野生の動物のなかには、日本にはもともとすんでいなかった外国の動物もいます。それらの動物たちのことを「外来生物（種）」とよびます。外来生物が原産地ではない日本にすみついたのは、人間の活動が原因です。

水田に現れたヌートリア（→P.103）
南アメリカ原産の動物だが、毛皮などをとる目的で第二次世界大戦中に養殖されたものが野に放たれて野生化した。

外来生物はなぜ見られる?

産業などの目的があってもちこんだ動物が野生化することもあれば、輸入した荷物などにまぎれていたものが、知らないうちに野生化することもあります。

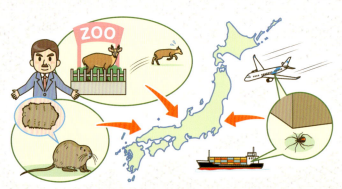

利用する目的があったとき
ペットにするため、別の生物の天敵とするため、その生物の肉や毛皮を利用するためなど、さまざまな目的のために外国から連れてきたものが広まる場合です。

気づかずにもちこんでしまったとき
目的があって生物をもちこもうとしたわけではなく、外国からのほかの荷物や乗り物、旅行者にくっついてもちこまれ、知らない間に広まってしまった場合です。

外来生物に指定されている哺乳類

日本で確認されている哺乳類の外来生物は20種ほどです。それぞれどんな理由でもちこまれたのか、代表的な外来生物の理由をしょうかいします。

アカゲザル（→P.75）
動物園で飼われ、実験動物にもなりました。千葉県南部で野生化しています。

キョン（→P.199）
動物園で飼われていました。千葉県と伊豆大島などで野生化しています。

クリハラリス（→P.91）
各地の観光施設で飼われ、関東や近畿、九州などで野生化しています。

アライグマ（→P.168）
動物園から逃げ出したほか、個人がペットとして飼っていたものが数多く捨てられました。

フイリマングース（→P.152）
毒ヘビのハブと農作物を荒らすネズミの天敵として放たれましたが、目的以外の生物もおそって食べました。

国内でも外来生物になる

日本の生物も、本来生息していなかった場所に移動させると外来生物になり、その地域の生態系のバランスをくずす原因になります。これを「国内外来生物」とよびます。

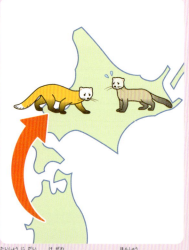

大正時代、毛皮をとるために本州のニホンテンが北海道で養殖されていました。経営が破綻して屋外に捨てられたニホンテンが、北海道にもともと生息しているエゾクロテンをおびやかしています。

外来生物の課題とわたしたちにできること

外来生物が入りこむと、その場所で長い時間をかけて育まれてきた生態系に影響をあたえます。日本にいる外来生物は、無脊椎動物や魚類、両生類、爬虫類などを含めると明らかになっているだけで約2000種にもなります。もとはペットや家畜だったノネコやノヤギも外来生物です。国は、外来生物による被害を防ぐため「外来生物法（特定外来生物による生態系等に係る被害の防止に関する法律）」を定め、特に影響をおよぼすと思われる種を「特定外来生物」に指定し、取り扱いを制限しています。

外来生物で起こる困ったこと

日本の動物と交雑
日本の在来生物と子孫をつくる「交雑」がおこる。

ニホンザルより尾が長く、アカゲザルとの交雑が考えられるサル。

日本の動物をおそう
在来生物をおそって食べたり、食べ物やすみかをうばったりする。

イエネコが野生化したノネコがアマミノクロウサギをおそった。

病気の原因や産業への被害
人にも有害なウイルスや細菌、寄生虫を媒介したり、農作物を食べ、田や畑を荒らしたりする。

わたしたちにできること

入れない
特定外来生物を国内にもちこんだり、違法にもちこまれたものを飼ったりしない。

捨てない・広げない
野外に捨てたり、人にゆずったりしない。

相手を知る
生物や自然のことをよく知り、どうすればよいのか考える。

動物由来感染症

外来生物に限らず、生物とのかかわりのなかで心配されることのひとつが感染症です。生物は思いもかけない病気をもっていることがあります。特に生物の種の壁を越えて感染する「動物由来感染症（人獣共通感染症）」に気をつけましょう。

哺乳類が原因となる動物由来感染症の例

感染症	原因動物	感染経路
狂犬病（ウイルス）	イヌ、ネコ、コウモリなど哺乳類全般	かまれる、ひっかかれる
重症熱性血小板減少症候群（SFTS）（ウイルス）	シカ、イノシシ、イヌ、ネコ	マダニにかまれる
デング熱（ウイルス）	サル	蚊にさされる
サルモネラ症（細菌）	ネズミなどの齧歯類、爬虫類、鳥類	経口感染（ふんのなかの細菌が口に入る）
野兎病（細菌）	ウサギ、齧歯類	経口感染、マダニにかまれる
エキノコックス症（条虫）	キツネ、イヌ、野生のネズミ	経口感染（条虫の卵が口に入る）

感染症はどうして起こる？

感染は、直接的、間接的な接触によって起こります。動物由来感染症を防ぐには、基本的な心がけを守ることが大切です。

直接感染
動物にかまれたり、ひっかかれたり、ふんなどにさわったりするなど、直接接触することで起こる感染。

間接的感染
病原体をもつ動物の血を吸った蚊やダニにさされたり、病原体がついた食品を食べたりして起こる感染。

感染を防ぐには
野生動物に直接ふれることは避け、土や砂にふれたら必ず手をあらいます。蚊やマダニにさされないように対策します。

動物を調べ、共存する

地球の生態系は、すべての生物が関わりあって成り立っています。地球には過去5回の大量絶滅時代があり、現在は、6回目の絶滅時代に突入したといわれ、その要因はわたしたち人間の活動にあると考えられています。このページでは、人間が動物と共存していくための取り組みを紹介します。

野生動物を動物がくらしている自然の生息地で保全することを「生息域内保全」、自然の生息地以外で保全することを「生息域外保全」といいます。

生息環境を調べる

動物が生息する環境は、気候変動や人間活動などによって常に変化しています。動物が生息していくためには、水、食べ物、すみかなど、さまざまな条件が、その動物の生息に適していることが重要です。開発や乱獲による種の減少、里地・里山などの手入れ不足による環境の変化は、動物たちの分布や生息状況に大きな影響を与えます。

生息状況を調べる

動物がどのように生息しているのかを調査します。痕跡調査、行動調査、追跡調査、カメラトラップ調査、食性調査、捕獲調査など、さまざまな手法がとられます。長期間、継続的かつ総合的に調査をすることによって、動物の生息状況の季節変化や経年変化を明らかにしていきます。

● 研究してわかったことを生息環境の維持や問題解決に役立てる

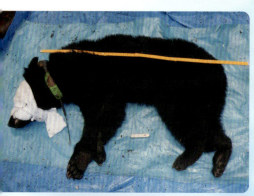

首に発信機を取りつけられたクマ。性別や体長などを記録した後、生息地に放す。

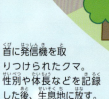

発信機の信号をアンテナで受信し、動物の行動を調べる。

生息環境を保全する

絶滅の危機にある動物の生息環境を保全します。どのような生息環境であればその動物が存続可能であるかを調べることが重要です。

外来生物の影響について調べる

外来生物とは、もともと生息していない地域に、人間の活動によって意図的に、あるいは非意図的にもちこまれた生物のことです。外来生物の生息状況、在来生物との競合状況などについて調べ、対策を行います。

捕獲された、特定外来生物のアライグマ。

研究する

保護した動物を飼育しながら観察したり、体調を調べたりして研究することで、飼育する技術を高めたり、繁殖に結びつけたりします。動物園でも動物の展示を通じて、人々に動物のことを知ってもらうとともに、行動や繁殖の研究をしています。

動物園でアジアゾウの血液を採取しているようす。繁殖を成功させるため、日ごろの行動を観察し、血液を調べるなどしている。

採取した血液の性ホルモンを調べるようす。

生息域外で保全する

絶滅の危機に瀕している動物を自然の生息地の外で保全します。絶滅の危険度が高い生息地にいる個体群の一部を、動物園や野生動物保護区などに移し、保護します。それらを増やすことによって、絶滅を回避させようとする取り組みです。対象動物の健康状態、生態、繁殖状況などについて調べ、研究し、保全に役立てます。

ツシマヤマネコの場合

ツシマヤマネコ（→P.148）は生息地である対馬野生生物保護センターを中心に調査・研究をしたり、けがをした個体の治療をしたりしています。ほかの地域の動物園と協力して繁殖にも力をいれています。

- 野生の個体を保護する
- 調査でわかったことを問題解決に役立てる

対馬野生生物保護センター。

ツシマヤマネコ野生順化ステーションでは、動物園で生まれた個体を野生に返すときの技術開発も行っている。

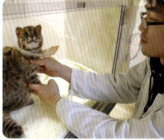

保護された野生の個体のけがの治療も行う。

動物について知ってもらう

動物のことをもっとよく知ってもらうことも、動物と共存することにつながります。動物園などでは動物の体やくらしのことのほか、動物をとりまく環境や、どのような活動で動物を守っているかなど、さまざまな情報を発信します。

ガイドツアーなどで動物のことを直接伝える。

絶滅の危機にある動物を増やす

絶滅の危機にある動物を繁殖させ、個体数を増やす取り組みも行われています。

愛知県の動物園で生まれたツシマヤマネコ。ほかの個体に慣れさせるために東京都の動物園でも飼育され、その後、対馬にもどった。

あしたは動物園へ行こう

インドゾウとお客さんの間に、おりはなく、生け垣やモート（堀）でへだてられている。

　動物園は、生きた生物を展示する博物館です。この図鑑で出合った動物たちが動く姿を、自分の目で見ることができます。体の大きさや声、におい、なかまとのやりとり、食事や排泄まで、尊い命の営みに、まるごと接することができます。

　動物の見せ方には、生息地の環境にできるだけ近づけた展示、身体能力や自然の行動を引き起こす展示などがあります。自然物も人工物も活用し、それぞれの動物の特ちょうを伝える工夫がされています。

アフリカのサバンナをイメージした運動場に、イランド、キリン、シマウマがいる。柵やおりをなるべく設けない展示は、パノラマ展示とよばれる。

水族館の水槽のようなアクリル製のプールは、水中で活動するようすも観察できる。

擬岩（人工の岩）で北極海沿岸の情景を表現したホッキョクグマの展示。

湿地の森林をイメージしたマレーバクの運動場。白と黒の体のおとなも、木もれ日にまぎれて見つけにくい。

天井の高い温室の中にフタユビナマケモノの通り道をつくり、食べ物をセット。全身を使って、いきいきと動く姿を見られる。

坂を利用した高さのあるタワーを自由に動き回るチンパンジー。木の上でのくらしぶりが想像できる。

観察しよう、想像をふくらまそう

目の前で見たり、はなれて見たり、後ろに回って見たり。さまざまな角度から動物を観察できる動物園は、生きた情報の宝庫です。動物たちの魅力をたくさん見つけてみてください。そして、大自然の中で活動する野生の姿を想像してみましょう。

顔や体
顔や体のつくり、色やもよう、いろいろな部位の形など、外見の特ちょうを観察しましょう。

チンパンジー
爪の形も指も、ヒトとそっくり。

ジャイアントパンダ
たれ目もようの中にある目は小さい。

アジアゾウ
鼻先の指状突起がのびて、しっかり野菜をはさんでいる。

にてる!?

ミナミアメリカオットセイ　**ホッキョクグマ**

アフリカゾウ
指状突起で土のかたまりをつかんで口に運ぶ。土に含まれる塩分を摂取するためといわれる。

クロサイ
くちびるをとがらせて楽しそう。

親子
飼育している動物の繁殖は、動物園にとって大きな目標です。貴重な子育てのようすや赤ちゃんの成長を見守りましょう。

キンシコウ
だっこすると赤ちゃんが目立たない。

ライオン
家族でなかよくひなたぼっこ。

アメリカビーバー
大事そうに赤ちゃんをかかえて運んでいる。

食事

動物たちの食べ物は、生息地のものが手に入りにくい場合には、安定してまかなえるものや旬のものなどで代用しています。どんなものを、どんなふうに食べているでしょう。

コアラ
主食のユーカリは代用がきかない。動物園内で栽培したり、農家から購入したりする。

カバ
動物園では牧草が主食。牧草は、草食動物と雑食動物の多くが食べる。

↑ライオン
おもに鶏肉や馬肉、牛骨などを食べている。

↑フタコブラクダ
ただいま反すう中。牧草が胃から口にもどってきた瞬間。

レッサーパンダ
主食のタケのほかに、リンゴなどの果物も食べる。

いろいろな行動

動物は自分のリズムで生きています。豊かな行動を見せてくれる瞬間を待ちましょう。

トラ
尾を上げて耳をふせ、真剣な表情でふんをする。

ダマジカ→
後ろあしが耳までとどいてゴシゴシ。

↑イボイノシシ
前あしを折り曲げ、床に口をつけて食べ進んでいく。

ニホンザル
サル山はひとつの社会。飼育係さんを気にしながら、なかまの動きをうかがっている。

アカカンガルー
おすのけんかが始まってもみんなのんびりしている。

体験しよう

飼育係の仕事に挑戦したり、ふだんは入れないバックヤードを見学したりする、体験イベントを行っている動物園もあります。動物といっしょに働く現場に参加してみることも、動物園の楽しみ方のひとつです。

靴底の雑菌を動物のすまいにもちこまないために、バックヤードの入り口で消毒液につける。

◎寝室のそうじ
食べ残し、ふんなどをワイパーで集め、デッキブラシで床を水洗いします。

シマウマのふん↓

ゴシゴシ

◎食事の用意
包丁で食べやすい大きさに切って、動物にあげます。木の葉を、枝ごと手わたしすることもあります。

切った鶏肉を棒にさして、シマハイエナへ。

キリンには木の枝を直接手であげる。

◎体の手入れと健康チェック
爪や毛などの手入れを行います。やさしく体にさわることで、けがや病気を見つけたり、動物との信頼関係を深めたりもします。

専用のはさみでモルモットの爪切り。指まで切らないように、しんちょうに。

ロバをブラッシングして毛のよごれをおとす。マッサージにもなる。

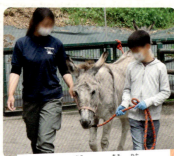
いっしょに歩くと、歩き方から体調の変化に気づくこともある。

取材協力／ヒノトントンZOO（羽村市動物公園）

◎台所の見学
動物の食べ物を保管し、調理や仕分けなどをする台所（飼料室）の見学を行っている動物園もあります。

取材協力／よこはま動物園ズーラシア

動物ごとに決められたメニューのガイド。

部屋全体が冷蔵庫になっている。

引き出し型の蒸し器で、いろいろなものを一度に蒸す。

動物園の4つの役割

日本には数多くの動物園があります。水族館もいっしょになって、日本動物園水族館協会（JAZA）という集まりをつくり、施設の枠を超えて、動物のよりよい生活のために力を合わせています。JAZAでは、動物園・水族館の4つの役割を定めています。そして、地球の大先輩である動物たちと人をつなぐ、かけ橋になることを目標に活動しています。

1 種の保存

気候変動や人間による環境破壊、乱獲などで野生動物の数が減っています。希少な動物を生息地から動物園に、容易に移すことはできません。動物園の動物を維持するために、べつべつの動物園のおすとめすをペアにするブリーディングローンという制度を設け、動物園全体で繁殖を進めている種もいます。子育てを助ける人工哺育も行っています。

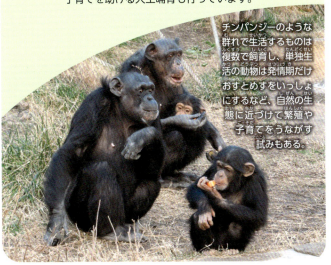

チンパンジーのような群れで生活するものは複数で飼育し、単独生活の動物は発情期だけおすめすをいっしょにするなど、自然の生態に近づけて繁殖や子育てをうながす試みもある。

2 教育・環境教育

映像や写真などからはわかりにくい、実物の大きさや声、におい、感触などを知ることで、動物を身近に感じられます。同時に、生息地の環境やくらし方なども紹介し、動物たちのための地球の未来を考える、きっかけづくりをします。動物のガイドや体験イベント、手でさわれる展示物など、さまざまな学びの場を設けています。

飼育係さんによるヒトコブラクダのガイド。

実物大のライオンの口の展示物。

写真提供：よこはま動物園ズーラシア

3 調査・研究

解剖を終えると、標本などにして公開することもある。

アジアゾウの鼻の標本。

アフリカゾウの骨格標本。

動物の生態や生息地の知識を深め、飼育環境づくりに役立てています。血液や排泄物の検査から、繁殖や病気の研究も行います。生息域内保全（→P272）にも、動物園で繁殖した動物の野生復帰にも、調査や研究は大事です。また、死んだ動物は解剖し、体のすみずみまで調べて記録を残します。それは、地球の生命の歴史が刻まれた財産です。

4 レクリエーション

自然豊かな心安らぐ空間をめざし、園内の整備にも気を配っている。

動物といっしょに1日をすごし、子どももおとなも笑顔になれる場をつくります。季節や地域の行事とあわせたイベントなども、各地の動物園が行っています。楽しい思い出に残る体験が、動物への興味に発展することもあるでしょう。動物に会いたくなって、くり返し足を運んでもらえる施設をめざしています。

公益社団法人 日本動物園水族館協会 https://www.jaza.jp

種の分類
～あとがきにかえて～

　図鑑でめぐる世界の哺乳類の旅はいかがでしたでしょうか？

　本書では、和名が決められている哺乳類の種に焦点をあて、できるかぎり多くの種を掲載するよう努めました。しかし、毎年たくさんの新種が報告されており、まだ和名がついていない種も少なくありません。さらに、今後も新しい発見が続くことでしょう。わたしたちに見えている世界は、生物の世界のごく一部にすぎません。

　類似した、共通した特徴をもつものをまとめ、ちがうものと区別していくことは、古代ギリシャの時代から行われてきました。15世紀からはじまった大航海時代以降、世界各地からヨーロッパへ動物、植物、鉱物などが収集され、多くの知識が蓄積されました。この時期には、博物学が発展し、自然界の観察や記録、分類が重要な科学的活動として位置付けられました。現在わたしたちが使っている学名形式の基礎「二名式命名法」と階層構造をもった分類体系を、カール・フォン・リンネ（Carl von Linné）が提唱したのは1753年でした。

　種は生物学において重要な基本単位です。一般的に、種は生殖的に交配可能であり、その子孫を残すことができる個体群と定義されます。種を分類するときの基本となるのは、多くの場合、形のちがいです。分類の中で、「まとめること」と「わけること」は、表裏一体です。生物の分類は、類似した形態や特徴をもつ生物をグループ化し、同じ種に属するものをまとめることから始まります。また、研究の進展によって、たとえば、別の学名がつけられていた動物が、1種の同じ動物であることがわかったり、ひとつの学名で呼ばれていた動物が、複数種に分類されることになったりもします。このため、種を分類し、さらにこれらの生物がどのような歴史をたどってきたのかを時間軸にそって系統的に明らかにしていくためには、たくさんある形の特徴の中から、種を的確に説明できる特徴をとらえることが大切になります。

　形のちがいで「まとめる」「わける」ことに加えて、近年では生物がもつDNAも、種を分類する方法として多く使われるようになりました。その結果、ことなる種同士において交雑や混合があることがわかったり、かつてはことなる系統グループと考えられていたものが、ひとつの系統グループとしてまとめられたり、学問分野によっては、形はそっくりなのに、DNAからみたら種がちがうとされるくらい離れていたなど、新たな知見が得られるいっぽう、形のちがいによる分類とDNA分析による分類との結果が、ことなるケースも少なくありません。

　新しい発見や技術の進展により、生物の分類は常に変化しています。ただ、生物を分類する行為は、わたしたち人間が自然界を認識し、整理し、理解するために行うものです。そのため、あまりにも混乱すると、見えていたと思っていたことが見えなくなってしまうかもしれません。形のちがいで「まとめる」「わける」を基礎とし、新たな手法もとりいれつつ、総合的に検討を重ねていくことが重要です。

　現在、多くの新種が報告されるいっぽうで、人間の活動によって地球上から多くの種が絶滅しています。わたしたちが知らないまま絶滅してしまった生物たちも、おそらくたくさんいることでしょう。未知の生物が絶滅すると、その種がもっていた重要性や役割についての知識が失われるだけでなく、その生物が生態系で果たしていた役割について理解する機会も永遠に失われてしまいます。生物は複雑な相互作用の中で生態系に組みこまれており、絶滅した種がもっていた役割は、その生態系全体に影響を及ぼす可能性があります。このため、未知の生物や生態系を観察し、記録し、収集し、蓄積することは非常に重要です。本書が果てしなく続く未知への探究の、旅の道案内となれましたら幸いです。

姉﨑智子
（群馬県立自然史博物館）

さくいん

この図鑑に出てくる動物の名前（和名）などを、アイウエオ順に並べていて、名前の下のアルファベットは学名です。種の解説があるページは、太字で表しています。科名は初出ページのみを記載しています。

ア

アードウルフ……153
Proteles cristata

アイアイ……64,65,86,87
Daubentonia madagascariensis

アイアイ科……64

アカアシドゥクラングール……79
Pygathrix nemaeus

アカウアカリ……70
Cacajao calvus

アカオザル……72
Cercopithecus ascanius

アカオフアスコガーレ……20
Phascogale calura

アカガオクロクモザル……71
Ateles paniscus

アカカンガルー……13,28
Osphranter rufus

アカギツネ……35,156
Vulpes vulpes

アカキノボリカンガルー……32
Dendrolagus matschiei

アカクビワラビー……30
Notamacropus rufogriseus

アカゲザル……75,270
Macaca mulatta

アカシカ……198
Cervus elaphus

アカスレンダーロリス……66
Loris tardigradus

アカネズミ……89,98
Apodemus speciosus

アカネズミカンガルー……32
Aepyprymnus rufescens

アカハネジネズミ……37
Elephantulus rufescens

アカハラヤブワラビー……31
Thylogale billardierii

アカボウクジラ……231
Ziphius cavirostris

アカボウクジラ科……230

アカマザマ……201
Mazama americana

アカワラルー……31
Osphranter antilopinus

秋田（イヌ）……249

アグー（ブタ）……245

アグーチ科……102

アクシスジカ……198
Axis axis

アゴヒゲアザラシ……175
Erignathus barbatus

アザラシ科……172

アジアクロクマ → ツキノワグマ

アジアコジネズミ……119
Crocidura shantungensis

アジアゴールデンキャット……147
Catopuma temminckii

アジアゾウ……46,48
Elephas maximus

アジアノロバ……182
Equus hemionus

アシカ科……170

アシナガコウモリ科……131

アシナガマウス科……96

アジルテナガザル……81
Hylobates agilis

アズマモグラ……34,113,117
Mogera imaizumii

アズミトガリネズミ……120
Sorex hosonoi

アダックス……218
Addax nasomaculatus

アッサムモンキー……74
Macaca assamensis

アトラスグンディ……101
Ctenodactylus gundi

アナウサギ……35,106,109
Oryctolagus cuniculus

アノア……211
Bubalus depressicornis

アバディーン・アンガス（ウシ）……242

アビシニアコロブス……78
Colobus guereza

アビシニアジャッカル……155
Canis simensis

アビシニアン（ネコ）……252

アフガン・ハウンド（イヌ）……251

アブラコウモリ……104,126,129
Pipistrellus abramus

アフリカイワネズミ……101
Petromus typicus

アフリカイワネズミ科……101

アフリカゴールデンキャット……147
Caracal aurata

アフリカジャコウネコ……150
Civettictis civetta

アフリカスイギュウ……211,221
Syncerus caffer

アフリカゾウ（サバンナゾウ）
Loxodonta africana
……40,42,44,49,223

アフリカトガリネズミ目……36〜37

アフリカノロバ → ロバ

アフリカフサオヤマアラシ……100
Atherurus africanus

アフリカマナティー……51
Trichechus senegalensis

アフリカヤマネ……93
Graphiurus murinus

アマゾンカワイルカ……235
Inia geoffrensis

アマゾンカワイルカ科……235

アマゾンマナティー……51
Trichechus inunguis

アマミトゲネズミ……99
Tokudaia osimensis

アマミノクロウサギ……109,269
Pentalagus furnessi

アミメキリン（亜種）……204

アムールトラ（亜種）……142

アムールハリネズミ……118
Erinaceus amurensis

アメリカアカリス……90
Tamiasciurus hudsonicus

アメリカアナグマ……167
Taxidea taxus

アメリカクロクマ……160,236
Ursus americanus

アメリカトゲネズミ科……103

アメリカナキウサギ……111
Ochotona princeps

アメリカヌマジカ……200
Blastocerus dichotomus

アメリカバイソン……210,222
Bos bison

アメリカバク……183
Tapirus terrestris

アメリカビーバー……94
Castor canadensis

アメリカミンク → ミンク

アメリカヤマアラシ科……101

アメリカライオン → ピューマ

アメリカン・コッカー・スパニエル（イヌ）……246

アメリカン・ショートヘアー（ネコ）……252

アメリカンファジーロップ（ウサギ）……254

アライグマ……168,270
Procyon lotor

アライグマ科……168

アラゲウサギ……108
Caprolagus hispidus

アラコウモリ科……133

アラビアオリックス……219
Oryx leucoryx

アラブ（ウマ）……240

アリクイ科……55

アルガリ……215
Ovis ammon

アルジェリアハネジネズミ……37
Petrosaltator rozeti

アルタイナキウサギ……111
Ochotona pallasi

アルパカ……195
Lama pacos

アルプスアイベックス……213
Capra ibex

アルプスマーモット……92
Marmota marmota

アルマジロ科……52

アレンモンキー……72
Allenopithecus nigroviridis

アンゴラ (ヤギ) ……………… 244

アンゴラコロブス ……………… 78
Colobus angolensis

アンダルシアン (ウマ) ……… 240

アンテロープジャックウサギ …… 108
Lepus alleni

イ

イイズナ ……………………… 165
Mustela nivalis

イシイルカ …………………… 235
Phocoenoides dalli

イタチ科 ……………………… 164

イタチキツネザル ……………… 63
Lepilemur mustelinus

イタチキツネザル科 …………… 63

イタリアン・グレーハウンド (イヌ) …… 247

イチョウハクジラ ……………… 231
Mesoplodon ginkgodens

イッカク ……………………… 234
Monodon monoceros

イッカク科 …………………… 234

イヌ科 ………………………… 154

イノシシ ……………… 12,190,221,223
Sus scrofa

イノシシ科 …………………… 190

イボイノシシ ………………… 191
Phacochoerus aethiopicus

イランド ……………………… 211
Taurotragus oryx

イリオモテヤマネコ (亜種) …… 148,269

イロワケイルカ ……………… 234
Cephalorhynchus commersonii

イワシクジラ ………………… 229
Balaenoptera borealis

イワダヌキ目 ………………… 39

イングリッシュ・セター (イヌ) …… 250

イングリッシュ・ポインター (イヌ) …… 250

イングリッシュアンゴラ (ウサギ) …… 254

イングリッシュモルモット …… 255

インドオオコウモリ …………… 134
Pteropus medius

インドオリス …………………… 90
Ratufa indica

インドサイ …………………… 186
Rhinoceros unicornis

インドセンザンコウ …………… 137
Manis crassicaudata

インドゾウ (亜種) …………… 46

インドタテガミヤマアラシ …… 100
Hystrix indica

インドバイソン → ガウル

インドライオン (亜種) ……… 140

インドリ …………………… 64,65
Indri indri

インドリ科 …………………… 64

インパラ ……………………… 216
Aepyceros melampus

インプテロコウモリのなかま … 133〜135

ウ

ウーリークモザル → ミナミムリキ

ウェッデルアザラシ …………… 175
Leptonychotes weddellii

ウェルシュ・コーギー・ペンブローク (イヌ) …… 247

ウオクイコウモリ ……………… 130
Noctilio leporinus

ウオクイコウモリ科 …………… 130

ウォンバット ……………… 25,223
Vombatus ursinus

ウォンバット科 ………………… 25

ウォーターバック ……………… 219
Kobus ellipsiprymnus

ウサギ科 ……………………… 107

ウシ科 ………………………… 210

ウスイロアレチネズミ ………… 99
Gerbillus floweri

ウスリーホオヒゲコウモリ …… 262
Myotis sibiricus

ウマ科 ………………………… 180

ウマヅラコウモリ ……………… 135
Hypsignathus monstrosus

ウルフスピッツ → キースホンド (イヌ)

ウロコオリス科 ………………… 97

ウンピョウ …………………… 144
Neofelis nebulosa

エ

エキゾチック (ネコ) …………… 253

エクアドルケノレステス ……… 19
Caenolestes fuliginosus

エジプシャン・マウ (ネコ) …… 252

エジプトマングース …………… 152
Herpestes ichneumon

エゾタヌキ (亜種) …………… 157

エゾヒグマ (亜種) …………… 160

エチゴモグラ ………………… 117
Mogera etigo

エラブオオコウモリ (亜種) …… 134

エランド → イランド

エルク → ヘラジカ

エレガントワラビー …………… 30
Notamacropus parryi

エンペラータマリン …………… 68
Saguinus imperator

オ

オウギハクジラ ……………… 231
Mesoplodon stejnegeri

オオアシトガリネズミ ………… 120
Sorex unguiculatus

オオアシナガマウス …………… 96
Macrotarsomys ingens

オオアリクイ …………………… 55
Myrmecophaga tridactyla

オオアルマジロ ………………… 53
Priodontes maximus

オオウロコオリス ……………… 97
Anomalurus pelii

オオカミ ……………………… 154
Canis lupus

オオガラゴ …………………… 66
Otolemur crassicaudatus

オオカワウソ ………………… 164
Pteronura brasiliensis

オオカンガルー ……………… 29,33
Macropus giganteus

オオコウモリ科 ……………… 134

オーストラリアアシカ ………… 171
Neophoca cinerea

オーストラリアオオアラコウモリ …… 133
Macroderma gigas

オオセンザンコウ ……………… 136
Smutsia gigantea

オオツノヒツジ → ビッグホーン

オオツパイ …………………… 56
Tupaia tana

オオネズミクイ ………………… 20
Dasyuroides byrnei

オオフチア科 ………………… 103

オオマメジカ ………………… 196
Tragulus napu

オオミミギツネ ……………… 157
Otocyon megalotis

オオミミトビネズミ …………… 95
Euchoreutes naso

オオミミハリネズミ …………… 118
Hemiechinus auritus

オオヤマネコ ………………… 149
Lynx lynx

オガサワラアブラコウモリ …… 268
Pipistrellus sturdeei

オガサワラオオコウモリ ……… 134
Pteropus pselaphon

オカピ ……………………… 205,222
Okapia johnstoni

オガワマッコウ ……………… 231
Kogia sima

オキゴンドウ ………………… 233
Pseudorca crassidens

オキナワオオコウモリ ………… 268
Pteropus loochoensis

オキナワコキクガシラコウモリ …… 264
Rhinolophus pumilus

オキナワトゲネズミ …………… 99
Tokudaia muenninki

オキナワハツカネズミ ………… 99
Mus caroli

オグロジャックウサギ ………… 108
Lepus californicus

オグロヌー …………………… 216
Connochaetes taurinus

オグロプレーリードッグ ……… 92
Cynomys ludovicianus

オグロワラビー……31 *Wallabia bicolor*	カナダオオヤマネコ……149 *Lynx canadensis*	キクガシラコウモリ科……133
オコジョ……165 *Mustela erminea*	カナダカワウソ……164 *Lontra canadensis*	紀州（イヌ）……249
オジロジカ……200 *Odocoileus virginianus*	カナダヤマアラシ……101,123 *Erethizon dorsatum*	木曽馬（ウマ）……241
オジロヌー……216 *Connochaetes gnou*	カニクイアザラシ……174 *Lobodon carcinophaga*	キタオットセイ……170 *Callorhinus ursinus*
オセロット……147 *Leopardus pardalis*	カニクイアライグマ……168 *Procyon cancrivorus*	キタオポッサム……18 *Didelphis virginiana*
オタリア……171 *Otaria byronia*	カニクイイヌ……155 *Cerdocyon thous*	キタキツネ（亜種）……156
オナガコウモリ科……133	カニクイザル……74 *Macaca fascicularis*	キタクビワコウモリ……262 *Eptesicus nilssonii*
オナガザル科……72	カニクイマングース……152 *Urva urva*	キタケバナウォンバット……25 *Lasiorhinus krefftii*
オナガセンザンコウ……137 *Phataginus tetradactyla*	カバ……192,221 *Hippopotamus amphibius*	キタコアリクイ……55 *Tamandua mexicana*
オナガフクロヤマネ……26 *Cercartetus caudatus*	カバ科……192	キタゾウアザラシ……174 *Mirounga angustirostris*
オナガー（亜種）……182	カピバラ……88,102 *Hydrochoerus hydrochaeris*	キタタラポアン……76 *Miopithecus ogouensis*
オヒキコウモリ……131 *Tadarida insignis*	カフカスアイベックス……213 *Capra caucasica*	キタナキウサギ……111 *Ochotona hyperborea*
オヒキコウモリ科……131	カマイルカ……234 *Lagenorhynchus obliquidens*	キタミユビトビネズミ……95 *Dipus sagitta*
オビリンサン……150 *Prionodon linsang*	カモノハシ……16 *Ornithorhynchus anatinus*	キタリス……90 *Sciurus vulgaris*
オポッサム科……18	カモノハシ科……16	キットギツネ……156 *Vulpes macrotis*
オポッサム目……18	カヤネズミ……98 *Micromys minutus*	キツネザル科……62
オマキザル科……68	カラカル……147 *Caracal caracal*	キティブタバナコウモリ……133 *Craseonycteris thonglongyai*
オリイオオコウモリ（亜種）……134	ガラゴ科……66	奇蹄目……176～187
オリイジネズミ……119 *Crocidura orii*	ガラパゴスオットセイ……170 *Arctocephalus galapagoensis*	ギニアヒヒ……77 *Papio papio*
オリックス……219 *Oryx gazella*	カリブー → トナカイ	キヌゲネズミ科……96
オルドカンガルーネズミ……94 *Dipodomys ordii*	カリフォルニアアシカ……171 *Zalophus californianus*	キヌポケットマウス……94 *Perognathus flavus*
	カリフォルニアジリス……92 *Otospermophilus beecheyi*	キノガーレ……150 *Cynogale bennettii*
カ	カワイノシシ……190 *Potamochoerus larvatus*	キノボリジャコウネコ……151 *Nandinia binotata*
甲斐（イヌ）……249	カワネズミ……121 *Chimarrogale platycephalus*	キノボリジャコウネコ科……151
海牛目……50～51	カンガルー科……28	キノボリセンザンコウ……137 *Phataginus tricuspis*
カイロトゲマウス……99 *Acomys cahirinus*	カンガルーハムスター……95 *Calomyscus bailwardi*	キバノロ……199 *Hydropotes inermis*
ガウル……210 *Bos frontalis*	カンガルーハムスター科……95	キボシイワハイラックス……39 *Heterohyrax brucei*
カエルクイコウモリ……130 *Trachops cirrhosus*	カンジキウサギ……107 *Lepus americanus*	キャバリア・キング・チャールズ・スパニエル（イヌ）…246
カオグロキノボリカンガルー……32 *Dendrolagus lumholtzi*	ガンジスカワイルカ……235 *Platanista gangetica*	キャン……182 *Equus kiang*
カグヤコウモリ……128 *Myotis longicaudatus*	ガンジスカワイルカ科……235	キャンベルハムスター……255
カグラコウモリ……133 *Hipposideros turpis*	管歯目……38	ギュンターディクディク……217 *Madoqua guentheri*
カグラコウモリ科……133	カンムリテナガザル……80 *Nomascus concolor*	キューバソレノドン……118 *Solenodon cubanus*
カコミスル……168 *Bassariscus astutus*		キョン……199,270 *Muntiacus reevesi*
カシミア（ヤギ）……244	**キ**	キリン……6,188,204,206,208,220,222 *Giraffa camelopardalis*
カズハゴンドウ……233 *Peponocephala electra*	キースホンド（イヌ）……248	キリン科……204
カツオクジラ……229 *Balaenoptera edeni*	キイロヒヒ……77 *Papio cynocephalus*	キンイロジェントルキツネザル……63 *Hapalemur aureus*
カッショクハイエナ……153 *Hyaena brunnea*	キエリテン……166 *Martes flavigula*	キンイロジャッカル……154 *Canis aureus*

283

キンカジュー･･････････････････････168
Potos flavus
キンシコウ･･････････････････････････79
Rhinopithecus roxellana
キンモグラ科･････････････････････････37

ク

クアッガ･･････････････････････････181
Equus quagga
クアッカワラビー･･････････････31,33
Setonix brachyurus
グアナコ･････････････････････････195
Lama guanicoe
クーガー → ピューマ
クーズー･････････････････････････211
Strepsiceros strepsiceros
偶蹄目･･････････････････････188〜219
クスクス科･････････････････････････26
クズリ･･･････････････････････････166
Gulo gulo
クチジロジカ････････････････････198
Cervus albirostris
クチジロペッカリー･･･････････････191
Tayassu pecari
口之島牛（ウシ）････････････････243
クチバテングコウモリ･･･････････261
Murina tenebrosa
クチヒゲグエノン･･････････････････72
Cercopithecus cephus
クチビルコウモリ科･････････････130
クビワオオコウモリ･･････････････134
Pteropus dasymallus
クビワコウモリ･･････････････････129
Eptesicus japonensis
クビワナキウサギ････････････････111
Ochotona collaris
クビワペッカリー････････････････191
Pecari tajacu
クビワレミング････････････････････97
Dicrostonyx torquatus
クマ科･･････････････････････････158
クマネズミ･･････････････････････････98
Rattus rattus
クモザル科･･････････････････････････70
クラカケアザラシ･･･････････････175
Histriophoca fasciata
グラントガゼル･･････････････････217
Nanger granti
グリズリー → ハイイログマ
クリップスプリンガー･････････217,221
Oreotragus oreotragus
クリハラリス･････････････････91,270
Callosciurus erythraeus
グリベットモンキー･･･････････････73
Chlorocebus aethiops
クルペオギツネ･･････････････････157
Lycalopex culpaeus
グレート・デーン（イヌ）････････251
グレート・ピレニーズ（イヌ）･････250
グレビーシマウマ･････････178,180,223
Equus grevyi

クロアカコウモリ････････････････261
Myotis rufoniger
クロアシネコ････････････････････146
Felis nigripes
クロウアカリ･･････････････････････70
Cacajao melanocephalus
クロオオアブラコウモリ････････129
Hypsugo alaschanicus
クロカンガルー･･････････････････30
Macropus fuliginosus
クロキツネザル･･････････････････63
Eulemur macaco
黒毛和種（ウシ）･･････････････････243
クロサイ･････････････････････184,220
Diceros bicornis
クロザル･････････････････････････74
Macaca nigra
クロシロエリマキキツネザル･･････62
Varecia variegata
クロツチクジラ･････････････････230
Berardius minimus
クロテン･････････････････････････166
Martes zibellina
クロハラハムスター･･･････････････97
Cricetus cricetus
クロヒゲツームコウモリ････････132
Taphozous melanopogon
クロホオヒゲコウモリ･････････････262
Myotis pruinosus
グンディ科･････････････････････101

ケ

鯨目･････････････････････224〜235
齧歯目････････････････････88〜103
ケープキンモグラ････････････････37
Chrysochloris asiatica
ケープハイラックス･･･････････････39
Procavia capensis
ゲッチンゲン → ミニブタ（ブタ）
ケナガネズミ･････････････････98,269
Diplothrix legata
ケノレステス科･･････････････････19
ゲムズボック → オリックス
ゲラダヒヒ････････････････････････76
Theropithecus gelada
ゲルディモンキー･･････････････････68
Callimico goeldii

コ

コアラ･･･････････････････････24,33
Phascolarctos cinereus
コアラ科･････････････････････････24
コアラコウモリ･･･････････････････133
Megaderma spasma
コウジョウセンガゼル･･････････217
Gazella subgutturosa
コウベモグラ････････････････114,117
Mogera wogura
コオナガコウモリ･････････････････133
Rhinopoma hardwickii
コーニッシュ・レックス（ネコ）･････252

ゴールデン・レトリーバー（イヌ）･･････250
ゴールデンターキン（亜種）････････213
ゴールデンハムスター･･････････255
ゴールデンライオンタマリン･･････68
Leontopithecus rosalia
コキクガシラコウモリ･･････････263
Rhinolophus cornutus
コククジラ･････････････････････229
Eschrichtius robustus
コククジラ科･･････････････････229
ココノオビアルマジロ････････13,53
Dasypus novemcinctus
コシキハネジネズミ････････････37
Rhynchocyon chrysopygus
コジャコウネコ･････････････････150
Viverricula indica
コセミクジラ･･･････････････････229
Caperea marginata
コセミクジラ科････････････････229
コツメカワウソ･･･････････････････164
Aonyx cinereus
コディアックヒグマ（亜種）････････160
コテングコウモリ･････････････････128
Murina ussuriensis
コビトイノシシ･･･････････････････191
Porcula salvania
コビトカバ･････････････････193,223
Choeropsis liberiensis
コビトキツネザル科････････････63
コビトハツカネズミ･････････････99
Mus minutoides
コビトマングース･････････････････152
Helogale parvula
コビレゴンドウ･･････････････････233
Globicephala macrorhynchus
コブハクジラ･･･････････････････231
Mesoplodon densirostris
コマッコウ････････････････････････231
Kogia breviceps
コマッコウ科･･･････････････････231
ゴマフアザラシ･･････････････････173
Phoca largha
コミミイワワラビー･･････････････31
Petrogale brachyotis
コミミハネジネズミ･････････････37
Macroscelides proboscideus
コモンツパイ･････････････････････56
Tupaia glis
コモンドール（イヌ）･････････････251
コモンマーモセット･･･････68,86,87
Callithrix jacchus
コモンリスザル･･･････････････････69
Saimiri sciureus
コヤマコウモリ････････････････････262
Nyctalus furvus
コヨーテ･････････････････････････155
Canis latrans
コリデール（ヒツジ）････････････244

サ

ザーネン（ヤギ）････････････････244

サーバル *Leptailurus serval*	145
サイアミーズ → シャム（ネコ）	
サイ科	184
サイガ *Saiga tatarica*	218
サイクスモンキー *Cercopithecus albogularis*	72
サオラ *Pseudoryx nghetinhensis*	212
サキ科	70
サシオコウモリ科	132
ザトウクジラ *Megaptera novaeangliae*	224, 228
サドモグラ *Mogera tokudae*	117
サバクキンモグラ *Eremitalpa granti*	12, 37
サバクワタオウサギ *Sylvilagus audubonii*	110
サバンナシマウマ *Equus quagga*	180
サバンナセンザンコウ *Smutsia temminckii*	136
サバンナゾウ → アフリカゾウ	
サビイロネコ *Prionailurus rubiginosus*	148
サフォーク（ヒツジ）	244
サモエド（イヌ）	248
サラブレッド（ウマ）	238, 240
サラモチコウモリ *Myzopoda aurita*	132
サラモチコウモリ科	132
サラワクイルカ *Lagenodelphis hosei*	234
サルデーニャウサギ *Prolagus sardus*	111
サルデーニャウサギ科	111
サンバー *Cervus unicolor*	198

シ

シー・ズー（イヌ）	246
シェットランド・シープドッグ（イヌ）	246
シェトランド・ポニー → ポニー（ウマ）	
ジェフロイクモザル *Ateles geoffroyi*	61, 71
ジェレヌク *Litocranius walleri*	218
シカ科	197
シカシロアシマウス *Peromyscus maniculatus*	97
四国（イヌ）	249
シシオザル *Macaca silenus*	75
シタツンガ *Tragelaphus spekii*	212
シタナガフルーツコウモリ *Macroglossus minimus*	135
シナイタチアナグマ *Melogale moschata*	166
シナオオアブラコウモリ *Hypsugo pulveratus*	263
柴（イヌ）	249
シバヤギ（ヤギ）	244
シフゾウ *Elaphurus davidianus*	199
シベリアイタチ *Mustela sibirica*	165
シベリアシマリス *Eutamias sibiricus*	35, 92
シベリアジャコウジカ *Moschus moschiferus*	196
シベリアン・ハスキー（イヌ）	248
シマオイワワラビー *Petrogale xanthopus*	31
シマクサマウス *Lemniscomys barbarus*	99
シマスカンク *Mephitis mephitis*	167
シマテンレック *Hemicentetes semispinosus*	36
シマハイエナ *Hyaena hyaena*	153
シママングース *Mungos mungo*	152
ジムヌラ *Echinosorex gymnura*	118
シモフリコミミバンディクート *Isoodon macrourus*	21
シャー・ペイ（イヌ）	248
ジャージー（ウシ）	242
ジャージーウーリー（ウサギ）	254
ジャーマン・シェーパード・ドッグ（イヌ）	251
ジャイアントパンダ *Ailuropoda melanoleuca*	162, 223
ジャガランディ *Herpailurus yagouaroundi*	145
ジャガー *Panthera onca*	144
ジャコウウシ *Ovibos moschatus*	214
ジャコウジカ科	196
ジャコウネコ科	150
ジャコウネズミ *Suncus murinus*	119
シャチ *Orcinus orca*	233
ジャック・ラッセル・テリア（イヌ）	247
ジャパニーズ・ボブテイル（ネコ）	253
シャム（ネコ）	252
シャモア *Rupicapra rupicapra*	215
シャルトリュー（ネコ）	252
シャロレー（ウシ）	242
ジャワオオコウモリ *Pteropus vampyrus*	134
ジャワサイ *Rhinoceros sondaicus*	186
ジャワツパイ *Tupaia javanica*	56
ジャワマメジカ *Tragulus javanicus*	196
ジャンガリアンハムスター	255
ジャングルキャット *Felis chaus*	146
ジュゴン *Dugong dugon*	50, 269
ジュゴン科	50
ショウガラゴ *Galago senegalensis*	7, 66
少丘歯目	19
ショウハナジロエノン *Cercopithecus petaurista*	73
食肉目	138～175
ショロイツクインツレ（イヌ）	248
ションブルグジカ *Rucervus schomburgki*	199
シルバーマーモセット *Mico argentatus*	69
シルバールトン *Trachypithecus cristatus*	79
シロイルカ *Delphinapterus leucas*	234
シロイワヤギ *Oreamnos americanus*	214
シロエリマンガベイ *Cercocebus torquatus*	72
シロガオオマキザル *Cebus albifrons*	69
シロガオサキ *Pithecia pithecia*	70
シロガオマーモセット *Callithrix geoffroyi*	68
シロサイ *Ceratotherium simum*	176, 185
シロテテナガザル *Hylobates lar*	81, 86, 87
シロナガスクジラ *Balaenoptera musculus*	226, 228
シロバナハナグマ *Nasua narica*	168
シロヘラコウモリ *Ectophylla alba*	130
シロミミオポッサム *Didelphis albiventris*	18
シワハイルカ *Steno bredanensis*	234
シントウトガリネズミ *Sorex shinto*	120
真無盲腸目	112～121

ス

スイギュウ（ウシ）	243
スイツキコウモリ科	131
スイロク → サンバー	
スカンクアナグマ *Mydaus javanensis*	167
スカンク科	167

ズキンアザラシ……………………175 *Cystophora cristata*	セスジネズミ………………………98 *Apodemus agrarius*	タテゴトアザラシ…………………172 *Pagophilus groenlandicus*
スコティッシュ・フォールド (ネコ) ……253	ゼニガタアザラシ…………………173 *Phoca vitulina*	タヌキ………………………………157 *Nyctereutes procyonoides*
スジイルカ…………………………232 *Stenella coeruleoalba*	セミイルカ…………………………234 *Lissodelphis borealis*	ダマガゼル…………………………217 *Nanger dama*
スタンダード・ダックスフンド → ダックスフンド (イヌ)	セミクジラ…………………………229 *Eubalaena japonica*	ダマジカ……………………………199 *Dama dama*
スタンダード・バラエティー → ショロイツクインツレ (イヌ)	セミクジラ科………………………229	ダマヤブワラビー……………………30 *Notamacropus eugenii*
ステラーカイギュウ…………………50 *Hydrodamalis gigas*	セレベスバビルサ…………………191 *Babyrousa celebensis*	ダマリスクス………………………216 *Damaliscus lunatus*
ストーンシープ → ドールビッグホーン	センカクモグラ……………………260 *Mogera uchidai*	ダルメシアン (イヌ)………………250
スナイロワラビー……………………30 *Notamacropus agilis*	センザンコウ科……………………136	単孔目（たんこうもく）…………16〜17
スナドリネコ………………………148 *Prionailurus viverrinus*	セント・バーナード (イヌ)………250	
スナネコ……………………………146 *Felis margarita*	**ソ**	**チ**
スナネズミ…………………………99 *Meriones unguiculatus*	ゾウ科（か）…………………………44	チーター……………………………145 *Acinonyx jubatus*
スナメリ……………………………235 *Neophocaena asiaeorientalis sunameri*	双前歯目（そうぜんしもく）…22〜32	チチブコウモリ……………………263 *Barbastella pacifica*
スピックススイツキコウモリ………131 *Thyroptera tricolor*	ソマリ (ネコ)………………………252	チチュウカイモンクアザラシ………172 *Monachus monachus*
スフィンクス (ネコ)………………252	ソマリノロバ (亜種)………………182	チビオスンダリス……………………91 *Sundasciurus lowii*
スプリングボック…………………216 *Antidorcas marsupialis*	ソレノドン科………………………118	チビトガリネズミ…………………120 *Sorex minutissimus*
スペインオオヤマネコ……………149 *Lynx pardinus*	**タ**	チビフクロモモンガ…………………27 *Acrobates pygmaeus*
スマトラウサギ……………………108 *Nesolagus netscheri*	ターキン……………………………213 *Budorcas taxicolor*	チビフクロモモンガ科………………27
スマトラオランウータン……………84 *Pongo abelii*	ダイアナモンキー……………………73 *Cercopithecus diana*	チャイニーズハムスター……………255
スマトラカモシカ…………………214 *Capricornis sumatraensis*	対州馬 (ウマ)………………………241	チャウ・チャウ (イヌ)……………248
スマトラサイ………………………186 *Dicerorhinus sumatrensis*	ダイトウオオコウモリ (亜種)……134	チャクマヒヒ…………………………77 *Papio ursinus*
スマトラゾウ (亜種)…………………46	タイヘイヨウアカボウモドキ……231 *Indopacetus pacificus*	チャコペッカリー…………………191 *Catagonus wagneri*
スマトラトラ (亜種)………………142	大ヨークシャー (ブタ)……………245	中ヨークシャー (ブタ)……………245
スミイロオヒキコウモリ……………263 *Tadarida latouchei*	タイラ………………………………166 *Eira barbara*	チョウセンイタチ → シベリアイタチ
スミスアカウサギ…………………109 *Pronolagus rupestris*	タイリクモモンガ………34,91,104 *Pteromys volans*	長鼻目（ちょうびもく）……40〜49
スミスネズミ…………………………96 *Craseomys smithii*	タイリクヤチネズミ…………………96 *Craseomys rufocanus*	チルー………………………………215 *Pantholops hodgsonii*
スラウェシメガネザル………………67 *Tarsius tarsier*	タイワンザル…………………………75 *Macaca cyclopis*	チロエオポッサム……………………19 *Dromiciops gliroides*
スリランカゾウ (亜種)………………46	タケネズミ……………………………95 *Rhizomys sinensis*	チワワ (イヌ)………………………246
スンダスローロリス…………………66 *Nycticebus coucang*	ダスキーティティ……………………70 *Plecturocebus moloch*	狆 (イヌ)……………………………249
セ	ダスキールトン………………………79 *Trachypithecus obscurus*	チンチラ……………………………101 *Chinchilla chinchilla*
セイウチ……………………………171 *Odobenus rosmarus*	タスマニアデビル……………20,33,35 *Sarcophilus harrisii*	チンチラ科…………………………101
セイウチ科…………………………171	ダックスフンド (イヌ)……………247	チンチラネズミ科…………………103
セーブルアンテロープ……………218 *Hippotragus niger*	ダッチ (ウサギ)……………………254	チンパンジー………………58,85,86,87 *Pan troglodytes*
セグロジャッカル…………………154 *Canis mesomelas*	タテガミオオカミ…………………155 *Chrysocyon brachyurus*	**ツ**
セジロウーリーオポッサム…………18 *Caluromys derbianus*	タテガミナマケモノ…………………54 *Bradypus torquatus*	ツキノワグマ………………161,236 *Ursus thibetanus*
セスジキノボリカンガルー…………32 *Dendrolagus goodfellowi*	タテガミヤマアラシ……………100,123 *Hystrix cristata*	ツギホコウモリ……………………132 *Mystacina tuberculata*
		ツギホコウモリ科…………………132

ツ

ツコツコ科 ………………………… 103
ツシマテン (亜種) ………………… 166
ツシマヤマネコ (亜種) ……… 148, 273
ツチクジラ ………………………… 230
Berardius bairdii
ツチブタ …………………………… 38
Orycteropus afer
ツチブタ科 ………………………… 38
ツノシマクジラ …………………… 228
Balaenoptera omurai
ツパイ科 …………………………… 56
ツメナシコウモリ科 ……………… 131

テ

デグー ……………………………… 103
Octodon degus
デグー科 …………………………… 103
テナガザル科 ……………………… 80
デバネズミ科 ……………………… 101
デマレフチア ……………………… 103
Capromys pilorides
デマレルーセットオオコウモリ … 135
Rousettus leschenaultii
デュロック (ブタ) ………………… 245
テングコウモリ …………………… 128
Murina hilgendorfi
テングザル ………………………… 78
Nasalis larvatus
テングハネジネズミ ……………… 37
Rhynchocyon cirnei
テンジクネズミ科 ………………… 102
テンレック ………………………… 36
Tenrec ecaudatus
テンレック科 ……………………… 36

ト

トイ・プードル → プードル (イヌ)
トウキョウトガリネズミ (亜種) … 120
トウブハイイロリス ……………… 90
Sciurus carolinensis
トウブマダラスカンク …………… 167
Spilogale putorius
トウブワタオウサギ ……………… 110
Sylvilagus floridanus
登木目 ……………………………… 56
ドーセットホーン (ヒツジ) ……… 244
ドーベルマン (イヌ) ……………… 251
ドーベントンコウモリ …………… 128
Myotis petax
ドール ……………………………… 155
Cuon alpinus
ドールビッグホーン ……………… 215
Ovis dalli
トカラ馬 (ウマ) …………………… 241
トガリネズミ科 …………………… 119
トクノシマトゲネズミ …………… 259
Tokudaia tokunoshimensis
兎形目 ……………………… 106〜111
トゲヤマネ ………………………… 95
Platacanthomys lasiurus
トゲヤマネ科 ……………………… 95
土佐 (イヌ) ………………………… 249
トド ………………………………… 171
Eumetopias jubatus
トナカイ …………………… 201, 221
Rangifer tarandus
トビウサギ ………………………… 97
Pedetes capensis
トビウサギ科 ……………………… 97
トビネズミ科 ……………………… 95
ドブソンミゾコウモリ …………… 132
Nycteris macrotis
ドブネズミ ………………………… 98
Rattus norvegicus
トムソンガゼル …………………… 217
Eudorcas thomsonii
トラ ………………………………… 142
Panthera tigris
ドリル ……………………………… 76
Mandrillus leucophaeus
ドワーフホト (ウサギ) …………… 254

ナ

ナガスクジラ ……………………… 228
Balaenoptera physalus
ナガスクジラ科 …………………… 228
ナキウサギ科 ……………………… 111
ナナツオビアルマジロ …………… 53
Dasypus septemcinctus
ナマケグマ ………………… 161, 236
Melursus ursinus
ナミチスイコウモリ ……………… 130
Desmodus rotundus
ナミハリネズミ …………… 118, 122
Erinaceus europaeus
ナンキョクオットセイ …………… 170
Arctocephalus gazella

ニ

ニアラ ……………………………… 211
Nyala angasii
ニオイネズミカンガルー ………… 32
Hypsiprymnodon moschatus
ニオイネズミカンガルー科 ……… 32
ニシアカコロブス ………………… 78
Piliocolobus badius
ニシインドマナティー …………… 51
Trichechus manatus
ニシゴリラ ………………………… 82
Gorilla gorilla
ニシフーロックテナガザル ……… 80
Hoolock hoolock
ニシメガネザル …………………… 67
Cephalopachus bancanus
ニタリクジラ ……………………… 229
Balaenoptera brydei
ニホンアシカ ……………………… 268
Zalophus japonicus
ニホンアナグマ …………………… 167
Meles anakuma
ニホンイタチ ……………………… 165
Mustela itatsi
ニホンウサギコウモリ …………… 129
Plecotus sacrimontis
ニホンオオカミ …………………… 268
Canis lupus hodophilax
ニホンカワウソ …………………… 268
Lutra lutra nippon / Lutra lutra whiteleyi
ニホンカモシカ …………… 214, 222, 269
Capricornis crispus
ニホンキクガシラコウモリ ……… 133
Rhinolophus nippon
ニホンザル ………………… 75, 86, 87, 256
Macaca fuscata
ニホンジカ ………………… 189, 197, 236
Cervus nippon
ニホンジネズミ …………………… 119
Crocidura dsinezumi
日本スピッツ (イヌ) ……………… 249
日本短角種 (ウシ) ………………… 243
日本テリア (イヌ) ………………… 249
ニホンテン ………………………… 166
Martes melampus
日本猫 (ネコ) ……………………… 253
ニホンノウサギ …………… 107, 223
Lepus brachyurus
ニホンモモンガ …………………… 91
Pteromys momonga
ニホンリス ………………………… 90
Sciurus lis
ニュージーランドアシカ ……… 33, 171
Phocarctos hookeri
ニルガイ …………………………… 211
Boselaphus tragocamelus

ヌ

ヌートリア ………………… 103, 270
Myocastor coypus
ヌートリア科 ……………………… 103
ヌビアアイベックス ……………… 213
Capra nubiana
ヌマチウサギ ……………………… 110
Sylvilagus aquaticus

ネ

ネコ科 ……………………………… 140
ネザーランドドワーフ (ウサギ) … 254
ネズミイルカ ……………………… 235
Phocoena phocoena
ネズミイルカ科 …………………… 235
ネズミ科 …………………………… 98
ネズミカンガルー科 ……………… 32

ネズミクイ ··················· 20
Dasycercus cristicauda

ノ

ノドジロオマキザル ··················· 69
Cebus capucinus

ノドジロミユビナマケモノ ··················· 54
Bradypus tridactylus

ノドチャミユビナマケモノ ··················· 54
Bradypus variegatus

野間馬（ウマ） ··················· 241

ノヤク → ヤク

ノルウェージャン・フォレスト・キャット（ネコ）··· 253

ノルウェーレミング ··················· 97
Lemmus lemmus

ノレンコウモリ ··················· 261
Myotis bombinus

ノロ ··················· 199
Capreolus capreolus

ノロジカ → ノロ

ハ

バークシャー（ブタ） ··················· 245

バーニーズ・マウンテン・ドッグ（イヌ）··· 250

パーネルケナシコウモリ ··················· 130
Pteronotus parnellii

バーバリーシープ ··················· 213
Ammotragus lervia

バーバリーマカク ··················· 75
Macaca sylvanus

バーミーズ（ネコ） ··················· 252

パームシベット ··················· 151
Paradoxurus hermaphroditus

バーラル ··················· 215
Pseudois nayaur

ハイイロギツネ ··················· 157
Urocyon cinereoargenteus

ハイイロキノボリマウス ··················· 96
Dendromus melanotis

ハイイログマ（亜種） ··················· 160

ハイイロジェントルキツネザル ··················· 63
Hapalemur griseus

ハイイロジネズミオポッサム ··················· 18
Monodelphis domestica

ハイイロネズミキツネザル ··················· 63
Microcebus murinus

ハイイロリングテイル ··················· 27
Pseudocheirus peregrinus

ハイエナ科 ··················· 153

ハイガシラオオコウモリ ··················· 135
Pteropus poliocephalus

バイカルアザラシ ··················· 172
Pusa sibirica

バイカルトガリネズミ ··················· 120
Sorex caecutiens

ハイチソレノドン ··················· 118
Solenodon paradoxus

ハイチンチラネズミ ··················· 103
Abrocoma cinerea

ハイバラケノレステス ··················· 19
Caenolestes caniventer

ハイラックス科 ··················· 39

ハイランド（ウシ） ··················· 243

パカ ··················· 102
Cuniculus paca

パカ科 ··················· 102

パカラナ ··················· 102
Dinomys branickii

パカラナ科 ··················· 102

パグ（イヌ） ··················· 247

バク科 ··················· 183

ハクビシン ··················· 151
Paguma larvata

ハシナガイルカ ··················· 232
Stenella longirostris

ハセイルカ ··················· 232
Delphinus capensis

ハダカデバネズミ ··················· 101
Heterocephalus glaber

パタスモンキー ··················· 74
Erythrocebus patas

ハタネズミ ··················· 96
Alexandromys montebelli

ハツカネズミ ··················· 99
Mus musculus

バッファロー → アメリカバイソン

ハッブスオウギハクジラ ··················· 231
Mesoplodon carlhubbsi

ハナゴンドウ ··················· 233
Grampus griseus

ハナナガネズミカンガルー ··················· 32
Potorous tridactylus

ハヌマンラングール ··················· 79
Semnopithecus entellus

ハネオツパイ ··················· 56
Ptilocercus lowii

ハネオツパイ科 ··················· 56

ハネジネズミ科 ··················· 37

ハネジネズミ目 ··················· 37

パピヨン（イヌ） ··················· 246

ハリア（イヌ） ··················· 248

ハリテンレック ··················· 36, 65, 122
Setifer setosus

ハリネズミ科 ··················· 118

ハリモグラ ··················· 17, 122
Tachyglossus aculeatus

ハリモグラ科 ··················· 17

バルチスタンコミミトビネズミ ··················· 95
Salpingotus michaelis

パルマワラビー ··················· 30
Notamacropus parma

ハワイモンクアザラシ ··················· 172
Neomonachus schauinslandi

パンダイルカ → イロワケイルカ

バンディクート科 ··················· 21

バンディクート目 ··················· 21

バンテン ··················· 210
Bos javanicus

ハントウアカネズミ ··················· 98
Apodemus peninsulae

ハンドウイルカ ··················· 232
Tursiops truncatus

バンドウイルカ → ハンドウイルカ

パンパスジカ ··················· 201
Ozotoceros bezoarticus

ハンプシャー（ブタ） ··················· 245

ヒ

ビーグル（イヌ） ··················· 247

ピータークチビルコウモリ ··················· 130
Mormoops megalophylla

ビーバー科 ··················· 94

ヒガシアバヒ ··················· 64
Avahi laniger

ヒガシゴリラ ··················· 83
Gorilla beringei

ビクーニャ ··················· 195
Lama vicugna

ヒグマ ··················· 160, 236
Ursus arctos

ピグミーウサギ ··················· 108
Brachylagus idahoensis

ピグミーチンパンジー → ボノボ

ピグミーツパイ ··················· 56
Tupaia minor

ピグミーマーモセット ··················· 68
Cebuella pygmaea

ヒゲイノシシ ··················· 190
Sus barbatus

ヒゲサキ ··················· 70
Chiropotes chiropotes

被甲目 ··················· 52〜53

ビション・フリーゼ（イヌ） ··················· 246

ビスカーチャ ··················· 101
Lagostomus maximus

ビスカッチャ → ビスカーチャ

ビッグホーン ··················· 215
Ovis canadensis

ヒト
Homo sapiens
····· 6, 43, 61, 85, 115, 127, 179, 206, 227

ヒト科 ··················· 82

ヒトコブラクダ ··················· 194
Camelus dromedarius

ヒナコウモリ ··················· 129
Vespertilio sinensis

ヒナコウモリ科 ··················· 128

ヒマラヤグマ → ツキノワグマ

ヒマラヤタール ··················· 214
Hemitragus jemlahicus

ヒマラヤン（ネコ） ··················· 253

ヒミズ ··················· 117
Urotrichus talpoides

ヒメアリクイ ··················· 55
Cyclopes didactylus

ヒメアリクイ科 ··················· 55

ヒメアルマジロ ……………………… 53 *Chlamyphorus truncatus*	フクロトビネズミ …………………… 20 *Antechinomys laniger*	ブルドッグ（イヌ）…………………250
ヒメウォンバット → ウォンバット	フクロネコ ……………………………… 20 *Dasyurus viverrinus*	プレボストリス→ミケリス
ヒメクスクス ……………………………… 26 *Strigocuscus celebensis*	フクロネコ科 …………………………… 20	フレミッシュジャイアント（ウサギ）……254
ヒメトガリネズミ ………………………120 *Sorex gracillimus*	フクロネコ目 …………………………… 20	フレンチ・ブルドッグ（イヌ）………247
ヒメネズミ ……………………………… 98 *Apodemus argenteus*	フクロミツスイ ………………………… 27 *Tarsipes rostratus*	フレンチロップ（ウサギ）……………254
ヒメハリテンレック …………………… 36 *Echinops telfairi*	フクロミツスイ科 ……………………… 27	プロングホーン ……………… 13,189,201 *Antilocapra americana*
ヒメヒナコウモリ ………………………263 *Vespertilio murinus*	フクロササビ ……………………… 27,105 *Petauroides volans*	プロングホーン科 ………………………201
ヒメヒミズ ………………………………117 *Dymecodon pilirostris*	フクロモグラ …………………………21,34 *Notoryctes typhlops*	フンボルトウーリーモンキー ………… 71 *Lagothrix lagotricha*
ヒメホオヒゲコウモリ …………………128 *Myotis ikonnikovi*	フクロモグラ科 ………………………… 21	フンボルトヨザル ……………………… 69 *Aotus trivirgatus*
ヒメヤチネズミ ………………………… 96 *Myodes rutilus*	フクロモグラ目 ………………………… 21	
ピューマ…………………………………145 *Puma concolor*	フクロモモンガ ……………… 27,34,105 *Petaurus breviceps*	**ヘ**
ヒョウ ……………………………………144 *Panthera pardus*	フクロモモンガ科 ……………………… 27	ベアードバク ……………………………183 *Tapirella bairdii*
ヒョウアザラシ …………………………175 *Hydrurga leptonyx*	フクロヤマネ …………………………26,34 *Cercartetus nanus*	ヘイチホリネズミ ……………………… 94 *Geomys bursarius*
皮翼目 …………………………………… 57	フサオオリンゴ …………………………168 *Bassaricyon gabbii*	ペキニーズ（イヌ）……………………246
ヒヨケザル科 …………………………… 57	フサオネズミカンガルー ……………… 32 *Bettongia penicillata*	ペッカリー科 ……………………………191
ヒラバフチア ……………………………103	フサオマキザル ………………………… 69 *Sapajus apella*	ベネズエラグイラトゲネズミ …………103 *Proechimys guairae*
ピレネーデスマン ………………………116 *Galemys pyrenaicus*	ブタアシバンディクート ……………… 21 *Chaeropus ecaudatus*	ヘラコウモリ科 …………………………130
ビントロング ……………………………151 *Arctictis binturong*	ブタアシバンディクート科 …………… 21	ヘラジカ ………………………… 200,222 *Alces alces*
	フタコブラクダ ……………194,220,222 *Camelus bactrianus*	ベルーガ → シロイルカ
フ	ブタバナコウモリ科 ……………………133	ペルシャ（ネコ）………………………253
フィッシャー ……………………………165 *Pekania pennanti*	フタユビナマケモノ …………………… 54 *Choloepus didactylus*	ベルベットモンキー …………………… 73 *Chlorocebus pygerythrus*
フィリピンヒヨケザル ………………… 57 *Cynocephalus volans*	フタユビナマケモノ科 ………………… 54	ヘレフォード（ウシ）…………………242
フィリピンメガネザル ………………… 67 *Carlito syrichta*	フチア科 …………………………………103	ベローシファカ ………………………… 64 *Propithecus verreauxi*
フイリマングース ………………… 152,270 *Urva auropunctata*	ブチクスクス …………………………26,33 *Spilocuscus maculatus*	ベンガル（ネコ）………………………252
プーズー ………………………… 200,222 *Pudu puda*	ブチハイエナ …………………………35,153 *Crocuta crocuta*	ベンガルトラ（亜種）…………………142
プードル（イヌ）………………………246	ブッシュバック …………………………212 *Tragelaphus scriptus*	ベンガルヤマネコ ………………………148 *Prionailurus bengalensis*
ブーラミス ……………………………… 26 *Burramys parvus*	ブッシュマンウサギ ……………………108 *Bunolagus monticularis*	
ブーラミス科 …………………………… 26	ブラウンキツネザル …………………… 62 *Eulemur fulvus*	**ホ**
フェネック ………………………………156 *Vulpes zerda*	ブラックバック …………………………217 *Antilope cervicapra*	ボウシテナガザル ……………………… 81 *Hylobates pileatus*
フォッサ ……………………………65,151 *Cryptoprocta ferox*	ブラッザグエノン ……………………… 73 *Cercopithecus neglectus*	ボーア（ヤギ）…………………………244
フクロアリクイ …………………………20,34 *Myrmecobius fasciatus*	フラマリオツコツコ ……………………103 *Ctenomys flamarioni*	ホオジロマンガベイ …………………… 74 *Lophocebus albigena*
フクロアリクイ科 ……………………… 20	ブラリナトガリネズミ …………………120 *Blarina brevicauda*	ホオジロムササビ→ムササビ
フクロオオカミ ………………………… 20 *Thylacinus cynocephalus*	フランソワルトン ……………………… 79 *Trachypithecus francoisi*	ボーダー・コリー（イヌ）……………248
フクロオオカミ科 ……………………… 20	フリージアン（ウマ）…………………240	ホーランドロップ（ウサギ）…………254
フクロギツネ …………………………26,35 *Trichosurus vulpecula*	ブル・テリア（イヌ）…………………248	ポケットマウス科 ……………………… 94
フクロシマリス …………………………27,35 *Dactylopsila trivirgata*	ブルーシープ → バーラル	ホシバナモグラ …………………………116 *Condylura cristata*
フクロテナガザル ……………………… 80 *Symphalangus syndactylus*	ブルーモンキー ………………………… 73 *Cercopithecus mitis*	ボストン・テリア（イヌ）……………248

ポタモガーレ ·· 36
Potamogale velox

北海道(イヌ) ····································· 249

北海道和種(ウマ) ···························· 241

ホッキョクギツネ ··························· 7,156
Vulpes lagopus

ホッキョククジラ ····························· 229
Balaena mysticetus

ホッキョクグマ ························ 158,236
Ursus maritimus

ホッキョクジリス ······························· 92
Urocitellus parryii

ポットー ··· 66
Perodicticus potto

ポニー(ウマ) ····································· 240

ボノボ ··· 85
Pan paniscus

ボブキャット ····································· 149
Lynx rufus

ホフマンナマケモノ ··························· 54
Choloepus hoffmanni

ポメラニアン(イヌ) ························ 246

ポリネシアネズミ ····························· 259
Rattus exulans

ホリネズミ科 ······································· 94

ホルスタイン(ウシ) ························ 242

ボルゾイ(イヌ) ································· 251

ボルネオオランウータン ········ 13,60,84
Pongo pygmaeus

ボルネオゾウ(亜種) ·························· 46

ボンゴ ··· 212
Tragelaphus eurycerus

ボンネットモンキー ··························· 74
Macaca radiata

マ

マーゲイ ··· 147
Leopardus wiedii

マーコール ··· 213
Capra falconeri

マーブルキャット ····························· 149
Pardofelis marmorata

マーラ ··· 102
Dolichotis patagonum

マイルカ ··· 232
Delphinus delphis

マイルカ科 ··· 232

マウンテンゴート → シロイワヤギ

マサイキリン(亜種) ························ 204

マザマ → アカマザマ

マスクラット ······································· 97
Ondatra zibethicus

マダガスカルマングース科 ············· 151

マタコミツオビアルマジロ ··············· 52
Tolypeutes matacus

マダラアグーチ ································· 102
Dasyprocta punctata

マダライルカ ····································· 232
Stenella attenuata

マッコウクジラ ································· 230
Physeter macrocephalus

マッコウクジラ科 ····························· 230

マナティー科 ······································· 51

マヌルネコ ··· 146
Otocolobus manul

マメジカ科 ··· 196

マライヤマネコ ································· 148
Prionailurus planiceps

マリアナオオコウモリ ····················· 135
Pteropus mariannus

マルチーズ(イヌ) ····························· 246

マルミミゾウ ······································· 44
Loxodonta cyclotis

マルミミツメナシコウモリ ············· 131
Amorphochilus schnablii

マレーグマ ································· 161,236
Helarctos malayanus

マレーセンザンコウ ························· 136
Manis javanica

マレーバク ··· 183
Acrocodia indicus

マレーヒヨケザル ························ 57,105
Galeopterus variegatus

マレーヤマアラシ ····························· 100
Hystrix brachyura

マングース科 ····································· 152

マンチカン(ネコ) ····························· 253

マントヒヒ ··· 77
Papio hamadryas

マントホエザル ··································· 70
Alouatta palliata

マンドリル ··· 76
Mandrillus sphinx

ミ

ミーアキャット ································· 152
Suricata suricatta

ミクロビオテリウム科 ······················· 19

ミクロビオテリウム目 ······················· 19

ミケリス ··· 91
Callosciurus prevostii

御崎馬(ウマ) ····································· 241

見島牛(ウシ) ····································· 243

ミズオポッサム ··································· 18
Chironectes minimus

ミズトガリネズミ ····························· 121
Neomys fodiens

ミズラモグラ ····································· 117
Oreoscaptor mizura

ミゾコウモリ科 ································· 132

ミツアナグマ → ラーテル

ミツオビアルマジロ ··························· 52
Tolypeutes tricinctus

ミドルホワイト → 中ヨークシャー(ブタ)

ミナミアフリカオットセイ ············· 170
Arctocephalus pusillus

ミナミアメリカオットセイ ············· 170
Arctocephalus australis

ミナミキノボリハイラックス ··········· 39
Dendrohyrax arboreus

ミナミケバナウォンバット ··············· 25
Lasiorhinus latifrons

ミナミコアリクイ ························ 34,55
Tamandua tetradactyla

ミナミゾウアザラシ ························· 174
Mirounga leonina

ミナミタラポアン ······························· 76
Miopithecus talapoin

ミナミハンドウイルカ ····················· 232
Tursiops aduncus

ミナミバンドウイルカ → ミナミハンドウイルカ

ミナミブタオザル ······························· 75
Macaca nemestrina

ミナミムリキ ······································· 71
Brachyteles arachnoides

ミニチュア・シュナウザー(イヌ) ··· 246

ミニチュア・ピンシャー(イヌ) ······ 247

ミニブタ(ブタ) ································· 245

ミニレッキス(ウサギ) ····················· 254

ミミセンザンコウ ····························· 136
Manis pentadactyla

ミミナガバンディクート ············ 21,35
Macrotis lagotis

ミミナガバンディクート科 ··············· 21

宮古馬(ウマ) ····································· 241

ミユビナマケモノ科 ··························· 54

ミユビハリモグラ ······························· 17
Zaglossus bruijni

ミュラーテナガザル ··························· 81
Hylobates muelleri

ミュールジカ ····································· 200
Odocoileus hemionus

ミンク ··· 165
Neovison vison

ミンククジラ ····································· 229
Balaenoptera acutorostrata

ム

ムース → ヘラジカ

ムクゲネズミ ······································· 96
Craseomys rex

ムササビ ···································· 91,104,105
Petaurista leucogenys

ムツオビアルマジロ ··························· 53
Euphractus sexcinctus

メ

メイシャン(ブタ) ····························· 245

梅山豚 → メイシャン(ブタ)

メイン・クーン・キャット(ネコ) ··· 253

メガネグマ ································· 161,236
Tremarctos ornatus

メガネザル科 ······································· 67

メキシコウサギ ································· 110
Romerolagus diazi

メキシコオオアシナガコウモリ……………131
Natalus mexicanus

メクラネズミ科……………………………95

メリノ（ヒツジ）…………………………244

モ

モウコガゼル………………………………217
Procapra gutturosa

モウコノロバ（亜種）……………………182

モグラ科……………………………………116

モグラヒミズ………………………………116
Parascalops breweri

モモジロコウモリ…………………………128
Myotis macrodactylus

モモジロリーフモンキー…………………78
Presbytis femoralis

モリアブラコウモリ………………………262
Pipistrellus endoi

モリイノシシ………………………………190
Hylochoerus meinertzhageni

モリウサギ…………………………………110
Sylvilagus brasiliensis

ヤ

ヤエヤマオオコウモリ（亜種）…………134

ヤエヤマコキクガシラコウモリ…………263
Rhinolophus perditus

ヤク…………………………………………210
Bos mutus

ヤチネズミ…………………………………96
Craseomys andersoni

ヤブイヌ……………………………………157
Speothos venaticus

ヤマアラシ科………………………………100

ヤマコウモリ………………………………129
Nyctalus aviator

ヤマシマウマ………………………………180
Equus zebra

ヤマジャコウジカ…………………………196
Moschus chrysogaster

ヤマネ………………………………………93
Glirulus japonicus

ヤマネ科……………………………………93

ヤマバク……………………………………183
Tapirus pinchaque

ヤマビーバー………………………………93
Aplodontia rufa

ヤマビーバー科……………………………93

ヤンゴコウモリのなかま………128〜132

ヤンバルホオヒゲコウモリ………………262
Myotis yanbarensis

ユ

有毛目…………………………………54〜55

ユーラシアカワウソ………………………164
Lutra lutra

ユキウサギ…………………………………107
Lepus timidus

ユキヒョウ…………………………………144
Panthera uncia

ユビナガコウモリ…………………………131
Miniopterus fuliginosus

ユビナガコウモリ科………………………131

ユメゴンドウ………………………………233
Feresa attenuata

ヨ

ヨウスコウカワイルカ……………………235
Lipotes vexillifer

ヨークシャー・テリア（イヌ）…………246

ヨーロッパアカリス（亜種）……………90

ヨーロッパケナガイタチ…………………165
Mustela putorius

ヨーロッパジェネット……………………150
Genetta genetta

ヨーロッパバイソン…………………189,210
Bos bonasus

ヨーロッパハタリス………………………92
Spermophilus citellus

ヨーロッパビーバー………………………94
Castor fiber

ヨーロッパモグラ…………………………116
Talpa europaea

ヨーロッパヤマネ………………………34,93
Muscardinus avellanarius

ヨーロッパヤマネコ………………………146
Felis silvestris

翼手目…………………………………124〜135

ヨシネズミ…………………………………101
Thryonomys swinderianus

ヨシネズミ科………………………………101

ヨツツノレイヨウ…………………………212
Tetracerus quadricornis

ヨツメオポッサム…………………………18
Philander opossum

ヨツユビハリネズミ………………………118
Atelerix albiventris

与那国馬（ウマ）…………………………241

ラ

ラ・パーマ（ネコ）………………………253

ラージホワイト → 大ヨークシャー（ブタ）

ラーテル……………………………………167
Mellivora capensis

ライオン………………………………138,139,140
Panthera leo

ラクダ科……………………………………194

ラグドール（ネコ）………………………253

ラッコ…………………………………164,269
Enhydra lutris

ラフ・コリー（イヌ）……………………250

ラブラドール・レトリーバー（イヌ）…250

ラマ…………………………………………195
Lama glama

ランドアカウサギ…………………………109
Pronolagus randensis

ランドレース（ブタ）……………………245

リ

リーチュエ…………………………………219
Kobus leche

リードバック………………………………219
Redunca arundinum

リーボック…………………………………219
Pelea capreolus

リカオン……………………………………155
Lycaon pictus

リス科………………………………………90

リュウキュウイノシシ（亜種）…………190

リュウキュウテングコウモリ……………261
Murina ryukyuana

リュウキュウユビナガコウモリ…………263
Miniopterus fuscus

リングテイル科……………………………27

鱗甲目…………………………………136〜137

レ

霊長目…………………………………58〜87

レッサーパンダ……………………………169
Ailurus fulgens

レッサーパンダ科…………………………169

ロ

ロエストモンキー…………………………72
Allochrocebus lhoesti

ロシアデスマン……………………………116
Desmana moschata

ロシアン・ブルー（ネコ）………………252

ロバ…………………………………………182
Equus asinus

ロバ（家ちく）……………………………240

ロボロフスキーハムスター………………255

ロリス科……………………………………66

ワ

ワウワウテナガザル………………………81
Hylobates moloch

ワオキツネザル………………………62,65,86,87
Lemur catta

ワオマングース……………………………151
Galidia elegans

ワタセジネズミ……………………………119
Crocidura watasei

ワタボウシタマリン………………………68
Saguinus oedipus

ワモンアザラシ……………………………172
Pusa hispida

[総監修]
姉崎智子　群馬県立自然史博物館　主幹（学芸員）

[監修] 五十音順
浅原正和　愛知学院大学　教養部　生物学教室　准教授
……………単孔目
岩佐真宏　日本大学　生物資源科学部　動物学科　教授
……………齧歯目
鈴木　聡　神奈川県立生命の星・地球博物館　主任学芸員
……………食肉目（執筆も）
高井正成　京都大学総合博物館　教授
……………霊長目（執筆も）
田島木綿子　国立科学博物館　動物研究部　脊椎動物研究グループ　研究主幹
……………海牛目、鯨目
樽　創　神奈川県立生命の星・地球博物館　主任学芸員
……………長鼻目
福井　大　東京大学大学院　農学生命科学研究科附属演習林／富士癒しの森研究所所長
……………翼手目
南　正人　麻布大学　特命教授／NPO法人生物多様性研究所あーすわーむ
……………偶蹄目（執筆も）
横畑泰志　富山大学　理学部　理学科　教授
……………アフリカトガリネズミ目、ハネジネズミ目、真無盲腸目（執筆も）

●家ちく・ペット
アジアキャットクラブ（ACC）
……………ネコ
一般社団法人ジャパンケネルクラブ（JKC）
……………イヌ
田向健一　田園調布動物病院院長
……………ウサギ、齧歯目
万年英之　神戸大学大学院　農学研究科　資源生命科学専攻　教授
……………家ちく（執筆も）

[協力]
上原真一（東邦大学　理学部　生命圏環境科学科　教授）
大沢啓子・大沢夕志（翼手目執筆）
国立研究開発法人　森林機構・森林総合研究所
三品隆司

[写真]
アフロ、アマナイメージズ、有沢重雄、飯島正広、伊知地国夫、岩佐真宏、大沢夕志、岡崎弘幸、小川秀司、加藤直邦、川嶋隆義（スタジオ・ポーキュパイン）、小宮輝之、佐藤雅彦、清水紘子、城ヶ原貴通、高岡昌江、高橋成紀、田村常雄、土屋公幸、内藤律子、中島宏章、布川航太、ハユマ、浜田太、樋口尚子、フォトライブラリー、星野道夫事務所、万年英之、南正人、柳平和士、横畑泰志、Adobe Stock、Depositphotos、Dreamstime、Hugo Loaiza、iStock、Kerinci Seblat National Park、MARTIN PEREZ、PIXTA、Shutterstock
※「CC BY 4.0」表記の写真はクリエイティブ・コモンズ・ライセンス 表示4.0国際（https://creativecommons.org/licenses/by/4.0/）のもとに提供されています。

[写真提供]
アドベンチャーワールド、到津の森公園、馬の博物館、沖縄市、鹿児島市平川動物公園、環境省、環境省奄美野生生物保護センター、環境省西表野生生物保護センター、環境省対馬野生生物保護センター、群馬サファリパーク、埼玉県こども動物自然公園、札幌市円山動物園、千葉県、東京農業大学、鳥羽水族館、名古屋市東山動植物園、那須サファリパーク、福岡市動物園、福山市立動物園、富士サファリパーク、よこはま動物園ズーラシア（横浜市旭区上白根町1175-1）、和歌山県立自然博物館

[画像レタッチ]
アフロビジョン、小堀文彦、しみずだいすけ（京田クリエーション）

[撮影協力]
青森県立郷土館、宇都宮動物園、恩賜上野動物園、神奈川県立生命の星・地球博物館、群馬県立自然史博物館、国立科学博物館、仙台市八木山動物公園、日本大学生物資源科学部博物館、ヒノトントンZOO（羽村市動物公園）、ミュージアムパーク茨城県自然博物館、よこはま動物園ズーラシア（横浜市旭区上白根町1175-1）

[イラスト・図版]
おだざわゆみ、KAM（黒木博、阿部और厚、三品隆司）、カサネ・治、加藤愛一、小堀文彦、小松ゆき子、さはらそのこ、橋爪義弘、ハユマ、マカベアキオ、むらたももこ（京田クリエーション）、横山拓彦

[ロゴデザイン、装丁]
小口翔平＋畑中茜（tobufune）

[本文レイアウト基本設計]
神戸道枝、長久雅行

[本文レイアウト]
かしわらあきお（カッシーグラフィックス）、菅渉宇（スガデザイン）、ダイアートプランニング（高島光子、今泉明香、伊藤沙弥）、ダグハウス（佐々木恵実）

[アイコン制作]
菅渉宇（スガデザイン）、ダイアートプランニング（高島光子、今泉明香）、つまようじ（京田クリエーション）

[校正]
タクトシステム、文字工房燦光

[編集協力]
岩井真木、栗栖美樹、スリーシーズン、高岡昌江、ハユマ（近藤哲生、原口結）、宮崎祥子、美和企画（笹原依子）、山田智子

[企画編集]
西川寛
松原由幸

[参考文献]
『朝日百科 動物たちの地球 哺乳類Ⅰ・Ⅱ』朝日新聞社
『週刊かがくる改訂版7巻』朝日新聞出版
『キリンのひづめ、ヒトの指』NHK出版
『写真に残された絶滅動物たち最後の記録』エクスナレッジ
『絶滅野生動物事典』KADOKAWA
『世界のクジラ・イルカ百科図鑑』河出書房新社
『図録 読みもの ナウマンゾウがいた！』神奈川県立生命の星・地球博物館
『日本哺乳類大図鑑』偕成社
『霊長類図鑑』京都通信社
『ずかんウイルス』技術評論社
『スケッチで学ぶ動物＋人比較解剖学』玄光社
『大哺乳類図録』国立科学博物館
『大哺乳類展3図録』国立科学博物館
『生物の進化大事典』三省堂
『週刊 日本の天然記念物 動物編 アマミノクロウサギ 03』小学館
『キッズペディア地球館』小学館
『小学館の図鑑NEO 新版 動物』小学館
『小学館の図鑑NEO 地球』小学館
『地球動物図鑑』新樹社
『世界文化生物大図鑑6 動物』世界文化社
『フクロモモンガ完全飼育』誠文堂新光社
『365日出会う大自然 森に住む動物』誠文堂新光社
『外来種ハンドブック』地人書館
『世界の動物 分類と飼育 3長鼻目』どうぶつ社
『日本列島の自然史』東海大学出版会
『日本の哺乳類』東海大学出版会
『有袋類学』東京大学出版会
『シカの生態誌』東京大学出版会
『コウモリ学 適応と進化』東京大学出版会
『ボクが逆さに生きる理由ー誤解だらけのこうもり』ナツメ社
『絶滅動物図鑑 地球から消えた生き物たち』日経ナショナル ジオグラフィック
『ナショナルジオグラフィック日本版　ゾウの世界』日経ナショナル ジオグラフィック
『ホネホネ動物ふしぎ大図鑑』日本図書センター
『世界動物大図鑑』ネコ・パブリッシング
『空を飛ぶ生き物たち』PHP研究所
『識別図鑑 日本のコウモリ』文一総合出版
『リス・ネズミハンドブック』文一総合出版
『モグラハンドブック』文一総合出版
『日本動物大百科』平凡社
『動物大百科』平凡社
『ポプラディア大図鑑 WONDA動物』ポプラ社
『新版 絶滅哺乳類図鑑』丸善出版
『人類が滅ぼした動物の図鑑』丸善出版
『鯨類の骨学』緑書房
『海棲哺乳類大全　彼らの体と生き方に迫る』緑書房
『海獣学者、クジラを解剖する。』山と渓谷社
『くらべてわかる哺乳類』山と渓谷社
『クジラの歌を聴け』山と渓谷社
『Illustrated Checklist of the Mammals of the World』Lynx Edicions
『Handbook of the Mammals of the World』Lynx Edicions
『The Wild Mammals of Japan (2nd.eddition)』中西印刷株式会社出版部 松香堂書店

川田伸一郎、岩佐真宏、福井　大、新宅勇太、天野雅男、下稲葉さやか、樽　創、姉崎智子、鈴木　聡、押田龍夫、横畑泰志．2021．世界哺乳類標準和名リスト２０２１年度版．
URL：https://www.mammalogy.jp/list/index.html

〈DVD〉
　[動画制作]
　　庄司日和、能重光希、松原由幸、南形早紀（以上Gakken）
　　小島俊介（ことり社）

　[動画制作協力]
　　ディレクションズ

　[キャラクターデザイン]
　　ヨシムラヨシユキ

〈とびだす！AR〉
　[3DCG制作]
　　水木玲

　[制作協力]
　　アララ株式会社

〈ポスター〉
　[編集協力]
　　西野泉

　[写真・足型提供]
　　小宮輝之

　[イラスト]
　　かしわらあきお（カッシーグラフィックス）

　[レイアウト]
　　有泉武己（プリントハウス）

学研の図鑑LIVEシリーズ
WEBアンケート
今後とも良い本を作るため、みなさまの
ご意見、ご感想をお聞かせください。

新版
動物

2024年 7月 9日 第1刷発行

発行人　土屋 徹

編集人　芳賀靖彦

発行所　株式会社Gakken
　　　　〒141-8416
　　　　東京都品川区西五反田 2-11-8

印刷所　図書印刷株式会社

NDC 480
©Gakken

本書の無断転載、複製、複写（コピー）、翻訳を禁じます。
本書を代行業者等の第三者に依頼してスキャンやデジタル化することは、
たとえ個人や家庭内の利用であっても著作権法上、認められておりません。

お客様へ

■ この本に関する各種お問い合わせ先
・本の内容については、下記サイトのお問い合わせフォームよりお願いします。
　https://www.corp-gakken.co.jp/contact/
・DVDの破損や不具合に関するお問い合わせは
　イービストレード DVD サポートセンター　フリーダイヤル 0120-500-627
　受付時間 10 時～ 17 時（土日祝日をのぞく）
・在庫については
　TEL 03-6431-1197（販売部）
・不良品（落丁、乱丁）については
　TEL 0570-000577
　学研業務センター
　〒354-0045 埼玉県入間郡三芳町上富 279-1
・上記以外のお問い合わせは
　TEL 0570-056-710（学研グループ総合案内）

■ 学研の図鑑 LIVE の情報は下記をご覧ください。
　https://zukan.gakken.jp/live/

■ 学研グループの書籍・雑誌についての新刊情報・詳細情報は下記を
　ご覧ください。
　https://hon.gakken.jp/

おうちの方へ

スマートフォンで見てみよう！

▶ ARを見る

「とびだす！AR」のマークがあるページをスマートフォンでスキャンすると、3DCGが見られます。

3DCGが飛び出す！

無料 アプリをダウンロードし、スキャンしてください。

「Google Play（Playストア）」・「App Store」から、ARAPPLI（アラプリ）をダウンロードし、マークがあるページ全体をスキャンしてください。

マークがあるページ全体をスキャン！

3DCG が見られるページ

■	クロカンガルー	30
■	アフリカゾウ	44
■	ミツオビアルマジロ	52
■	ヒガシゴリラ	83
■	ライオン	140
■	ホッキョクグマ	158
■	ジャイアントパンダ	162
■	キリン	204
■	ザトウクジラ	228
■	シャチ	233

うまく再生するには

● かざすページが暗すぎたり、明るすぎると表示しにくい場合があります。照明などで調節してください。
● かざすページに光が反射していたり、影がかぶっていたりするとうまく再生されません。
● 複数のアプリを同時に使用していると、うまく再生されない場合があります。ご確認ください。
● 電波状況の良いところでご利用ください。
● うまく再生できない場合は、一度画面からページをはずして、再度かざし直すとうまく再生できる場合があります。

※スマートフォンアプリ「ARAPPLI（アラプリ）」の OS 対応は iOS：13 以上、Android 7 以上となります。非推奨 OS につきましても動作する場合がありますが、推奨しておりません。
※タブレット端末動作保証外です。
※ Android™ 端末では、お客様のスマートフォンでの他のアプリの利用状況、メモリーの利用状況等によりアプリが正常に作動しない場合がございます。また、アプリのバージョンアップにより、仕様が変更になる場合があります。詳しい解決法は、https://www.arappli.com/faq をご覧下さい。
※ Android™ は Google Inc. の商標です。
※ iPhone® は、Apple Inc. の商標です。
※ iPhone® 商標は、アイホン株式会社のライセンスに基づき使用されています。
※記載されている会社名及び商品名 / サービス名は、各社の商標または登録商標です。

▶ 動画を見る

DVD の映像を、スマートフォンやタブレット PC でもご覧になれます。右の URL または二次元コードにアクセスしてください。
動画の視聴には、Gakken ID への登録が必要です。

https://gbc-library.gakken.jp/

識別ID：wpdqq　　パスワード：kemtac6u

※お客様のインターネット環境および携帯端末により動画を再生できない場合、当社は責任を負いかねます。ご理解、ご了承いただきますよう、お願いいたします。
※動画は無料でご視聴いただけますが、通信料はお客様のご負担になります。